TOP 세일즈맨의 노트를 훔치다

한국인을 위한
세일즈 성공전략

TOP 세일즈맨의 노트를 훔치다

한국인을 위한 세일즈 성공전략

공민호 지음

추천사

존경하는 공민호 명예이사님의 출간을 진심으로 축하드립니다. 저는 그동안 명예이사님의 지식과 노하우를 전수받은 수많은 동료, 후배들이 영업적으로 크게 성장해 가는 모습을 지켜봐 왔습니다. 탄탄한 이론적 배경 위에 살아 있는 현장 경험이 더해진 코칭과 강연은 영업적 소양과 능력을 함양하는데 더할 나위 없는 도움이 되었습니다. 특히, 이 책을 통해 한국인만이 갖는 문화, 생활습관, 사고체계에 기반한 세일즈 성공전략을 접하게 된 것은 신선한 충격이었습니다. '지피지기면 백전백승'의 전략을 구체적 사례로 설명함으로써 독자들이 즉시 실행할 수 있도록 한 것은 영업의 참 고수다운 면모였다고 생각됩니다. 진심과 정성을 담은 글귀 하나하나가 독자들에게 전해지는 순간, 영업적 성공을 향한 거대한 변화들이 시작되리라 확신합니다. 영업인의 한 사람으로 영업인에게 필독서가 될 만큼 훌륭한 책을 출간해 주신 공민호 명예이사님께 감사와 축하를 드립니다.

곽희필 | ING생명 FC채널본부 부사장

공민호 이사가 오랜 기간 현장에서 직접 겪은 성공과 실패의 경험을 정리한 이 책은 다량의 독서를 통해 축적된 이론이 더해지면서, 16년차 보험설계사인 저에게도 그동안의 경험을 돌아보게 하고 앞으로의 방향을 정립하는데 많은 도움이 되었습니다. '매력적인 사람이 되는 것', 그것은 비즈니스맨의 출발점이면서 또 이 세상을 살아가는 사람으로 꼭 이루고 싶은 꿈입니다. 이제 막 영업을 시작하는 분뿐만 아니라 그 과정에 있는 모든 분들이 이 책을 통해 그동안의 과정을 점검하고 앞으로의 롱런을 꿈꿀 수 있는 분명한 방향을 확인할 수 있을 것입니다.

백찬현 | 한국MDRT협회 15대 협회장(푸르덴셜생명)

세일즈에 대한 의지와 열정은 강한데 성과가 안 나오고 있거나, 두 배 이상의 실적으로 도약하고 싶은 분이라면 이 책을 읽어 보기를 권합니다. 어떤 분야에서 일하고 있든 한국인을 대상으로 세일즈를 하고 있는 분이라면 말입니다.

손교욱 | 한국MDRT협회 11대 협회장(메트라이프생명)

추천사

보험영업 분야의 변하지 않는 한국적 본질과 트렌드를 간파하기 위해서는 이 책을 필독해야 합니다. 이 책에는 모든 영업인들에게 큰 도움을 주고자 하는 글쓴이의 마음이 담겨 있습니다. 동양인이자 한국인으로서 그리고 영업인으로서 '관계 영업, 듣는 영업, 내(內)집단 영업, 소개 영업'을 효율적으로 업그레이드 시키는 계기가 되리라 확신합니다. 일독을 강력히 추천합니다.

최상원 | 한국MDRT협회 9대 협회장(ING생명)

2015년도 미국 뉴올리언즈에서 개최된 MDRT 연차총회 중 '탑 프로듀서들의 미래 전략'이라는 제목의 패널 토의에서 함께 패널로 출연하며 인연을 맺은 그는 정말 최고 중의 최고 프로듀서라고 일컬음받기에 손색이 전혀 없는 인물입니다. 다양한 교육 과정을 이수하였으며 현재는 박사과정도 밟고 있을 정도로, 영업과 금융에 대한 학습을 게을리하지 않고 있습니다. 영업이라는 것이 달콤한 혀끝에서 나오는 것이 아니라 매일매일 닳아 가는 구두 굽에서 기인한 것이라는 근면함까지 갖춘 그는, 분명 금융·보험업계에서 찾아보기 힘든 문무를 겸비한 최고의 프로듀서라 할 만합니다. 현재 영업을 하고 있는 업계의 동료 및 후배들에게 이 책이 큰 도움이 될 것이라고 믿어 의심치 않습니다.

김인교 | 제10회 대한민국 금융 신지식인(교보생명)

이 책을 읽으면서 71권의 참고 문헌을 넘나드는 저자의 섬세한 관찰력이 눈에 들어옵니다. 그리고 필드에서 오랜 상담 경험을 한 저자의 통찰력 덕분에 한국인 고유의 '관계, 경청, 우리, 소개 영업'이 세일즈의 핵심 원리라는 사실을 쉽게 이해하게 될 것입니다.

김경배 | 처브라이프 생명보험 영업총괄상무

이 책을 통해 그동안 막연히 느끼고 있었던 한국인의 특성에 대해 명확하게 이해하게 되었다. 이런 한국인 고유의 특성을 저자의 세일즈 경험과 재치 있게 연결시켜 설명하는 이야기 전개가 무척 흥미롭다. 세일즈를 시작하려는 사람이라면 한번 꼭 읽기를 권하고 싶다.

박광수 | 동의대 금융보험학과 교수

추천사

가까운 동료이자 친한 동생인 공민호 이사의 출간을 축하합니다. 지난 2016년 MDRT 밴쿠버 연차총회에서 진행했던 강연에 많은 청중들이 호평하던 일이 지금도 생생히 기억납니다. 영업 현장에서 괄목할 만한 성과를 내면서도 이론적인 공부도 소홀히 하지 않은 것을 다시 확인할 수 있었습니다. 동서양 간의 정서적 차이를 비교하고, 그에 따라 한국 사회에 맞는 고객 접근 노하우와 영업의 핵심 원리를 이 책에서 명확히 제시하고 있다고 해도 과언이 아닙니다. 앞으로도 승승장구하면서 새로운 비즈니스 모델을 보여줄 것을 기대해 봅니다.

박성만 | 한국MDRT협회13대 협회장(ING생명)

2002년 월드컵 열기가 한창 뜨거웠던 시절, 작은 키에 눈빛이 선한 청년이 사무실에 들어오던 모습이 선합니다. 세월이 흘러 ING생명에서 명예이사가 되고 대외적으로는 MDRT 종신회원이 되어, 그동안 자신이 겪었던 영업 노하우를 이번에 한 권의 책으로 발간한다니 진심으로 축하합니다. 저자와 대화를 할 때마다 겸손한 태도와 상대방에 대한 배려를 느끼곤 했는데, 이 책 속에서 그의 영업철학을 다시 엿볼 수 있었습니다. 이 책에는 저자의 풍부한 경험과 다양한 지식이 잘 녹아있습니다. 보험영업뿐만 아니라 다른 직종의 영업인들에게도 많은 도움이 될 것이라 확신합니다.

박재성 | GA KOREA 해피플러스 지점장

ING생명에서부터 인연을 이어 오고 있는 저자는 나에게도 소중한 현장 실천 멘토입니다. 지난 15년간 그가 보여준 세일즈에 대한 프로정신이 이 책 한 권에 고스란히 묻어나는 듯합니다. 개인적인 경험담이 주를 이루는 기존 서적과 비교할 때 실전 노하우와 탄탄한 이론적 근거가 같이 제시되어 보험업계에 종사하는 분들뿐만 아니라 마케팅이나 영업을 하는 분들이라면 반드시 읽었으면 하는 필독서로 추천하고 싶습니다. 그리고 그에게 부탁하고 싶습니다. 현업에 있는 많은 후배들에게 '영원한 멘토'로서 폭넓은 강연과 저술 활동을 앞으로도 계속해 주기를 정중히 부탁드립니다.

이강식 | 현대라이프생명 개인영업실 부실장

추천사

이 책에는 한국인 정서에 근거한 실제 세일즈 경험담이 고스란히 담겨 있습니다. 오랫동안 현장 세일즈를 해온 사람으로서 무릎을 탁 치면서 읽었던 기억이 납니다. 처음 영업을 시작하는 분들에게는 세일즈 접근방법을 이해하게 도와줄 것이고, 세일즈 현업에 있는 분들에게는 영업의 본질을 다시 한 번 생각하게 하는 계기를 만들어 줄 것입니다.

배재훈 | 프라임에셋 경남본부장

지금까지 읽어 본 세일즈 서적 중에서 가장 진솔하고 현장 지향적인 책입니다. FC로서 경험한 노하우를 쉽게 풀어낸 것이라 읽는 내내 시간 가는 줄 몰랐습니다. 세일즈를 시작하는 분들에게는 바이블과 같은 책이라고 자신 있게 추천합니다.

정성훈 | ING생명 영업교육부

이 책이 가진 특별한 장점은, 이미 알고 있던 것을 전혀 다른 시각으로 볼 수 있게 한다는 것입니다. 이 책을 읽으면서 독자들은 지금까지 보지 못한 패턴과 관점에서 한국 사회 세일즈 분야의 성공과 실패 원인을 비로소 이해하게 될 것입니다. 한국에서 영업을 하는 사람들이라면 일독을 권합니다.

송세원 | 한국MDRT협회 컴퍼니체어(미래에셋생명)

PROLOGUE

우리에겐 한국인을 위한 세일즈 전략이 필요하다

"선배님, 도저히 모르겠습니다. 며칠을 생각해 봤는데, 저는 도무지 이해가 안 되네요."

"왜? 무슨 일인데 그러세요. 편하게 얘기해 보세요."

"제가 기존 계약자로부터 새로운 분을 소개받아 미팅을 했습니다. 상담도 잘했고 내용도 만족하는 듯해서, 당연히 성사가 될 줄 알았는데……. 나중에 보니 다른 회사와 계약을 했더라고요."

"아, 저런……."

"저는 이번 일로 완전히 '멘붕'입니다. 여러 차례 상담하며 다른 회사와 상품 비교도 했었는데, 제가 제안한 상품보다 좋은 점이 하나도 없었습니다. 보장 내용도 부족하고, 보험료나 해약환급율도 우리 상품보다 불리하고요, 무엇 하나 좋아 보이는 내용이 없는데, 왜 그 회사에 계약했을까요? 제가 뭘 놓쳤을까요? 딱히 제가 실수한 부분도 없어 보이는데, 저는 아무리 생각해도 납득할 수가 없습니다."

"음……. 그런 일이 있었군요."

"복잡하게 생각하지 마세요. 세일즈는 확률 게임이니, 이번에 안 됐으면 다음에는 쉽게 될 겁니다."

몇 년 전 지점에서 같이 근무하던 후배와 나눴던 대화 내용이다. 그 당시에는 후배 마음에 상처를 남길까 봐 차마 전하지 못했던 말을 이제라도 꺼내놓고 싶다.

'그건 회사와 상품 문제가 아니라 사람 문제겠죠. 당신보다 경쟁사 재무설계사가 더 마음에 들었을 뿐 다른 이유가 있을까요? 심각하게 고민하지 마세요. 그냥 인연이 아니었다고 생각하세요. 우리도 나를 좋아해 주는 사람을 더 열심히 만나면 됩니다. 결국 세일즈란 관계가 좌우할 때가 많으니까요.'

후배가 생각하지 못했던 점이 무엇이었을까? 그것은 바로 '인간관계'다. 고객이 보험을 선택할 때는 상품도 보고, 회사도 고려하지만 최종적인 결정은 사람에 따라 판단하는 경우가 많다. 후배와 상담했던 고객은 인간관계 때문에 다른 회사 재무설계사를 선택했을 뿐이다. 특수한 관계가 있었든 개인적인 취향이었든 여러 가지 원인이 있을 수 있다. 그 이유가 무엇인지는 중요하지 않다. '관계'가 선택 기준이 되었다는 사실이 우리에게 결과로 남을 뿐이다.

서양에서 만든 세일즈 이론이 근간으로 하는 것은 '니즈 판매'다. 고객의 필요성을 파악해 그 니즈를 충족시키는 상품을 판매한다는 개념이다. 판매에 있어서 중요하게 여기는 내용은 '고객 니즈'인 셈이다. 보험 회사에 입사해서 교육시간에 가장 많이 듣는 말도 아마 '니즈 판매'라는 개념일 것이다. 재무설계사들도 자주 '니즈'라는 말을 사용한다.

그러나 현실에서 느끼는 것은 다르다. '니즈 판매'가 근간이 아닌 사례가 적지 않다. 오히려 '관계'가 바탕이 되는 경우가 많다. 우선은 친분이 생겨야 상담할 기회가 생긴다고 할까? 서양에서의 세일즈가 '니즈 판매(Needs-Based Selling)'라면, 한국의 세일즈는 '관계에 기초한 판매(Relationship-Based Selling)'라고 할 수 있다. 관계가 형성되지 않은 상태에서 하는 상담은 좋은 결과가 나올 확률이 크게 떨어지기 때문이다. 현실에서 자주 경험하는 일이다.

월드컵 열기가 뜨거웠던 2002년 여름, 나는 보험 세일즈에 첫 발을 내

디뎠다. 지금까지 15년간 현장에서 영업을 하며 많은 경험을 했다. 원하는 대로 결과가 잘 나올 때도 있었지만, 때로는 힘들었던 순간들도 많았다. 그럴 때는 세일즈 관련 강의도 듣고 마케팅 서적도 탐독하면서 지식을 보완하고 영업 기술도 배웠다. 해마다 북미에서 진행하는 'MDRT 연차총회'도 일곱 번이나 참석했다.

그러면서 종종 느꼈던 점은 서양과 한국이 여러 부분에서 '다르다'는 사실이다. 어떤 세일즈 기술은 실제 영업 현장에서 바로 쓸 수 있지만, 또 어떤 내용은 적용하기 힘든 부분도 있었다. 곰곰이 생각해 보니 거의 대부분의 세일즈 이론은 서양에서 만들었기 때문이다. 서양 문화와 사고방식을 기반으로 한 이론은 당연히 우리랑 맞지 않는 면이 많았다. 자료를 찾아봐도 '한국인을 위한 세일즈 이론'이란 개념은 거의 없었다. 관련 책들도 서구에서 만들어진 이론을 바탕으로 한 경우가 대부분이다.

그것이 내가 이 책을 쓰게 된 계기다. '서양과는 다른, 한국인을 위한 세일즈 성공전략'을 우리는 알아야 한다. 서구 문화에 맞는 세일즈 이론이 아닌, 우리 문화와 정서에 어울리는 세일즈 전략이 필요하다.

한국 사회에서 세일즈를 이해하는 데 이 책이 작은 도움이 되기를 희망한다. 더 즐거운 세일즈 인생, 더 행복한 삶을 응원한다.

이 책의 구성

이 책의 목표는 단순하지만 명확하다. 영업 실적이 향상되도록 돕는 것이다. 한 권의 책이 급격한 발전을 가져오지는 않겠지만, 변화의 출발점이 될 수는 있다. 성장을 위한 촉매 역할, 그것이 이 책을 쓴 의도다.

더 나은 실적을 기대하기 위해서는 먼저 서양과는 다른 한국 사회 문화 특성을 '세일즈맨 관점'에서 이해해야 한다. 서양과 다른 한국 문화와 한국인 심리를 파악한 후에는 그 특성에 맞춰 세일즈 활동을 하면 된다. 영업은 '이해'가 필요한 영역이 아니라 '실천'이 요구되는 분야이지만, 행동하기 전에 중요한 원리를 우선 파악해야 한다.

이 책은 크게 4개의 장으로 구성되었다. 4개의 장은 '관계, 경청, 우리, 소개 영업'에 대한 내용이다. 이 네 단어가 한국 사회 세일즈 문화를 설명할 수 있는 핵심 키워드다. 각 장에서는 구체적인 내용과 함께 연관된 질문들에 대한 답변을 확인할 수 있다.

니즈에서 출발하는 서양 ↔ 관계에서 시작하는 한국

한국 사회 비즈니스에서는 '관계'가 출발점이다. 합리적 선택과 자율성을 중시하는 서양 사람들 사고방식과는 다르다. 한국인에게는 상호 의존적인 '인간관계'가 더 중요하다. 서양인들이 '니즈'에서 출발한다면, 한국인들은 '관계'에서 일이 시작된다. 일이 뜻대로 안 되는 영업인은 주변을 먼저 돌아봐야 한다. 영업에 필요한 지식과 기술이 부족해서가 아니라, '관계'문제일 수 있기 때문이다. 한국 사회에서는 '관계'가 누군가를 움직이게 하는 강력한 이유가 된다는 사실을 우리는 알아야 한다.

1장 핵심 내용

한국에서 영업으로 성공하기 위한 첫 번째 키워드는 '관계'다.

달변에 환호하는 서양 ↔ 경청을 우대하는 한국

서양과 한국의 대화법은 다르다. 서양 사람들은 대화를 할 때 필요한 정보를 직설적으로 표현하지만, 한국 사람들은 간접적으로 말하는 경우가 많다. 그 결과 서양에서는 '말하는'능력이 중요하지만, 한국에서는 '듣는'능력이 요구된다. 이러한 차이는 의사소통 문화에 큰 영향을 미쳤다. 서양 사회에서는 충분히 말하고 표현력이 좋은 사람을 우대하지만, 한국 사회에서는 과묵하고 타인의 얘기를 잘 들어 주는 사람을 더 인정해 준다. 사람을 대하는 가장 중요한 자세가 '경청'임을 알아야 한다. 영업은 혀가 아니라 귀로 하는 일이다.

2장 핵심 내용
한국인은 논리적인 말이 아닌 경청과 겸손의 태도로써 설득된다.

남에게 관대한 서양 ↔ 우리만 편애하는 한국

한국에서 영업은 '내(內)집단'을 주요 대상으로 삼아야 한다. '우리'라고 부를 수 있는 같은 단체에 집중해야 성과가 높아진다. 나와 동일한 그룹에 속한 사람이건 아니건 상관없이 대하는 서양 사람들에 비해 한국인은 같은 집단 사람을 편애하는 경향이 있다. '내(內)집단'과 '외(外)집단'에 차별을 둔다. 한국 사회에서 누군가를 만나면 출신 지역, 출신 학교부터 물어보는 일은 바로 이런 이유 때문이다. 우리는 나랑 연고가 있는 사람을 만날 때 더 빨리 마음을 열고 친해진다.

> 3장 핵심 내용
> 한국 사회에서 중요한 영업 대상은 '나와 같은 연고'가 있는 사람이어야 한다.

소개만 해주는 서양 ↔ 끝까지 간섭하고 협력하는 한국

소개 마케팅은 전 세계 최고 세일즈맨들의 공통된 영업 방식이다. 만족한 고객으로부터 소개받아 새로운 사람을 만나는 일이 효과적인 방법이기 때문이다. 그러나 소개 영업 프로세스는 서양과 한국이 다르다. 타인으로부터 간섭받는 일을 싫어하고 자율성을 존중하는 서양 사회에서 소개는 '추천'하는 의미만 있을 뿐이다. 소개자는 소개만 해주고 이후 과정에는 관심을 갖지 않는다. 이에 반해 한국에서는 누군가를 추천하는 일이 시작이다. 소개한 후에도 관심을 갖고 조언하며 간섭한다. '동조 의식'과 '체면 의식'이 작용하기 때문이다. 한국 사회 소개 영업 방식은 서양과 달라야 한다.

4장 핵심 내용
한국에서 소개 영업에 성공하기 위해서는 소개자의 관심과 협력이 중요하다.

현장에서 묻고 답하기

각 장 본문 다음에는 질의응답을 정리하였다. <현장에서 묻고 답하기>편을 구성해 본문 주제와 연관된 질문들을 모았다. 일을 처음 시작하는 신입부터 10년 경력의 재무설계사까지 걱정거리는 누구에게나 있다. 그 고민에 대한 답변이다. 영업 활동을 위한 시간 관리, 고객 관리, 슬럼프, 경청하기 위한 습관, 영업인에게 필요한 태도, 가망고객 발굴, 소개 마케팅 등에 관한 내용이다. 영업 세계에서 한 가지 정답은 없겠지만, 참고할 만한 힌트를 얻을 수 있다. 이 책을 처음부터 읽을 필요는 없다. <15가지 핵심 질문>을 통해 지금 가장 궁금한 의문사항부터 먼저 확인해 보는 것도 좋은 방법이다.

세일즈는 따로 있는 것이 아니다.
사람의 마음을 움직이는 모든 일이 세일즈다.
- 다니엘 핑크

CONTENTS

TOP

세일즈맨의
성공전략 1

관계

고대 그리스인들에게 행복은
'자신의 자질을 자유롭게 발휘하는 것'이었지만,
고대 중국인들에게 행복이란
'화목한 인간관계를 맺고 평범하게 사는 것'이었다.
- 리처드 니스벳

01

세일즈맨에게 능력보다 중요한 것

"친구가 운전 중에 과속으로 사람을 다치게 했는데 당신은 그 차에 타고 있었다. 법정에서 과속 사실 여부를 증언해야 하는데, 당신이 말하는 내용에 따라 결과는 달라진다. 가벼운 처벌에 그칠 수도 있고 큰 범죄가 될 수도 있다. 당신은 친구를 위해 그가 과속하지 않았다고 거짓말을 할 용의가 있는가?"

당신이라면 어떤 대답을 하겠는가?

네덜란드의 폰스 트롬페나스(Fons Trompenaars) 박사는 지역에 따른 문화 차이를 설명하기 위해서 위와 같은 질문을 만들고, 글로벌 기업에서 근무하는 38개국 직원들을 대상으로 조사했다. 결과는 다양했다.

캐나다인 중에서는 4%만이 친구를 위해 거짓말을 할 수 있다고 대답했다. 미국, 영국, 독일도 10%가 안 된다. 이어 프랑스, 일본, 싱가포르 등은 30%를 넘었고, 중국, 인도네시아, 러시아는 50% 이상이 거짓말을 하겠다고 했다. 그렇다면 한국은 결과가 어떻게 나왔을까?

한국인 중 74%가 친구를 위해 기꺼이 거짓말을 하겠다는 대답을 했다. 조사 대상 38개국 중 1위다. 한국인에게는 그깟 '거짓말'보다 소중한 '친구'가 우선이다.

'친구를 위해서 기꺼이 거짓말을 할 수 있다'는 말은 다시 말해서 친구 사이에는 우호적인 행동을 기대할 수 있다는 뜻이다. 원하는 일이 있으면 먼저 친구가 되라는 얘기다. '특수주의'사회인 한국에서는 비즈니스를 시작하기 전에 우선 좋은 친분을 쌓아야 한다. 좋은 관계가 비즈니스의 출발점이다.

서양을 '보편주의 사회'라고 한다. 언제나 적용되는 원칙이 지배하는 세상이다. 객관적이고 합리적인 기준에 입각해 사회를 운영한다. 웬만해선 예외를 허용하지 않는다. '거짓말은 하면 안 된다'는 규칙이 있으면 지켜야 한다. 상황에 따라 달라지지 않는다. 친구와 가족이라도 마찬가지다. 한국인의 시각에서 보면 참 융통성이 없는 냉정한 사람들이다.

반면 한국, 중국과 같은 동아시아 국가들은 '특수주의 사회'다. 거짓말은 하면 안 된다는 보편적 원칙이 있지만 상황에 따라 달라진다. 곤란에 빠진 친구가 있으면 그를 도와주는 일이 우선이 될 수 있다. 규칙이란 본래 사람을 위해 만들어졌으니, 그 사람이 처한 상황에 따라 유연하게 적용함이 당연하다.

친밀도에 따라 거짓말의 수준도 비례한다. 친구를 위해 거짓말을 하지 않는 사람은 비정한 사람으로까지 평가된다. 주의로부터 '꽉 막힌 사람', '인정머리 없는 놈'소리도 듣는다. '좋은 게 좋은 거다', '모난 돌이 정 맞는다'는 속담은 온정주의 사고방식을 보여 준다.

그러니 관계가 가진 힘을 알아야 한다. 재무 상담을 할 때도 마찬가지다. 훌륭한 재무 지식과 상담 능력을 갖추어도 그것이 전부가 아니다. 세금 지식도 해박하고 상속 같은 어려운 문제에 대해서 많이 알면 도움은 된다. 해당 분야 전문가가 되는 일인데 얼마나 좋은가? 환영받을 일이다. 그러나 본질이 무엇인지 생각해 봐야 한다. 지식, 능력보다 사람이 우선이기 때문이다.

탁월한 상담 능력이 있어도 출발은 '우호적인 관계' 만들기에 있다. 지식보다 관계, 능력보다 관계다. '친분 쌓기'야말로 우리에게 있어 첫 번째 목표다.

한국인의 세일즈에 있어서 첫 번째 키워드는 누가 뭐라 해도 '관계'다.

상담보다 친밀감이 먼저다

사람 사이에서 벌어지는 모든 일에는 '관계'가 작용한다. 재무 상담도 마찬가지다. 본격적인 상담에 앞서 상호 우호적인 관계를 만드는 일이 먼저다. 목적이 있는 만남이라고 해도 서로 친분을 쌓는 과정이 필요하기 때문이다. 신뢰가 생겨야 상담도 부드럽게 진행되고 결과도 긍정적으로 나온다.

의사와 환자의 관계를 뜻하는 '라포(rapport)'라는 말이 있다. 아픈 사람이 의사를 찾아가 진료를 시작하면 의사와 환자 사이에는 특수한 관계가 자연스럽게 만들어진다. 서로 믿고 의지하려는 마음이 생기며 친밀함을 느낀다고 할까?

"선생님께 다 맡길 테니 저 좀 낫게 해 주세요."라고 말하는 환자를 대할 때 대부분의 의사는 사명감이 생길 것이다. 이 환자를 잘 치료해 꼭 완치시키겠다는 강한 의지를 갖는 것이다. 아프고 힘든 타인을 돕고자 하는 '측은지심(惻隱之心)'은 어려운 사람을 대하는 인간의 본성이다. 마찬가지로 환자도 담당 의사가 자신을 위해 진심으로 최선을 다한다는 느낌을 받을 때 온전히 믿고 몸을 맡길 수 있다. 이렇게 의사와 환자 사이에는 서로를 신뢰하는 단단한 '라포'가 형성된다.

이때 우리가 알아야 할 중요한 사실은 라포 형성에 따라 예후가 크게 달라진다는 점이다. 연구 결과에 따르면, 환자와 의사 사이에 유대감이 생성되어 있으면 치료 결과가 더 좋게 나온다고 한다. 의료와 같은 고도의 전문적 행위에도 상호 '관계'가 그 결과에 영향을 미친다는 사실이 놀랍다. '라포'라고 표현하는 유대감 형성이 치료에서도 가장 중요한 첫 과정이라고 할 수 있겠다.

중국에서는 '관시'여부가 비즈니스의 성공을 결정한다. 중국에 관시 마케팅이 있다면 한국에는 '정(情)'마케팅이 있다. 한국인들은 '그 놈의 정 때문에'라는 표현을 종종 쓴다. 합리적인 판단에 따라 사안을 결정하지 않고 '관계'때문에 선택을 할 때 사용하는 말이다. 중국의 '관시'와 한국의 '정'에서 알 수 있듯, 동양 사회에서는 관계가 비즈니스를 좌우할 만큼 중요하다. 서양 사람들이 필요성을 느껴 구매를 고려한다면, 우리는 친분이 있는 곳에서 구매를 생각하고 필요한 이유를 찾아낸다. 그들은 필요하면 구매하지만, 우리는 친해지면 구매한다고 할까?

미국에서 발전한 현대 경영학 이론 중에 '고객관계관리'라는 용어가 있다. 한때 유행처럼 번졌던 개념이다. CRM(Customer Relationship Management)이라고 하는데, 가망고객이 대상이 아니다. 기존 고객을 관리하는 개념이다. 고객이 되기 전에 친분 쌓기부터 해야 되는 개념과는 전혀 다른 관점이다. 한국에서는 친분 쌓기를 통한 친밀하고 우호적인 관계 형성이 재무 상담보다 우선되어야 한다.

'친분 쌓기'과정이 한국인에게는 중요한 세일즈 프로세스 중 하나다. 특별한 이유 없이 만나 친분을 쌓는 시간이 그 무엇보다 강력한 설득 도구가 된다. '더불어 사는 인생'을 가치 있게 생각하는 한국 사회에서는 화목한 인간관계가 첫 번째 미덕이기 때문이다.

한국적 문화의 특성을 인정해야 한다. 한국인은 서양인과 다르다. 그리고 기억해야 한다. 의사도 본격적인 치료에 앞서 '라포(관계)'형성을 위해 노력한다는 사실을.

한국에서 재무설계사는 상담하기 전 친분부터 쌓아야 한다.

가벼운 발에서 관계가 시작된다

좋은 관계를 맺기 위해 꼭 필요한 일이 뭘까? 관심, 경청, 공감, 소통, 배려, 미소, 칭찬 등 여러 가지가 떠오르는데, 가장 중요한 요소 한 가지를 고르라면 '만남'을 꼽고 싶다.

처음 대면할 때 따뜻한 미소와 가벼운 칭찬 한 마디는 상대방을 기분 좋게 한다. 사소해 보이는 작은 행동 하나가 상대방에게 배려를 느끼게 한다. 지극히 개인적인 얘기를 늘어놓는데, 경청하며 공감의 눈빛을 보낼 때 상대방 마음은 훈훈해진다. 좋은 일이다. 이 모든 행동이 관계를 증진시키는데 도움을 준다.

여기서 주목할 점은 이런 행동들이 '만남'속에서 이뤄진다는 사실이다. '구슬이 서 말이라도 꿰어야 보배'라고 했던가? 일단 만나야 미소라도 짓고, 상대방 장점을 칭찬할 수 있다. 경청과 공감도 면전에 있을 때 가능하다. 따라서 사람을 만나는 일이 가장 중요하다. 세상 모든 관계는 '만남'에서 시작한다.

한 가지 더, '만남'을 강조하는 이유는 누군가를 만나는 일이 생각만큼 쉽지 않다는 데 있다. 가령 누군가를 만나려면 일단 내 시간부터 비워 둬야 한다. 그런 다음 연락을 해서 만날 약속을 잡는다. 약속을 잡으려고 시간을 서로 맞추다 보면 상대방 편한 시간으로 정하게 된다. 시간을 양보하는 사람은 만남을 먼저 시도한 쪽이다. 결국 만남은 내가 부지런히 움직여야 하고 조금이라도 희생해야 가능한 일이다.

현대인은 누구나 바쁘다. 많은 역할이 주어지고, 하고 싶은 일도 많다. 바쁜 생활 속에서 시간을 내서 누군가를 만나기란 쉽지 않다. 반면에 SNS 등 각종 온라인 매체를 이용하면 손쉽게 소통이 가능하다. 오프라인에서 직접 보지 않아도 된다. 만나지 않아도 연락이 되니 편리해졌고, 편할수록 얼굴을 맞댈 일은 더 감소했다.

그러나 친해지고 싶은 사람과는 자주 만나야 한다. 그것이 최선이다. 반복해서 만나면 호감을 얻을 수 있다.

오스트레일리아의 소설가 브라이스 코트니(Bryce Courtenay)는 이런 말을 남겼다. 작가로 성공하려면 '무거운 엉덩이'를 가지라고. 차분히 앉아서 쓰는 일에 시간을 투자해야 글 쓰는 직업에서는 성공할 수 있다는 말이다. 이 말에 빗대어 나는 이런 표현을 하고 싶다. 영업에서 성공하려면 '가벼운 발'을 가져야 한다고. 나비처럼 가볍게 다니며 많은 사람을 만날 수 있어야 영업인으로서 성공할 수 있다.

영업인은 사람을 만나는 일에 주저함이 없어야 한다. 책상에 앉아 있기보다는 거리로 나가 누군가를 만나야 한다. 사람에게 시간을 투자해야 한다. 비즈니스의 성공은 '가벼운 발'에서 시작한다.

사람을 만나는 일, 그것이 영업이다. 잦은 만남, 지속적인 방문이 바탕이 되어 성과로 쌓인다. 밖으로 나가 사람을 만나는 것, 이것이 영업인이 기억해야 할 진리다.

경상도 사투리에 '마실'이라는 말이 있는데, 2011년 8월 31일 이후 새롭게 표준어가 되었다. 표준말로는 '마을'이다. '이웃에 놀러 다니는 일'이라는 뜻에 한해 공용어로 인정받았다. "마실 다녀올게"라는 표현은 별일 없이 옆집 갈 때 쓰는 말이다.

한국인은 특별한 일 없이 잘 만난다. 모든 만남에 이유가 필요하지는 않다. 외국인들은 '목적'이 있어야 만난다. 특히 비즈니스 미팅에서 이유 없는 만남이란 상상하기 어렵다. 우리처럼 "근처 왔다가 차 한잔하러 들렀습니다."라는 상황이 서양에서는 별로 없다. 그들 표현대로 'Meeting Agenda(회의 안건)'를 준비해야 만난다.

그에 반해 우리는 '그냥' 만난다. 차 한잔하러 만나고, 편한 말벗하려고 만난다. 보고 싶어서 만나기도 하고 보기 싫어도 만난다. 때로는 잡담과 신변잡기적인 얘기만 하다 헤어지기도 한다. 이때는 다음을 기약하며 악수를 하고 일어선다. "일 얘기는 다음 주에 만나 다시 합시다." 이것이 한국 문화다.

관계를 만들고 싶다면 그냥 만나라. 자주 연락하고 종종 찾아가라. 만남이 모든 관계의 출발점이다. 빈번하게 만나면 정도 쌓이고 친해진다. 시간이 지나면 비즈니스 얘기도 자연스럽게 꺼낼 수 있다.

관계는 '가벼운 발'에서 시작한다. 친해지고 싶다면 먼저 다가서야 한다. 상대방이 당신을 좋아하기 바란다면 가서 만나라. 편하게! 자주!

04

호감을 부르는 5가지 비법

무엇이 사람에 대한 호감을 결정할까? 첫인상은 외모와 분위기, 평판을 통해 형성되지만 이후 감정에 영향을 미치는 요소는 무엇일까? 앞서 좋은 관계를 만들기 위한 첫 번째 조건은 많이 만나는 것이라고 했다. 그렇다면 만났을 때 어떤 행동을 해야 좋은 관계로 발전할 수 있을까? 호감을 얻는 비결은 뭘까?

좋은 만남을 위해 필요한 내용을 다섯 가지 키워드로 정리했다. 영업 현장에서 수많은 사람들을 만나며 배우고 느꼈던 내용이다.

첫째, '약속 시간 지키기'다.

시간 약속을 잘 지키는 것은 기본이다. 사실 시간관념이 확실하다고 호감을 쉽게 얻는 것은 아니다. 하지만 시간을 안 지키면 잃는 것이 많다. 우선 이미지가 나빠진다. 시간 약속에 대한 태도로 선입견이 형성되기 때문이다. 시간 약속을 지키려는 자세만 봐도 성실성을 짐작할 수 있다. 약속한 시간보다 늦게 나오는 사람에게 호감이 생길까? 한두 번 어쩔 수 없는 사정이야 이해할 수 있지만 반복하면 좋을 리가 없다.

"약속 시간에 늦는 사람하고는 동업하지 말거라.
시간 약속을 지키지 않는 사람은 모든 약속을 지키지 않는다."

세간에 화제가 되었던 편지 글의 일부다. 아버지가 자식에게 전하는 여러 가지 조언을 담고 있는데, 친근한 말로 인생의 지혜를 풀어놓았다. 여기서 '시간 약속'에 대한 중요성을 강조해 놓은 것을 볼 수 있다. 시간은 모든 사람에게 소중하다. 사회적 지위가 높다고 해서 시간이 귀중하고, 그렇지 않다고 해서 무시당해도 괜찮다는 법은 없다.

친한 사이일수록 시간 약속은 더 문제가 된다. 아직 친분이 없을 때는 서로 조심해서 시간 약속을 잘 지킨다. 그러다 친해졌다고 느끼는 순간 긴장이 풀어진다. 상대가 이해해 주겠지 하는 마음으로 조금 늦는 일은 대수롭지 않게 여기기도 한다. 잘못된 행동이다. 가까운 사람일수록 시간을 잘 지켜야 한다. 친할수록 상대방의 시간을 존중해야 한다.

나는 집을 나설 때 책 한 권을 꼭 챙긴다. 기다릴 때 읽기 위해서다. 약속 시간에 꼭 맞춰서 가기보다는 좀 일찍 도착해서 독서하는 편이 낫다.

"사람은 자신을 기다리게 하는 자의 결점을 계산한다."는 프랑스 속담이 있다. 지혜가 느껴지는 말이다. 상대방의 시간을 존중해야 내 시간도 존중받는다. '시간 약속 잘 지키기'는 호감을 얻기 위한 첫 번째 요건이다.

둘째, '미소'가 호감을 부른다.

부드러운 미소는 상대를 편안하게 한다. '루키즘(lookism)'이란 말을 들어본 적이 있는가? <뉴욕타임스> 칼럼니스트 윌리엄 새파이어(William Safire)가 처음 사용했다. 인종, 성별, 종교, 이념 등에 이어 새롭게 등장한 차별 요소로 지목하면서 부각되었다.

과거에는 인종 차별이 있었다면(여전히 그런 차별이 남아 있지만), 현대 사회는 외모로 차별받는 풍토가 생겼다는 뜻이다. 외모가 사람의 우열을 판단하는 기준이 되기도 한다. 우리 사회도 언제부터인가 외모가 경쟁력이 되어 버렸다. 성형 수술을 가장 많이 하는 나라가 한국이라는 연구 조사는 이런 현실을 잘 드러낸다. '외모 지상주의' 시대가 되었다.

외모가 사회적 성공을 위한 기준이 된 '루키즘' 시대, 우리는 무엇을 해야 할까? 타고난 외모가 만족스럽지 못하다고 해서 성형 수술만이 유일한 답은 아닐 것이다. 그래서 나는 '미소'를 추천한다.

미소엔 돈이 들지 않는다. 대단한 노력이 필요한 것도 아니다. 처음에는 외모부터 보이지만 오랫동안 알고 지내면 그 사람 표정이 보인다. 표정은 내면을 드러내는 역할을 한다. 좋은 생각과 긍정적인 마인드를 가지고 밝은 표정과 환한 웃음을 짓는다면 보는 이도 기분이 좋아진다. 때로는 천 마디 말보다 더 뜨거운 응원이 되기도 하고, 긍정적인 기운과 따뜻한 위로도 준다. 미소는 부드럽지만 은근한 힘이 있다. 그러니 미소를 연습하자.

"지혜로움을 나타내는 가장 분명한 표현은 명랑한 얼굴이다." 몽테뉴가 남긴 말은 음미해 볼 만하다.

셋째, '경청'이다.

대화는 잘 듣는 태도가 기본이다. 말하기보다 듣기가 우선이다. 영국 수상을 지냈던 벤저민 디즈레일리(Benjamin Disraeli)는 듣기가 왜 중요한지 알고 있었다.

"사람들에게 호감을 갖게 하는 방법은 간단하다. 다른 사람의 말을 열심히 듣는 것이다."

평범해 보이지만 관계를 좋게 만드는 핵심 원리를 간파한 지적이다. 인디언 속담에도 "들어라, 그렇지 않으면 혀가 당신의 귀를 멀게 한다."라는 말이 있다. 역시 경청이 왜 중요한지를 강조하고 있다.

넷째. '인정과 공감'이다.

타인을 인정해야 한다. 사람은 누구나 다르다. 생김새도 다르고 생각도 다르다. 다양한 사고방식을 우리는 존중해야 한다. 어떤 사안에 대해서 맞고 틀리다는 확신은 위험하다. 차이만 있을 뿐이다. 다름을 인정하고 다른 견해를 받아들일 수 있어야 한다. 누구라도 그 사람 입장에 서면 이해할 수 있다. 그리고 이해할 수 있다면 수긍해야 한다.

'인정'과 함께 '공감'하는 마음도 중요하다. 사람은 감정을 나눌 때 친해진다. 함께 기뻐하고 슬픔을 나누면 친구가 된다. 힘든 순간을 같이 보낸 친구는 왜 오랫동안 기억에 남을까? 내가 슬펐던 순간을 함께 했기 때문이다. 감정이입을 통해 상대방 감정에 동조할 때 깊이 있는 교제가 이뤄진다. 감정의 교류가 소통의 목적이 될 수도 있기 때문이다. 기쁨과 슬픔을 진정으로 나눌 때 사이는 돈독해진다.

다섯째. '배려'가 호감을 부른다.

배려는 타인의 입장에서 생각하고 행동하는 일이다. 역지사지(易地思之)라고 했던가. 상대방 시각으로 접근하는 태도가 좋은 관계를 맺는 지혜다. 사소한 일이라도 그 사람의 시각으로 볼 수 있어야 한다.

나는 대화할 때 말의 속도와 말투, 목소리 크기를 상대에게 맞추려고 노력한다. 말이 빠른 사람과 대화할 때는 서두르고, 느린 사람과는 여유 있게 한다. 상대방 속도에 맞춘다. 급하게 말하는 사람 앞에서는 천천히 말하면 답답함을 느낄 수 있고, 느긋하게 말하는 사람에게 빠른 말투는 성급한 사람으로 비춰질 수 있기 때문이다. 상대방에 따라 말의 속도를 조절하자. 대화도 편안하고 의사소통도 더 잘되는 느낌을 받을 수 있다.

상대가 즐겨 쓰는 단어나 특별한 용어가 있다면 함께 사용하는 것도 친해지는 요령이다. 사람은 직업이나 환경에 따라 구사하는 어휘도 달라지기 때문이다. 그 사람의 눈높이에 맞는 단어 선택은 중요하다. 어려운 단어나 상대방이 이해하기 힘든 단어는 대화의 리듬을 방해한다. 상대가 편안하게 느끼는 단어를 쓰는 일은 사소해 보이지만 훌륭한 배려다. 동질감을 느낄 수 있고 그 사람의 생활 양식을 내가 잘 이해하고 있다는 느낌을 주기 때문이다.

"상대방이 이해하는 언어로 이야기하면, 그 상대방은 머리로 받아들인다.
하지만 상대방이 쓰는 언어로 이야기 하면, 그는 마음으로 받아들인다."

넬슨 만델라(Nelson Mandela)가 남긴 말은 여전히 우리에게 귀감이 된다.

05

마음을 여는 '칭찬의 기술'

"남의 좋은 점을 발견할 줄 알아야 한다. 그리고 남을 칭찬할 줄도 알아야 한다. 그것은 남을 자기와 동등한 인격으로 생각한다는 의미를 갖는 것이다." 오래전에 괴테가 남긴 말이다. 칭찬이란 타인을 나와 동등한 인격으로 대한다는 시각이 눈에 띈다.

사람은 누구나 장단점이 있다. 비판하는 시각에서 보면 단점부터 보이지만, 긍정적 시선으로 접근하면 장점을 찾을 수 있다. 남과 친분 쌓기를 원한다면 괴테의 말처럼 장점을 발견할 줄 알아야 한다. 서로를 알아 가는 과정에서 주고받는 칭찬은 관계를 돈독하게 한다. 진심을 담은 칭찬은 긴 여운을 주는 법이니까.

칭찬을 잘하려면 진심과 함께 표현하는 요령이 있어야 한다. 세상 일이 진심만으로는 이뤄지지 않기 때문이다. 일상에서 활용할 수 있는 '칭찬의 기술'을 다섯 가지로 정리했다.

첫째, 칭찬은 상대방이 애정을 갖고 있는 '관심사'에 초점을 맞춰야

한다.

사람들이 간과하고 있지만 가장 중요한 부분이다. 타인을 칭찬할 때 흔히 하는 실수는 자기 관심사에서 출발한다는 것이다. 본인이 비중 있게 생각하지 않는 일은 다른 사람이 칭찬해도 별 감흥이 없다. 흥미를 가지고 애정을 느끼는 일에만 예민하게 반응하기 때문이다. 사람들은 저마다 관심사가 다르다는 사실을 유의해야 한다.

예전에 병원을 이전했던 의사 고객이 있었다. 다른 지역으로 확장 오픈하며 실내 인테리어를 직접 챙겼다. 그 과정을 옆에서 지켜보는데, 특이한 소품부터 공간 배치까지 일일이 신경 쓰는 모습이 즐거워 보였다. 완공된 후 방문했을 때 자연스럽게 칭찬하는 말을 건넸다.

> "병원 인테리어가 굉장히 좋습니다. 색상의 조화며 사소한 액세서리까지 훌륭합니다. 신경 많이 쓰셨네요. 원장님, 디자인 감각이 좋으신데요."
>
> "별말씀을요. 인테리어 마음에 듭니까? 괜찮아 보인다고 하니 기분이 좋네요. 일부러 시간을 빼서 이것저것 직접 챙겼는데, 재미가 있더군요. 장식품 구하러 서울까지 다녀오고. 그렇게 하다 보니 다 내 손을 거쳐 완성되었답니다."

이렇게 인테리어와 관련된 얘기를 한참이나 했다. 시간 가는 줄 모르고 신나게 대화를 이어 나갔다. 고객은 흥분해서 말하고, 나는 맞장구치며 들어 주고……. 오랫동안 만나 왔지만 그날처럼 기분이 좋아 보이는 날은 없었다. 행복한 얼굴이었다.

이와 같이 칭찬은 상대방이 고무될 수 있어야 효과가 커진다. 만약 그분이 재능을 보였던 인테리어에 대한 미적 감각이 아니라 사업적 능력을 칭찬했다면 그처럼 즐거워했을까? 아닐 것이다. 그런 말은 다른 데서도 들을 수 있는 '뻔한' 칭찬이기 때문이다.

칭찬은 내가 관심 있는 대상을 찾아 언급하는 일이 아니다. 상대방이 자랑하고 싶은 재능을 발견해 밖으로 드러내는 일이다. 특히 상대방이 평상시 잘 듣지 못하는 장점을 언급할 때 효과는 커진다. 숨어 있던 장점과 인간적인 매력을 찾아냈을 때 말하는 이에게 고마움을 느끼지 않을까? 최고의 칭찬은 그도 몰랐던 장점을 발견하는 일이다. 잠재된 재능을 누군가가 발견해 준 일은 오랫동안 기억에 남는다. 그걸 찾아 준 사람이 다르게 보인다.

사람을 만나면 관찰하자. 그리고 찾아내자. 따뜻한 시선으로 그를 바라보면 예전에 미처 몰랐던 장점을 발견할 수 있다.

둘째, 칭찬은 '구체적인 행동'을 언급하는 것이어야 한다.

"잘했어.", "매너 좋으세요."와 같은 표현은 추상적이다. 이런 말은 흔히 하는 인사치레로 들릴 수 있다. 자칫 상투적이라고 상대가 느낀다면 아무 말도 하지 않은 것만 못하다.

구체적인 행동을 꼭 집어 칭찬해야 기억에 남는다. '친절하다'는 말보다는 "지난번 회의 때 제가 곤란했는데, 옆에서 도와주셔서 감사합니다."처럼 특정한 행위를 언급해야 듣는 이가 오래 기억한다. 칭찬은 그 사람의 성격이나 성향이 아닌 '행동'을 대상으로 해야 한다.

《설득의 정석》에서 황현진 저자는 이와 관련해 쉬운 말로 정리했다. '형용사'가 아닌 '동사'에 초점을 맞춰 칭찬하라는 말이다. 상태와 현상을 나타내는 '형용사'는 그 사람 혹은 사물이 가진 본래 속성이다. 원래 그러하니 칭찬해도 감흥이 떨어진다. 반면 동작을 표현하는 '동사'는 행위자가 의지를 갖고 한 일이다. 그에 대해 언급하면 당연히 마음이 더 크게 반응한다. 기억하자. 칭찬은 '형용사'가 아닌 '동사'에 관해 할 때 효과가 커진다.

셋째. '반전'이 있는 칭찬이 더 좋다.

칭찬은 가볍게 부정적인 면을 언급하면서 시작하면 효과가 크다. 예를 들어, "무심한 사람이라 생각했는데, 지난번 행동을 보고 깜짝 놀랐습니다. 배려하는 마음을 느꼈다고 할까요. 그동안 제가 오해했네요."라는 표현은 좋은 예다. 부정적인 선입견이 있었는데, 이번에 긍정적인 이미지가 생겼다는 말이다. 반전이 있는 표현은 듣는 사람의 마음에 오래 남는다. 남녀가 연애할 때도 이런 이야기는 종종 등장한다. "사실 첫눈에 반한 건 아니었는데 자꾸 만나니 호감이 생겼어요. 알게 될수록 묘한 끌림이 있네요. '볼매'라고 할까요? 볼수록 매력에 빠져듭니다." 이런 말을 들을 때 더 기분이 좋지 않은가?

칭찬은 가벼운 부정으로 출발해 강한 긍정으로 마무리하는 방식이 좋다.

넷째. '간결한' 칭찬이 좋다.

듣기 좋은 말도 길어지면 의도를 의심받는다. 실수할 수도 있다. 짧게 말해도 진심 어린 칭찬은 상대방 마음에 오래 남는다. 주절주절 늘어놓지 말고 지나친 부연도 삼가자.

다섯째. '공개적인' 칭찬이 좋다.

조언은 둘이 있을 때, 칭찬은 여러 사람이 있을 때가 기회다. 칭찬을 들으면 그 자체로도 기분 좋고, 다른 사람들이 있으면 자랑까지 겸하게 되니 마음이 더 흡족하다. 공개적인 칭찬이 어려운 경우는 제3자를 통해 말이 전달되게 하는 방법도 있다. 다른 사람을 통해 부정적인 말이 전달되면 분노가 배가 되지만, 타인을 통해 듣게 되는 칭찬은 기쁨이 몇 배가 된다. 조언은 은밀하게, 칭찬은 공개적으로 하자.

마음을 얻고 싶다면 상대방의 장점을 발견하자. 그리고 기쁜 마음으로 칭찬하자. 타인이 가진 장점을 찾아내려는 노력은 좋은 습관이다. 특히 남들이 발견하지 못한 장점을 찾아내 칭찬하면 호감은 커지는 법이다. 우리는 흔히 이런 표현을 쓴다. "칭찬할 일이 있어야 칭찬을 하지.", "도무지 장점이라곤 찾아볼 수가 없네." 겸손하지 못한 말이다.

장점만 있는 사람이 없듯 단점만 있는 사람도 없다. 찾아내려고 노력하면 사소한 재능도 보인다. 그가 가진 장점은 저절로 드러나지 않는다. 당신이 찾아내야 한다. 진가를 알아줄 때 당신은 그에게 좋은 친구가 될 수 있다.

유홍준 교수가 남긴 글이 떠오른다. 타인을 대할 때 우리에게 꼭 필요한 마음가짐이다.

> "사랑하면 알게 되고 알면 보이나니, 그때 보이는 것은 전과 같지 않으리라."

06

문자보다 엽서, 이메일보다 편지

손으로 직접 쓴 글은 느낌이 다르다. 프린트된 문자는 획일화된 글씨체지만 손으로 쓰면 약간씩 차이가 난다. 필체마다 개성이 있어 인간미가 느껴진다고 할까. 한 자 한 자 정성을 담아 쓴 글은 짧은 내용이어도 기억에 오래 남는다. 필체가 안 좋은 사람이 쓴 글은 오히려 감동적이다. 삐뚤삐뚤하게 써도 그 마음을 전하려고 써 내려간 편지에는 진심이 묻어 있기 때문이다.

출력된 글은 읽기 편한 만큼 딱딱한 느낌도 있다. 건성으로 읽게 되는 이유다. 빠르게 읽으면 마음으로 따라가지 못한다. 그냥 눈으로만 읽게 된다. 반면 손 편지는 다르다. 마음으로 읽는다. 세월이 흐르면 내용은 기억나지 않아도 자필 편지를 받았다는 사실은 머릿속에 남는다.

악필일수록 손 편지는 위력이 크다. 글씨체가 안 좋은 사람이 직접 펜을 들어 무언가를 썼다면 그 자체로 진정성이 느껴진다. 만약 글씨체가 자랑스럽지 않다면, 그럴수록 손 편지를 한번 써 보라. 누군가와 친해지고 싶다면 펜을 들어라. 글로 쓸 말이 없다고? 그냥 만나서 하고 싶었던 얘기를 글로 옮기면 된다. 말하듯 글을 쓰면 된다. 혹시 면전에서 말하기 힘들었던 내용이 있다면 글로 전해 보자. 쓸 말이 없으면 책을 읽다 마음에 들었던 문구를 써서 보내는 방법도 있다. 짧은 문장이 때로는 긴 여운을 주기도 한다.

손으로 쓴 편지를 우편으로 보내라. 이메일은 빠르게 보낼 수 있지만 그만큼 쉽게 잊는다. 긴 편지가 부담스럽다면 작은 엽서를 보내도 된다. 무수히 많은 우편물을 받아 보는 시대에 엽서 하나도 차별화를 해야 한다. 한번 상상해 보라. 한 자씩 직접 쓴 글은 달라 보이지 않을까?

누군가를 처음 만나면 1주일 이내에 가벼운 엽서를 보내자. 기억이 남아 있을 때 빨리 보내야 효과가 있다. 시간이 지나면 사람은 잊게 마련이다. 호감이 가는 사람이면 책 한 권을 같이 보내는 방법도 좋다. 관심을 가질 만한 분야의 책이나 가볍게 읽을 에세이, 여행 서적 등을 보내면 된다.

한번은 식사 자리에서 우연히 사업가를 소개받은 적이 있었다. 처음 만나 이런저런 얘기를 듣는데, 중국에 있는 공장에도 정기적으로 다녀온다고 했다. 다음 날 그 사업가에게 보낼 책 한 권을 고르려고 서점에 들렀다. 중국 관련 비즈니스나 최신 트렌드 서적을 보내면 도움이 되겠다는 마음이었다. 마침 당시 꽤 인기 있는 신간이 있었다. 삼성경제연구소에서 출간한 《중국의 내일을 말하다》라는 책인데, 내용이 괜찮아 보였다. 서점에서 두 권을 사서 나왔다(보통은 내가 독서한 책을 선물하는데, 안 읽어 본 신간을 보낼 때는 나도 읽기 위해서 꼭 두 권을 산다). 자필로 쓴 엽서와 함께 책을 같이 보냈다. 2주가 지난 후 그 사업가에게서 인사 문자가 왔다.

"연락이 많이 늦었네요. 중국 출장을 갔다 오늘 사무실에 왔습니다. 보내 주신 책과 엽서 잘 받았습니다. 책상에 소포가 있어 반가웠는데, 포장을 뜯어보고는 더 놀랐습니다. 사서 읽어 봐야지 하고 메모해 뒀던 책인데 공교롭게도 선물로 받네요. 오늘은 운이 좋은 날이군요. 고맙습니다. 조만간 식사 한번 하면 좋겠습니다. 늘 건강하세요."

기분 좋은 문자였다. 상대방에 대한 내 작은 수고가 호감을 만들어 주었다. 그 후 만남은 이어졌고 좋은 관계로 발전할 수 있었다.

편지 쓰기를 할 때는 상대방을 이해하려는 마음으로 시작해야 한다. "다른 사람의 마음속으로 들어가라. 그리고 다른 사람을 당신의 마음속으로 들어오게 하라." 마르쿠스 아우렐리우스가 남긴 조언은 곱씹을 만하다.

책 한 권과 함께 보내는 편지는 나를 알리는 좋은 수단이다. 바쁜 삶 속에서 단 한 번 만남으로 깊은 인상을 주기는 힘들다. 만남 후 이어지는 엽서 한 통으로 상대방은 나를 다시 떠올릴 것이다.

문자는 좋은 수단이 아닐지도 모른다. 하루에도 몇 십 건 이상 주고받기 때문이다. 이런 상황에서 내가 보내는 문자가 그 사람에게 꼭 반갑게 느껴질까? 일방적으로 보내는 문자 대신 편지 쓰기를 해 보자. 아날로그 방식은 느리지만 그만큼 오래 남는다. 자필로 쓴 엽서가 당신을 돋보이게 한다.

발품을 팔아 좋은 만남을 시작했다면 관계 유지를 위해서는 손품을 팔아라. 처음 만났던 사람에게 마음을 담아 편지를 써라. 편지를 받으면 상대방은 나를 확실하게 기억하게 된다. 이미 알고 지내는 사람과도 편지로 교감하라. 당신에 대한 호감이 유지되고 더 커진다.

'펜은 칼보다 강하다'고 했던가? 그렇다. 펜은 여전히 강하다.

1장 현장에서 묻고 답하기

01. 관계 관리를 위해서 '가벼운 발'을 강조했는데요.
사람을 많이 만나려면 시간 관리도 중요합니다.
활동 시간은 어떻게 관리하세요?

02. 지속적인 관계 관리를 위해서는 꾸준한 접촉이
이루어져야 합니다. 고객이 많아지면
쉽지 않을 텐데 특별한 방법이 있나요?

03. 새로운 사람을 계속 만나는 일도 중요하지만
기존 고객 관리가 더 중요하다고 생각합니다.
고객 관리 노하우로 소개해 줄 만한 내용이 있나요?

04. 활동을 열심히 해도 결과가 안 나올 때가 있습니다.
슬럼프는 어떻게 극복합니까?

영업이라는 일은 결국 한 가지, 오직 한 가지로 귀착됩니다.
그것은 바로 사람들을 만나는 일입니다.
밖에 나가서 하루에 네다섯 명의 사람들에게
자신의 이야기를 정직하게 할 수 있는 평범한 사람이라면,
그 사람은 영업에서 성공할 수밖에 없습니다.
- 프랭크 베트거

관계 관리를 위해서 가벼운 발을 강조했는데요. 사람을 많이 만나려면 시간 관리도 중요합니다. 활동 시간은 어떻게 관리하세요?

재무설계사는 시간을 자유롭게 쓸 수 있습니다. 우리는 해야 할 일이 정해져 있지 않습니다. 스스로 계획하고 활동하고 평가해야 합니다. 어떻게 시간을 보낼지는 온전히 개인 몫이지요. 그래서 업무를 영역별로 구분해서 시간을 관리할 필요가 있습니다. 시간을 정해 놓지 않으면 그날그날 상황에 따라 활동이 달라질 수 있거든요. 고객을 만나는 '활동 시간'은 반드시 정해놔야 합니다. 저는 컨디션이 좋든 나쁘든, 날씨가 좋든 안 좋든 개의치 않고 오전 10시부터 오후 5시까지는 무조건 사람을 만나서 대화하는 일에 시간을 투자합니다. 나머지 시간은 자유롭게 사용하고요. 고객을 만나는 일에 더 쓸 수도 있고 서류 작업 같은 부수적인 업무에 활용하기도 합니다. 책을 읽거나 쉴 때도 있고요. '10 to 5'는 매일 지켜야 할 약속입니다.

물론 일할 기분이 나지 않는 날도 있습니다. 하루 쉴까 하는 마음도 가끔 생깁니다. 넥타이를 풀고 편안하게 쉬고 싶은 날도 있게 마련이거든요. 전날 밤 늦게까지 술자리를 하는 바람에 사우나 생각이 드는 날도 있고요. 이번 달은 운이 좋아 계약을 많이 했으니 하루쯤 쉬고 영화나 한 편 볼까 하는 유혹도 찾아옵니다. 사람 마음이 원래 그렇잖아요. 편한 곳을 찾고 놀고 싶은 충동을 느끼는 것은 본능입니다.

그러나 시간 관리는 자신을 위해 필요합니다. 스스로를 제어하지 않으면 무너지는 것은 순간입니다. 누구도 우리를 붙들어 주지 않습니다. 그 어떤 사람이나 제도가 우리를 통제할 수는 없습니다. 본래 자유로운 직업이니까요.

재무설계사가 업을 계속 유지할 수 있는 '끈'은 무엇일까요? 무엇이 제일 중요할까요? 정직한 마음, 성실한 자세, 좋은 매너, 뛰어난 상담 능력, 금융지식, 세일즈 스킬 등 많은 요소가 있습니다. 이것들 중에서 우리를 계속 재무설계사로 존재하게 하는 힘은 어디에서 나올까요?

질문을 다르게 해 보겠습니다. 만약 재무설계사가 업계를 떠나야 한다면 무엇이 부족해서일까요? 금융 지식과 세일즈 스킬이 모자라서 이 일을 그만둘까요? 상담 능력이 남들보다 떨어져서요?

재무설계사의 일은 '사람'이 바탕입니다.

실적이 좋지 않아 업계를 떠나는 사람은 만날 사람이 없기 때문입니다. 더 이상 찾아갈 곳이 없고 연락할 사람이 없을 때 그만둡니다. 사실상 포기할 수밖에 없는 것이지요. 매일매일 만날 사람이 있는데 그만두는 재무설계사가 있겠습니까? 상담할 고객이 문밖에 줄 서 있는데 업계를 떠날 생각을 하는 사람이 있을까요?

아쉽게도 우리는 고객을 줄 세우지는 못합니다. 대신 내가 움직여서 만나면 됩니다. 마음속으로 기다리고 있다고 믿으면 됩니다. 착각은 자유니까요. 본질적으로 무엇이 다릅니까? 만나고 싶은 마음이 상대방에게 있든 나에게 있든 그것은 중요하지 않습니다. 일단 만나는 일이 더 의미 있으니까요. 줄을 못 세우면 어떻습니까? 내가 찾아가면 됩니다. 먼저 연락하는 고객이 없으면 어떤가요? 내가 전화하면 됩니다. 우리에게는 바로 이런 마음이 필요합니다. 사람을 만나세요. 지치지 말고 계속 움직이세요. 피곤해서 쉬고 싶은 유혹이 와도 고객과 만나는 일에 시간을 쓰세요. 만남이 답입니다.

사람을 만날 때 보험 세일즈를 계속할 수 있습니다. 고객을 찾아가는 일을 통해 우리는 일용할 양식을 얻고 아이에게 줄 책도 살 수 있습니다. 밥벌이의 고달픔이라고 생각하지 마세요. 노동의 의무는 누구에게나 있는 것이니까요. 이렇게 얘기하고 보니 비장한 분위기가 되었는데, 사실 힘든 일이 자주 있는 것도 아닙니다. 사람을 만나다 보면 즐거운 일이 훨씬 많으니까요.

일을 오래 할수록 좋아하는 고객들 위주로 만나게 됩니다. '유유상종(類類相從)'이라고 할까요. 15년 동안 현장에서 영업을 하며 깨달았습니다. 시간이 지나고 보면 자기와 비슷한 사람들 위주로 만난다는 사실을요. 성향이 같은 이들과 가까워집니다. 사람을 만나는 직업이 심리적으로 편안할 수 있는 이유입니다.

사람을 만나기 위해 의도적으로 시간을 할당해야 합니다.

그리고 그 시간은 온전히 현장에서 보내야 합니다. 재무설계사에게 핵심 업무는 고객을 만나는 일입니다. 고객과 함께 있는 곳이 사무실이라고 생각해야 합니다. 그곳에서 보낸 시간만이 생산적인 시간이니까요. 서류 업무를 하는 공간은 단순한 보조 사무실일 뿐입니다.

만날 사람이 정해져 있지 않을 때는 어떻게 하는 것이 좋을까요? 약속을 미리 잡고 활동해야 할까요, 아니면 그냥 움직일까요?

제 대답은 '일단 밖으로'입니다. 오전 10시부터 오후 5시가 주된 활동 시간이라면 10시에는 무조건 사무실에서 나와야 합니다. 물론 약속이 없는 경우는 나오면서 고민을 합니다. 갈 곳이 정해져 있지 않으니까요. 저 역시도 그랬습니다.

영업을 1년 정도 한 후에 활동 시간을 지킨다는 원칙을 세웠죠. 1년간 일을 해 보니 시간 관리에 대한 나만의 룰(rule)이 필요하다는 것을 느꼈습니다. 그래서 10시가 되면 무조건 나오기로 결심했죠. 처음에는 갈 곳이 없어 근처 대학교 캠퍼스를 거닐었던 경험도 있습니다.

'아, 한심한 놈. 만날 사람이 없어서 이러고 있구나. 오늘 누구를 만나러 가야 하나?'

속으로 반성하면서요. 비 오는 날은 갈 데도 마땅치 않았죠. 한적한 곳에서 비를 피해 담배라도 피울라치면, 가끔은 신세가 처량하게 느껴지기도 했습니다. 지금 이 글을 쓰면서 그때를 떠올려 보니 괜히 마음이 울컥합니다.

'궁즉통(窮則通)'이라고 했던가요. 궁하면 통한다는 말, 들어 보셨죠. 일단 거리로 나올 때 고민이 시작됩니다. 사무실 의자에 기대앉아 볼펜을 돌리면서 '어디로 가 볼까, 누구를 만나러 가지?'라는 마음과 길바닥에서 비를 맞아 가며 '누구를 만나야 할까?'라는 마음이 같을까요? 누가 치열하게 생각하고 실행할까요? 집중하기 위해서는 밖으로 나와야 합니다. 10시에'땡' 하고 종이 치면 의자에서 벌떡 일어서야 합니다.

학창 시절을 떠올려 보세요. 점심시간에 운동장에서 놀다가도 '딩동댕' 하는 수업 종이 울리면 잽싸게 교실로 돌아가지 않았나요? 정해진 시간이 있다면 행동해야 합니다. 움직여야 합니다. 눌렸던 스프링이 튕겨져 나오듯이 사무실을 박차고 나와야 합니다. 책상에 앉아서 만날 사람을 찾지 마세요. 만날 사람이 없어서 스스로를 한심하게 느끼는 경험이 의미 없는 시간일까요? 아닙니다. 그 자체로 소중한 시간입니다. 왜냐고요? 그래야 고민을 하니까요. 그래야 궁리를 하고 연구를 하니까요. 그래야 만날 사람이 떠오르고 찾아갈 곳이 보이니까요. 부족해야 구합니다. 배가 고파야 음식을 찾습니다. 적당한 패배감이 우리에게 기회를 주고 도전하고자 하는 열정을 불러일으킵니다. 부족함이 성장의 씨앗입니다. 갈망하는 마음이 생기려면 거리에서 고민을 해야 합니다. 그럴 때 우리는 집중해서 연구합니다.

치열함은 마음에서 오지 않습니다. 환경이 만들어 줍니다. 새로운 기회를 얻으려면 움직이세요. 더 나은 세계로 나아가기 위해서는 행동해야 합니다. 거리가 스승입니다. 밖으로 나오세요. 두려워하지 마세요. 사무실을 박차고 현장으로 나와 고객을 만나세요. 특별한 이유가 있어야지 만난다고 생각하지 마세요. 그냥 만나세요. 만나서 차 한잔 나누며 담소하면 됩니다. 사람을 만나기로 했다면 무조건 누군가를 만나야 합니다. '10 to 5'를 지키겠다는 마음가짐이 중요합니다.

결론을 말씀드리겠습니다.

우선 활동 시간을 정하고, 그 시간을 지키세요. 예외를 허용하지 마세요. 자기 자신에게 변명할 일이 많아질수록 성공은 멀어집니다.

'10 to 5'가 롱런하는 재무설계사를 만들어 줍니다.

지속적인 관계 관리를 위해서는 꾸준한 접촉이 이루어져야 합니다. 고객이 많아지면 쉽지 않을 텐데 특별한 방법이 있나요?

가망고객이든 기존의 고객이든 세일즈맨은 고객과 이어진 '관계'라는 끈을 놓으면 안 됩니다. 고객을 만나는 일은 기본이자 핵심입니다. 세일즈는 '사람'을 중심에 둬야 합니다.

지속적으로 고객을 만나기 위해서는 우선 '만날 거리'가 있어야 합니다.

재테크, 건강, 여행 등 누구나 관심을 갖는 분야에 대한 정보를 제공해 보세요. 신문이나 잡지에서 발췌한 최신 정보를 고객에게 드리는 일은 그 자체로 서비스가 됩니다.

고객이 사업자라면 특히 세법에 관심이 있습니다. 해마다 세법이 개정되므로 관련 내용을 요약해서 설명하는 일도 필요합니다. 예를 들어 2016년에는 '업무용 승용차'에 대한 비용 인정이 제한되는 세법 개정안이 이슈가 되었습니다. 실제로 대부분의 전문직 사업자들은 그 내용을 궁금해 하셨죠. 현장에서 고객을 만나 보면 질문하는 분들이 많았으니까요.

예전에 골프 관련 신문 기사를 발췌해서 고객에게 제공했던 적이 있습니다. 골프를 즐기는 고객들을 위해서 봄, 여름, 가을에 만들었는데 최소한 3개월에 한 번씩은 방문하려는 의도였습니다. 자료를 한 부씩 드림으로써 정기적으로 만날 수 있었다고 할까요. 관계 관리를 위한 장치였죠. 게다가 스스로 나태해지는 것을 방지할 수 있어서 좋았습니다.

계약자에게 보험 내용을 알리는 일도 만나는 목적이 됩니다. 보험 회사에서는 '애뉴얼 리뷰(Annual Review)'라고 부르는 고객 서비스가 있는데요. 1년에 한 번 계약 관련 사항을 고객에게 다시 안내한다는 의미입니다. 보험 가입자에게 보장 내용에 관해 되풀이해서 설명하는 일이지요. 이 과정에서 고객이 인지하지 못했던 혜택을 발견하는 일도 가끔 있습니다. 고객은 가입한 보험 내용을 자세히 알지 못합니다. 보험 상품이 가진 단점이지요. 반복해서 안내하는 것이 필요합니다. 고객이 중요 사실을 인지하도록 도울 의무가 우리에게 있으니까요.

연금 가입 고객도 마찬가지입니다. 은퇴 시점에서 예상 가능한 연금 수령액도 제시해 드리고, 물가 상승률을 반영한 현재 가치로 계산해 보여 드리기도 합니다. 사실 정보를 확인함으로써 노후 생활 플랜을 다시 검토하는 계기가 됩니다. 고객 만족도는 당연히 증가하지요.

정보를 제공하는 일 이외에도 만날 수 있는 명분을 만들어야 합니다. 저는 책 선물을 많이 하는데요. 베스트셀러보다는 직접 읽어 보고 감흥이 있었던 것을 드립니다. 책은 부담 없는 선물이기도 하고, 대화를 나눌 수 있어서 좋습니다. 책을 읽고 다음 만남에서 대화의 소재로 꺼내면 서로 감정의 공유가 일어납니다. 그러면서 친분은 더 깊어지죠.

그 밖에도 가볍게 할 수 있는 선물은 다양합니다. 음악 CD 1장, 골프공 1줄도 좋은 선물이 됩니다. 무엇이든 좋습니다. 우리를 가만히 놔두지 않고 움직이게 한다면 무엇이든 상관없습니다. 목적 없이 그냥 가서 대화를 나눠도 되고, 정보를 제공해도 괜찮고, 뭐라도 하나 선물해도 좋습니다. 겉으로 드러나는 현상만 다를 뿐 본질은 그 사람을 만나는 일이니까요.

고객을 접촉하는 시스템을 만드세요. 계절별로 연도별로 고객을 찾아갈 일이 있어야 합니다. 재무설계사는 스스로 계획하고 실행하는 직업이므로 의지도 중요하지만, 활동이 원활하려면 시스템이 더욱 필수입니다. 1인 사업이라고 해서 그때그때 상황에 맞게 대충 수습하는 마인드라면 곤란합니다. 자신을 통제할 수 있는 계획과 실행할 수밖에 없는 장치가 있어야 합니다.

지속적인 관계 유지를 위해 두 번째로 중요한 일은 '기록'입니다.

예를 들어 누군가를 만나 대화했던 내용, 자녀 이름과 가족 상황 등을 메모해 두는 일이 필요합니다. 여러분은 활동하는 내용을 기록하고 있습니까? 지난 주, 지난 달, 1년 전에 누구를 만났는지 알 수 있습니까?

1년 동안 영업 활동을 한 후에 저는 기록이 필요함을 느꼈습니다. 잠깐 하고 말 일이면 그런 수고가 아깝겠지만, 오래 하려면 과거 데이터를 저장해야 합니다. 개인별로 기록된 정보는 고객 관리에도 유용합니다. 오랜만에 고객을 만나러 갈 때는 지난번에 어떤 대화를 했는지 알 수 있습니다. 당연히 도움 되는 정보겠지요. 축적된 데이터는 향후 통계 작업을 할 때도 활용할 수 있습니다.

처음에는 자체 양식을 만들어 기록했습니다. 매일 아침 사무실에 출근하면 제일 먼저 하는 일이 전날 활동 내용을 메모하는 일이었습니다. 미리 만들어 둔 '활동일지'에 언제 어디서 누구를 만나 무슨 일을 했는지 썼지요. 오전에 약속이 있어 사무실을 빨리 나서거나 타지로 멀리 출장을 갔다 오면, 일주일씩 밀린 일지를 쓸 때도 있었습니다. 수첩에 메모한 내용을 보고 일주일 치를 쓰려면 손이 아플 때도 있었지요. 그럴 때는 하루쯤 건너뛰고 싶은 마음도 생기곤 했습니다.

누구에게 보이거나 제출할 목적은 아니었습니다. 순전히 제 필요성에 따라 기록했죠. 물론 쓰기 싫은 날도 많았습니다. 그래도 타협하지는 않았습니다. 한 번 안 쓰기 시작하면 두 번 세 번 쉽게 건너뛸 테니까요. 중단하면 스스로에게 실망하겠죠. 그걸 알기 때문에 억지로 쓰는 날도 많았습니다. 일지를 쓰려고 주말에 사무실에 나간 적도 있으니 정말 꾸역꾸역 기록을 남겼습니다.

스마트폰이 등장하면서부터는 사무실이 아닌 곳에서도 메모가 가능해졌습니다. 상담 장소에 일찍 도착하면 스마트폰을 열어서 좀 전에 만났던 고객에 관한 내용을 기록합니다. 저는 '구글 캘린더'를 이용하는데, 기기마다 동기화가 되니 편하게 이용할 수 있습니다. 휴대폰으로 쓰고 태블릿 PC에서 열어 보기도 하고 노트북에서 다시 정보를 확인하고 수정합니다.

"천재의 기억보다 바보의 기록이 더 정확하다"는 말이 있습니다. 기억은 한계가 있습니다. 활동이 많을 때는 지난주에 누구를 만났는지 기억조차 못합니다. 지난주가 뭡니까, 요즘 기억력으로는 3일 전 아니 어제 일도 헷갈리는데요. 저만 그런 건 아닐 겁니다. 여러분도 비슷하시죠? 기억을 믿지 마세요. 기록을 남기세요. 매 순간 글로 남긴 정보만이 정확한 정보가 됩니다. 기억은 사라지지만 기록은 남습니다.

기록으로 남긴 정보를 바탕으로 관계 관리를 효율적으로 할 수 있습니다. 과거 종이로 된 활동 일지를 쓸 때는 사본을 만들어 활용했습니다. 예를 들어 오늘 만난 사람을 제일 뒤로 옮기는 식이었습니다. 최근 만난 사람은 뒤로 가고 만난 지 오래된 사람이 앞으로 자연스럽게 오게 됩니다. 앞으로 나오는 카드에 적힌 사람을 만나고 다시 뒤로 돌리는 식으로 하면, 만날 사람을 꾸준히 접촉할 수 있는 좋은 도구가 됩니다.

요즘은 '스마트폰 캘린더'에 남기는 메모를 통해 약속 관리를 할 수 있습니다. 예를 들어 오늘 만난 고객을 3개월 후쯤 다시 만나야 한다면 스마트폰에 바로 표시를 해 둡니다. 적금이 만기되는 시점, 자녀가 만 15세가 되는 날 등 중요한 정보를 기록할 수 있습니다. 별도로 메모를 해 두지 않아도 그 시점이 되면 자동으로 확인할 수 있어 유용한 도구가 됩니다. 의지가 나를 움직이게 하지만 시스템도 도우미 역할을 합니다.

재무설계사로서 활동 기록을 남기시기 바랍니다. 기록하면서 내용을 다시 한번 보게 되고 다음 활동에 대한 구상을 하게 됩니다. 습관으로 만들어 보세요. 많은 시간이 필요치는 않습니다. 고객과 헤어져 차에 탔을 때, 이동할 때 기록할 짬은 있습니다. 언제든 빈틈이 나면 메모하세요. 짧은 기록이 하루하루 쌓여 데이터가 됩니다. 축적된 데이터는 다시 중요한 정보로 활용되고요.

마지막으로 많은 분들과 지속적인 관계를 유지하기 위해서는 '협업'도 좋은 방법입니다.

혼자서 모든 일을 다 할 필요는 없습니다. 사실 그럴 수도 없고요. 사무보조를 위한 직원을 고용하듯 관계 관리를 위한 일도 도움을 받을 필요가 있습니다. 미국에는 20년 이상 경력을 가진 재무설계사가 많은데요. 그들 대부분은 업계 후배들과 공동으로 고객 서비스를 합니다. 혼자서 하지 않습니다. 관리의 효율성도 높아지고, 고객 만족도도 증가합니다.

'던바의 법칙(Dunbar's number)'이라고 들어 보셨나요? 사람이 가진 인지 능력에는 한계가 있어 최대 150명과 소통할 수 있다고 합니다. 옥스퍼드 대학 로빈 던바(Robin Dunbar) 교수가 주장한 개념입니다. 던바 교수는 고대 로마의 군대 체계부터 페이스북(Facebook)의 친구 수에 이르기까지 공통점을 발견합니다. 한 사람이 교류할 수 있는 수는 75명에서 100명이 보통이고, 최대 150명이라는 사실을요. 최근 SNS를 보면 1,000

명이 넘는 사람과 연결된 경우도 있는데, 상호 커뮤니케이션을 하는 경우를 확인해 보면 150명이 한계라고 합니다.

저 역시 고객 수가 200명이 넘어서면서부터는 상호 소통이 힘들어졌습니다. 모든 고객을 찾아가는 일이 쉽지 않음을 경험했지요. 그래서 일부 고객들은 후배와 공동 관리를 시작했습니다. 소개를 받아 방문할 때 처음부터 같이 가기도 합니다. 관계 유지를 위해서는 지속적으로 만나야 하는데, 첫 만남부터 함께한 후배는 저 대신 방문할 수 있으니까요.

지금까지의 얘기를 정리하겠습니다. 꾸준한 관계를 유지하기 위해서는 먼저 고객을 '만날 거리'를 만들어야 합니다. 그리고 활동을 기록해야 합니다. 기록을 남김으로써 다음 활동에 사전 정보로 활용할 수 있고 이후 상담 방향을 계획할 수 있습니다. 고객 수가 많아졌을 때는 후배랑 협업도 생각하시고요.

고객과 이어진 '관계'라는 끈을 중요하게 여겨야 합니다. 그 끈을 놓지 마세요. 고객을 만나는 일이 기본이자 핵심입니다. 세일즈는 '사람'을 중심에 둬야 합니다.

질문 3.

새로운 사람을 계속 만나는 일도 중요하지만 기존 고객 관리가 더 중요하다고 생각합니다. 고객 관리 노하우로 소개해 줄 만한 내용이 있나요?

고객 관리에서 중요한 마인드는 '역지사지(易地思之)'입니다. '나라면 담당 재무설계사에게 무엇을 바랄까?' 자신에게 먼저 질문해 보세요. 입장을 바꿔서 생각해 보면 고객 관리 노하우의 해답을 찾지 않을까요. 자신이 원하는 것을 그대로 고객에게 하면 실수할 일이 줄어듭니다. 고객 관리에서 제가 중요하게 여기는 몇 가지를 말씀드리겠습니다.

첫째, '고객 바로 알기(Know your client)'입니다.

'제 고객을 바로 알자'는 마인드가 바탕입니다. 고객을 만나면서 알게 된 관심사와 가족 관계 등을 잊지 말아야 합니다. 중요 정보를 늘 확인하는 습관이 필요합니다. 특히 가입된 보험 내역, 펀드 현황 등을 파악하고 고객을 만나야 합니다. 고객은 우리에게 언제든지 물어볼 수 있습니다. 답을 제대로 못한다면 실망하겠지요.

저 역시 부끄러웠던 경험이 있습니다. 조그만 선물을 하나 들고 방문했는데, 고객은 가입한 연금 상품의 적립금 현황을 물어봤습니다. 순간 당황했습니다. 미리 확인을 못 했거든요. 잘 모르겠다고 사과했습니다. 사무실에 들어가 바로 확인하겠다고 말하면서요. 그랬더니 "다음에는 굳이 선물하지 않아도 돼요. 대신 방문할 때 제가 가입한 연금이 잘 운용되고 있는지 알려 주면 더 좋을 것 같아요."라고 하더군요. 웃으면서 얘기했지만 제

얼굴이 화끈거렸습니다. 납입하는 고객의 입장에서는 그런 질문은 당연합니다. 깊이 반성하는 계기가 되었죠.

고객이 우리에게 기대하는 첫 번째는 재무설계사의 역할입니다. 선물과 같은 서비스도 의미 있지만, 우선은 '고객 자산에 대한 관심과 관리'가 먼저입니다.

둘째. '기본에 충실하기'입니다.

다른 말로 하면 '실수 줄이기'입니다. 업무를 할 때 다짐하는 마음가짐입니다. **잘하기보다 실수하지 않아야 합니다.**

많은 세일즈맨이 고객 감동을 위해 노력합니다. 차별화된 서비스를 생각하고 특별한 활동을 시도합니다. 특화된 서비스는 고객 만족을 주고 나아가 감동으로 이어지기도 합니다. 바람직한 일이겠지요. 하지만 잘하려고 신경을 쓰다 보면 정작 기본을 놓치는 경우가 생깁니다.

우선은 실수하지 않으려고 노력해야 합니다. 고객과의 관계에서 잘해서 얻는 점수는 1에서 10이라고 한다면, 실수에서 잃는 점수는 10에서 100이라고 생각합니다. 잘하면 10점, 못하면 100점 감점입니다. 억울한 셈법이라고요? 사람의 마음이 본래 그렇습니다. 부정적 행동이 긍정적 자극보다 더 크게 사람의 심리에 영향을 미치니까요. 심리학에서는 이를 '부정성 효과(Negativity Effect)'라고 부릅니다.

"신뢰를 쌓는 데는 평생이 걸리지만 잃는 데는 단 5분도 걸리지 않는다."

워런 버핏이 한 말입니다. 공감 가시죠. 실수하지 않는 노력이 중요한 이유입니다. 기본에 충실하기 위해 대단한 수고가 들지는 않습니다. 보험금 청구가 있으면 즉시 처리하고, 고객이 문의한 내용이 있으면 빨리 알아봐

주면 됩니다. 계약을 할 때는 빨리 움직이지만 보험금 청구는 게으른 사람이 있습니다. 고객의 마음에 마이너스 점수가 쌓이는 일이지요. 그러는 중에 고객에게 생일 문자 등이 자동으로 발송되면 상황은 더 안 좋아집니다. 문의한 일도 처리하지 않으면서 생일 문자나 달랑 보내면 고객이 좋아할까요? 기본에 충실해야 합니다. 소통은 내 메시지의 전달이 아니고 상대방 메시지에 대한 응대입니다.

제 경험을 하나 말씀드리겠습니다. 차를 구매하고 얼마 지나지 않아 담당자에게 문의를 한 적이 있습니다. 별도로 판매하는 액세서리 물건을 제 주변 분이 알아봐 달라고 부탁했죠. 행사에서 사용하려고 대량 구매를 알아보는 상황이라고 말해 주었습니다.

자동차 딜러에게 전화를 바로 하려다 상담 중일 수 있겠다 싶어 문자를 남겼습니다. 제 딴에는 배려였지요. 그런데 답이 없더군요. 당일은 그럴 수도 있겠다 싶었는데 며칠이 지나도 연락이 오지 않았습니다. 세일즈 실적과 직접 관련 없는 일이어서 그랬을까요? 제 질문에 대답이 없었습니다. 그리 중요한 일은 아니어서 시간이 지나면서 저도 잊어버리고 말았죠.

그러다 차량 정비를 하러 갔을 때 우연히 마주쳤습니다. 반가워하더군요. 커피 한잔하면서 잠시 얘기를 나눴습니다. 지난번 질문에 대해서는 모른 척하고요. 본인도 일부러 얘기를 꺼내지는 않더군요. "참, 지난번에 문자 하셨죠. 죄송합니다. 제가 그때 깜박하고 연락 못 드렸는데, 얼굴 뵈니 지금 생각납니다. 그때 물어보셨던 내용이 뭐였죠?"하며 얘기를 꺼낼 수도 있었을 텐데……. 아쉬웠습니다. 바빠서 실수했다며 그때라도 사과를 하면 분위기는 반전되지 않았을까요?

이런저런 얘기를 하다 자리에서 일어나기 전, 제게 소개 요청을 해 왔습니다. 마침 떠오르는 사람이 있었는데 주저했습니다. 그때 새 차를 알아보는 지인이 있었지만 쉽게 말이 나오지 않더군요. 그 순간 저도 모르게 입을 다물었습니다.

고객 관리의 기본은 소통입니다. 그리고 소통은 상대방 메시지 듣기가 먼저입니다. 상대방 요구가 있다면 관심을 갖고 빠르게 응대하세요. 그것이 고객 관리의 핵심입니다.

셋째, '맞춤 서비스(Customized Service)'입니다.

'1대 1 서비스'개념입니다. 사람은 누구나 자신이 대중이 아닌 특별한 개인으로 인식되기를 바랍니다. 저와의 관계에서도 '남다른 인연'이라고 생각하는 사람들이 많을 테고요. 고객 한 분 한 분을 따로 대하는 태도가 필요합니다.

많은 세일즈맨이 효율을 생각해서 단체 문자를 발송하고 동일한 우편물을 보내는 경우가 빈번합니다. 받는 사람 입장에서는 그다지 반가운 일이 아닐 수 있는데요. 그것은 일방적인 문자일 뿐 쌍방향 소통이 아닙니다. 사실 시스템이 한 일이지, 사람이 직접 한 일이 아니니까요. 저부터도 단체로 오는 문자는 반갑지도 않고 귀찮은 스팸으로 여겨질 때가 많습니다.

초기 몇 년 동안은 저 역시 정기적으로 우편물도 발송하고 단체 문자를 보냈습니다. 다들 그렇게 하니까요. 어느 날 지인 여러 명과 저녁을 하는데, 예약되어 있던 단체 문자가 발송되었습니다. '띠링'하는 문자 알림 소리에 모두가 휴대폰을 열었는데, 제가 보낸 문자였죠. 민망한 상황이었습니다. 그때 친한 선배 한 분이 조심스레 입을 열었습니다.

"민호야, 나 이런 문자 별로더라. 똑같은 내용이라 크게 반갑지도 않고. 가끔이라도 개별적으로 연락하는 편이 더 낫지 않을까? 그래야 나도 답장을 할 테고."

정기적으로 보내는 단체 문자가 관계 유지에 얼마나 도움이 될까요? 재무설계사가 자기 마음 편하자고 하는 일이지, 고객의 마음에 흡족한 일은 아닙니다. 단체 문자를 보냈다고 고객과 소통하고 있다고 생각하는 것은 착각입니다. 소통은 혼자가 아니라 상호간에 하는 행동이니까요.

고객을 집단으로 대하지 마세요. 한 분 한 분 소중한 '개인'으로 보세요. 사람 대 사람으로 만나야 '맞춤 서비스'입니다.

넷째. '기대치 위반 효과(Expectation Violation Effect)'입니다.

심리학 용어로, 기대하지 않은 뭔가가 우리를 더 기쁘게 한다는 뜻입니다. 서비스하거나 선물할 때 늘 떠올리는 말이죠. 사람은 예측한 상황에서는 그 기쁨이 줄어듭니다. 예를 들어 생일 선물은 예상할 수 있습니다. '생일이니까 선물을 주네'하고 예측할 수 있죠. 한두 번은 기쁘지만 반복하면 감흥이 떨어집니다. 기대할 수 있는 일이 돼 버렸기 때문입니다.

예측하지 못한 일이 우리를 기쁘게 합니다. 연인들 간에 왜 이벤트를 하고 깜짝 선물을 할까요? 상대방에게 큰 감동을 주기 때문입니다. 고객도 마찬가지 아닐까요? 습관적으로 하는 서비스와 예측 가능한 선물은 효과가 약합니다. 뜬금없는 선물이 감동을 부릅니다.

제 경험을 하나 이야기하겠습니다. 미국에 갔다 오면서 한국에는 아직 수입되지 않는 브랜드의 옷을 샀던 적이 있습니다. 유명한 젊은 경영인이 그 브랜드를 좋아한다고 해서 화제가 되기도 했죠. 다른 옷과 비교해 가격이 비싸지도 않습니다. 더 저렴한 편이죠. 30벌을 샀습니다. 가격은 몇만 원 안 하지만 가치는 몇 곱절이지 않을까요? 골프를 좋아하는 분들은 알아보는 브랜드였거든요. 한국에서 팔지 않는 옷을 미국에서 직접 사 왔다고 생각해 보세요. 받는 분에게는 분명 기분 좋은 선물입니다. 예측하지 못한 일이니까요.

반복적인 서비스보다 어쩌다 한번 이벤트가 낫습니다. 밸런타인데이, 화이트데이, 10월의 마지막 밤 같은 '건수'가 되는 날에 고객 선물을 보낸 적이 있습니다. 예상하지 못했던 선물에 감사 문자가 쏟아졌지요. 물론 특별한 날 깜짝 이벤트는 한 번입니다. 반복은 효과가 떨어지니까요.

요즘은 SNS 서비스를 통해 선물을 보내기도 합니다. 만나지 않아도 줄 수 있어서 좋고, 생각났을 때 즉시 선물할 수 있어 효과가 큽니다. 뜬금없는 멋진 선물이 되지요.

차별화된 서비스, 기대하지 않은 선물. 이것이 정답입니다. 삶 속에서 고객을 생각하고 그 마음을 고객에게 가끔씩 표현하세요. 이것이 제 고객 관리 노하우입니다.

활동을 열심히 해도 결과가 안 나올 때가 있습니다. 슬럼프는 어떻게 극복합니까?

슬럼프는 누구에게나 찾아오는 일입니다. 결과가 잘 나오지 않아 힘들 때도 있고, 단순히 일하기 싫은 날도 있습니다. 구분해서 말씀드리겠습니다.

노력해도 결과가 나오지 않을 때는 세일즈 프로세스를 먼저 확인해 봐야 합니다. 새로운 가망고객을 만났는지, 계약을 위한 상담을 진행했는지 살펴보세요. 상담 능력에는 문제가 없는지, 기존 고객들과 관계를 잘 유지하고 있는지도 체크해 봐야 하고요. 영업 과정에 문제가 없는지 꼼꼼히 들여다보세요. 이때 부족한 점이 보이면 보완해야 합니다. 그것이 지속적인 학습이 필요한 이유입니다.

매너리즘에 빠지는 이유는 새로운 사람을 만나지 않기 때문입니다. 낯선 사람을 만나는 일은 누구나 불편합니다. 따뜻하지 않은 시선과 익숙하지 않은 분위기는 새로운 사람을 찾아가기 싫게 만든다고나 할까요. 기존 고객이 많은 재무설계사일수록 신규 고객 발굴에 게을러집니다. 우호적인 사람들을 두고 새 가망고객에게 연락하기 싫은 마음이겠지요.

직업적 긴장감을 유지하기 위해서는 새로운 사람을 만나야 합니다. 실수를 쉽게 눈감아 주는 사람이 아닌, 냉정하게 평가하는 사람이 필요합니다. 그런 상황일 때 식었던 열정이 다시 뜨거워지고 도전하는 마음이 생깁니다. 최신 지식으로 무장할 수도 있고요.

만약 활동 과정이 충실함에도 불구하고 결과가 나오지 않는다면, 그때는 스스로를 격려해야 합니다. 세일즈는 확률이 지배하는 일입니다. 투입한 노력이 있으면 결과는 반드시 나옵니다. '대수의 법칙'이라는 말 들어보셨죠? 시간이 지나면 본래의 확률대로 결과가 나온다는 뜻입니다. 예를 들어 10명 고객과 상담하면 3건 계약이 나온다고 가정하겠습니다. 단기적으로는 10명 만나 4건 할 수도 있고 1건도 하겠지만, 장기적으로는 3건 계약이 평균입니다.

결과가 실망스러울 때라도 과정에 최선을 다하고 있다면 괜찮습니다. 자신을 믿고 계속 전진하면 됩니다. 실망할 필요가 없습니다. 이 달에 10명을 만나 1건밖에 체결하지 못했다면 다음 달에는 10명을 만나 5건을 계약할 수도 있습니다. 20명을 만났으면 6건이 확률이니까요. 믿으세요. 오랫동안 이 일을 하며 깨달은 진리입니다. 세일즈 업계에서 '대수의 법칙'은 참입니다.

가끔은 일하기 싫은 날도 있습니다. 컨디션이 좋지 않거나 비가 오는 날은 외부 활동이 꺼려집니다. 서류 일을 한다는 핑계로 사무실에서 쉬고 싶은 마음이 생기죠. 그러나 활동하기로 계획된 날이라면 움직여야 합니다.

정말 일하기 싫은 날은 오전에 서점으로 향합니다. 여행이나 건강 등 선물하기 좋은 책 5권을 구매합니다, 그러면서 스스로와 협상을 하죠. '오늘은 이 책만 고객들에게 선물하고 퇴근한다.' 저 자신과 타협을 합니다. 5권을 다 돌리고 나면, 영화를 보러 가거나 집으로 일찍 들어가 휴식을 취합니다.

재미있는 일은 책을 고객들에게 돌리다 보면 가끔 일거리가 발생한다는 사실입니다. 오랫동안 만나지 못했던 고객들과 상담 약속이 생깁니다.

"공 선생, 오랜만이네. 마침 잘 왔어. 처 이름으로 연금을 하나 했으면 하는데."

"아, 연락을 한번 주시지 그러셨어요. 그럼, 자료를 준비해서 다음 주에 다시 오겠습니다."

수첩을 꺼내 고객의 요구 사항을 적다 보면 일할 의욕이 다시 생깁니다. 신기하지요. 고객이 상담을 요청하면 사라졌던 열정이 금방 돌아오거든요. 업계에서 흔히 하는 농담이 있습니다. 재무설계사는 두 가지 약을 먹어야 힘이 난다고요. 하나는 계'약'이고, 다른 하나는 상담'약'속입니다.

어느 구름에 비가 올지 모릅니다. 사람을 계속 만나다 보면 상담 건수가 생기고, 상담을 하고 나면 일부는 계약을 합니다. 뭔가를 계획하고 만날 수도 있지만 우연한 만남에서 좋은 일이 생길 수도 있습니다.

가끔 슬럼프가 찾아와도 활동을 멈추지 마세요. 심하게 지쳐 있을 때는 잠깐 쉬세요. 그리고 다시 사람들 속으로 들어가세요. 재무설계사는 놀아도 고객들과 놀아야 합니다. 계속해서 사람을 만날 때 우리 사업도 꾸준히 앞으로 나아갑니다.

TOP
세일즈맨의
성공전략 2

경청

침묵을 둘째 덕목으로 삼은 것은
덕을 높임과 동시에, 지식을 얻고 싶었기 때문이다.
대화할 때 말을 하는 것보다 남의 말에 귀를 기울임으로써
덕을 얻을 수 있다고 생각했고,
사소한 만남에서도 수다와 말장난,
농담만 하던 옛 습관을 버리고 싶었다.
- 벤저민 프랭클린

01

말한 사람 잘못인가, 듣는 사람 실수인가

친구 사이에서든 사회생활에서든 일상에서 대화하다 보면 오해하는 경우가 종종 발생한다. 같은 내용을 말하고 들었는데, 이해하는 바가 다르다. 기억은 편집된다고 하지만 며칠 전 대화 내용이라면 왜곡될 리도 없을 텐데. 서로 다른 내용을 주장한다.

일상에서 미스 커뮤니케이션은 누구나 경험한다. 같은 일인데 서로 다른 기억을 하고 있어 곤란했던 상황을 겪어 봤을 것이다. 다툼이 일어나는 이유가 되기도 한다. 원인은 누구에게 있을까?

의사 전달이 제대로 되지 않았다면 누구 잘못이 더 큰가? '화자(話者, speaker)'가 잘못 말했기 때문일까, '청자(聽者, listener)'가 똑바로 알아듣지 못해서일까? 어느 쪽 책임이 더 클까? 말한 사람에게 책임이 있는가, 들은 사람이 실수한 것인가? 이 질문에 서양 사람들과 동양 사람들은 비슷한 대답을 할까?

서양인들과 동양인들이 어떤 답을 할지 짐작하기 위해서는 먼저 문화의 차이를 살펴봐야 한다. 서양의 '독립성(Independence)'과 동양의'상호 의존성(Interdependence)'이 힌트다. 독립성이란 사람을 독립된 존재로 본다는 시각이고, 상호 의존성이란 사람을 상호 연결된 존재로 보는 관점이다. 서양인과 동양인의 특성을 구분 짓는 개념이다.

시나 이옌가(Sheena Iyengar)와 마크 레퍼(Mark Lepper)는 실험을 통해 동서양 문화의 차이를 설명한다. 동양과 서양의 아이들을 모아 놓고 애너그램(anagram)문제를 준다. 낱말 맞추기 놀이인데, 예를 들어 흩어진 'E, L, O, L, H'를 보고 'HELLO'를 만드는 게임이다. 이 게임을 하는 데 세 가지 선택이 있다.

첫째는 실험자가 지정한 문제, 둘째는 아이들이 선택한 유형, 셋째는 아이들 어머니가 원하는 과제 중 하나를 선택하는 것이다. 문제를 고를 수 있는 상황에서 어떤 선택을 하는지 관찰하는 실험이었다. 서양과 동양의 아이들은 어떤 문제를 풀려고 했을까?

실험 결과는 동양인과 서양인의 성향 차이를 확실히 보여 준다. 서양 아이들은 자신이 선택한 문제에 강한 학습 동기를 보였고, 어머니가 선택한 유형에는 낮은 관심을 나타냈다. 이에 반해 동양 아이들은 어머니가 지정한 문제에 집중했다. 요약하면 서양 아이들은 '자기 결정'을, 동양 아이들은 '어머니의 선택'을 중시했다.

왜 이런 차이가 생길까? 답은 바로 독립성과 상호 의존성에 있다. 서구 사회는 독립성을 추구하는 사회다. 행복을 개인의 자유에서 찾는다고 할 수 있다. 스스로 선택하고 결정해야 행복하다고 느낀다. 어릴 때부터 의사 표현을 분명히 하도록 훈련받는 이유가 그것이다. 자율성을 길러 주는 일이 교육의 목표라고 봐야 한다. 이런 환경에서 부모가 자녀 일에 개입하는 일이 많을까?

미국 드라마를 봐도 알 수 있다. 어린 자녀가 등교를 준비하며 부모에게 묻는다. "엄마, 저 옷 뭐 입을까요?", "그건 네가 결정할 문제야."라는 대답이 돌아온다. 같은 상황에서 한국 부모라면 "빨간색 티셔츠 입어."하고 말한다. 서양인은 간섭이라고 하겠지만 우리는 관심과 애정이라고 여긴다.

서양 사회에 비해 동양은 상호 의존성이 특징이다. 동양에서는 상호 관계가 중요하다. 스스로를 독립된 존재로 인식하기보다는 우리 속에서 나를 규정한다. 동양 사회에서 개인은 독립적인 존재가 아니라 집단에 소속된 구성원으로서의 의미가 크기 때문이다.

애너그램 실험을 통해 알 수 있는 내용은 명확하다. 동양 아이들에게는 이 문제를 풀면 어머니가 기뻐하리라는 기대감이 중요하다. 선택할 문제에 앞서서 어머니의 감정을 살피는 일이 먼저다. 내 취향은 뒷전이고 상대방 기분이 더 궁금하다. 그에 맞춰 행동한다. 이 문제를 선택해 어머니가 기쁘다면 내 마음도 흡족하다. 동양인은 옆 사람과 관계가 좋아야 행복감을 느끼기 때문이다. 함께 기쁨을 추구한다고 할 수 있다. 나 홀로 행복하다는 감정은 동양에서는 상상하기 힘들다. 감정이란 사람과 사람의 관계에서 나온다. 인간관계의 조화가 중요할 수밖에 없는 이유다. 이것이 바로 상호 의존성이라는 개념이다.

> "다른 사람의 감정에 예민하게 반응하는 정도에 따라 커뮤니케이션의 본질에 대한 관점도 달라진다. 서양에서는 아이들에게 의사소통을 가르칠 때 자신의 생각을 분명하게 표현하고 '말하는 사람'의 입장에서 대화에 임해야 하며, 대화 과정에서 오해가 발생하면 그것은 말하는 사람의 잘못이라고 강조한다. 이와는 매우 대조적으로, 동양에서는 아이들에게 '듣는 사람'의 입장에서 말할 것을 강조한다."
>
> (리처드 니스벳, 최인철 옮김,《생각의 지도》, 김영사, 2009, 64쪽)

서양인은 말하는 사람 입장에서, 동양인은 듣는 사람 입장에서 대화하는 법을 배운다. 이런 차이가 직접 화법과 간접 화법을 발전시켰다. 한국 사람들이 보기에 미국인들은 무례하다 싶을 정도로 직설적으로 말한다. 요샛말로 '돌직구'다. 최근 들어 우리 사회에서 부쩍 많이 사용하는 '돌직구'라는 표현은 기존 언어 습관이 그만큼 직설적이지 않다는 증거이다. 반면 서양인들 눈에 동양인은 속마음을 드러내지 않는 모호한 사람이다.

직접 화법과 간접 화법 차이를 서양 사람 관점에서 해설한 글이 있다. 저명한 칼럼니스트 말콤 글래드웰(Malcolm Gladwell)이 완곡어법에 관해 소개한 내용이다. 우리는 일상에서 아무렇지 않게 쓰는 말인데 서양인 시각으로 해석을 붙여 놨다. 제시된 문장을 먼저 읽고 바깥쪽 괄호 안 문장을 비교하면 간접 화법과 직접 화법 차이를 느낄 수 있다.

(과장과 후배 직원인 김 씨가 나누는 대화이다)
과장 : 날씨도 으스스하고 출출하네. (한잔하러 가는 게 어때?)
김씨 : 한잔하시겠어요? (제가 술을 사겠습니다.)
과장 : 괜찮아. 좀 참지 뭐. (그 말을 반복한다면 제안을 받아들이도록 하지.)
김씨 : 배고프실 텐데, 가시죠? (저는 접대할 의향이 있습니다.)
과장 : 그럼 나갈까? (받아들이도록 하지.)
대화 참여자가 서로 상대방의 의중을 세심하게 짚어 가며 말하고 듣는다는 점에서 이 미묘한 대화는 일종의 아름다움이 존재한다. 무감각하고 무신경한 것을 용납하지 않는다는 뜻에서 이 대화는 세련되다.
(말콤 글래드웰, 노정태 옮김, 《아웃라이어》, 김영사, 2009, 250~251쪽)

말콤 글래드웰은 이 대화를 세련되고 아름답다고 말한다. 대화 속에서 '누가' 술을 사는지에 대한 언급은 없지만 우리는 알고 있다. 후배 직원이 한잔 대접하는 상황이다. 이런 간접 화법이 서양인들 눈에는 신기한가 보다. 우리에겐 뻔한 장면에 불과한데 말이다.

이처럼 한국인들의 대화는 직접적이지 않다. 직설적으로 말하지 않고 구체적인 단어도 아낀다. 서로 간에 상대방 뜻을 헤아리면서 의사소통을 해야 한다. 이심전심으로 통하는 방식을 좋아한다고 할까. 경우에 따라서 노골적 표현은 대화의 품격을 떨어뜨리는 일이라고 생각한다.

"그걸 꼭 말로 해야 아니?"

한국말은 듣고 해석하는 일이 중요하다. 다 말하지 않아도 의중을 알아야 한다. 눈치 있는 사람이 우대받는 이유다. "눈치 없는 게 인간이니?"하는 빈정거림은 한국인 대화 방식에서 무엇이 중요한지를 잘 보여 주는 말이다. 굳이 언급하지 않아도 마음을 알아 달라는 뜻이다. 충분히 표현하지 않은 말에서 의도를 파악해 달라는 요구다. 그러니 대화에서 누가 중요하겠는가?

말하는 사람보다 듣는 사람의 역할이 더 크지 않을까? 한국 사회에서 대화의 주체는 '청자(聽者)'라고 봐야 하는 이유다.

처음 했던 질문을 다시 떠올려 보자. '말한 사람'이 잘못 말했기 때문일까, '듣는 사람'이 알아듣지 못해서인가? 답은 나왔다. 서양 사회에서는 말한 사람 잘못이지만, 한국에서는 듣는 사람의 불찰이다.

"속은 놈이 바보지!" 누구나 들어 봤을 말이다. 《한국인의 거짓말》이란 책에는 한국 사람과 거짓말에 대해 풍부한 내용이 나온다. 실제로 한국은 OECD(경제협력개발기구) 국가들 중 사기범죄 1위다(2013년 세계보건기구 조사 결과). 이 책에서는 왜 한국인이 거짓말을 잘하는지 다양한 설명을 하고 있다. 그런데 여기서 강조하지 않은 내용이 있다. 의사소통의 책임을 '듣는 사람'에게 두는 문화적 특징이다.

문득 속담 하나가 떠오른다. "개떡같이 말해도 찰떡같이 알아듣는다." 듣기 중심의 의사소통 방식을 한 마디로 적절하게 표현한 말이다. 대충 말해도 잘 알아들으라는 의미다. 속지 말고 정신 차려 들으라는 얘기다. 책임은 듣는 사람에게 있으니.

우리 선조들은 속담을 통해 대화의 주체가 누구인지 가르쳐 줬다. 바로 듣는 사람이다. 한국 사회에서 대화의 본질은 말하기가 아니다. 듣기다. 듣고 이해하는 일이다.

누군가 개떡같이 말해도 우리는 찰떡같이 알아들어야 한다.

한국인 대화는 숨은 그림 찾기

"잘했어."

일상에서 흔히 하는 말이다. 직장에서도 집에서도 쓴다. 그런데 이 말은 상황에 따라 해석이 달라진다. 정말 잘해서 하는 말일 수도 있지만, 못했을 때도 사용하기 때문이다. 실수 없이 처리해서 "잘했어"라고도 하지만, 상대방을 비꼬아서 "자~알 한다"라고 얘기하기도 한다. 말뜻만으로는 판단할 수 없고, 그 말을 한 상황을 고려해서 의미를 유추해야 한다. 한국 사회에서 말은 액면 그대로가 아니다. 속을 들여다봐야 한다.

상대방의 말에 고개를 끄덕이는 행위도 같은 이치로 해석해야 한다. 알아듣고 이해한다는 표시로 끄덕일 수도 있지만 몰라도 그러는 경우가 있다. 특히 윗사람이 말할 때는 '일단' 고개를 끄덕일 때가 많다. 상대방에 대한 배려이기 때문이다.

"조선일보의 한 칼럼에서 독일의 대한(對韓) 비즈니스 안내서에 나타난 한국인의 특성 중 하나로 '한국인은 영어를 몰라도 아는 척한다'라는 항목을 소개하고 있다. 독일인의 입장에서는 이를 위선적 행동, 자기 과시적 행동, 또는 체면 지향적 행동 등으로 받아들일지 모르나, 오히려 이런 행동은 의례적 행동 또는 의례성을 띤 한국인의 사회적 행동으로 해석하는 것이 보다 타당할지 모른다.
서양인의 경우에는 외국인의 말을 이해하지 못할 때 다시 묻는 것이 어렵지 않다. 그러나 한국인의 심리적 도식에서 보면 별로 중요하지 않은 사안에 대해 구태여 다시 묻는 일 자체가 상대에게 배려를 하지 않는다는 숨은 메시지를 함유하기 때문에, 모르는 말도 이해하는 척한다. 한국인의 사회에서는 상대도 이러한 행동의 이면에 있는 메시지를 이해하고 긍정적으로 받아들인다. 여기서 하나 첨부할 말은 의례적 언행에는 상대의 심정에 대한 배려가 전제 또는 관여된다는 점이다."
(최상진, 《한국인의 심리학》, 학지사, 2012, 214~215쪽)

서양인의 시각을 엿볼 수 있는 대목이다. 우리와는 참 다르다. '모르는 말도 이해하는 척하는 것'이 한국에서는 위선적인 행동이 아니다. 배려라고 봐야 한다. 상대방이 불편할까 봐 물어보지 않을 뿐이다. 중요 메시지를 이해했다면 사소한 내용은 넘어간다. 상대방 말을 끊고 무슨 말이지 묻는 일 따위는 결례인 셈이다.

"어른이 말씀하시는데, 어디……."라는 말은 흔한 표현이다. 한국에서는 가만히 듣는 일이 상대방에 대한 '존중'이다. 전체 흐름을 파악하고 주제를 알아들었다면 그것으로 족하다. 질문은 삼가야 할 일이다. 이처럼 '상대방에 대한 배려'는 한국 사회의 의사소통에서 빼놓을 수 없는 핵심 요소다.

'혼네'와 '다테마에.' 일본 문화를 설명할 때 꼭 나오는 개념이다. 혼네(本音,ほんね)는 본심을 의미하고, 다테마에(建前,たてまえ)는 사회적 규범에 따른 의견을 나타낸다. 혼네를 속마음이라 한다면, 다테마에는 겉으로 하는 말이다. 마음속으로는 다른 생각을 하더라도 겉으로는 듣기 좋게 말하는 일본인의 태도를 알 수 있다.

본심과 다르게 말하는 '다테마에'는 일본에만 있는 특성이 아니다. 한국 역시 비슷한 언어 습관이 있다. 우리 역시 속마음을 잘 드러내지 않는다.

일상에서도 쉽게 경험할 수 있다. 물건을 사러 매장에 들어갔다 그냥 나올 때 "마음에 드는 물건이 없네요."처럼 점원이 기분 나쁠 표현은 하지 않는다. "좋네요. 잘 봤습니다. 한번 둘러보고 다시 오겠습니다."라고 말한다.

이처럼 한국에서의 대화는 상호 의중을 헤아리며 한다. 내 마음을 숨기고 상대방 입장에서 생각한다. 속이려는 의도가 아니라 '상대방 관점'에 초점을 맞추기 때문이다. 속마음과 겉으로 드러내는 말이 다를 수밖에 없는 이유다.

서양과 한국은 언어 사용의 문화도 다르다. 영어가 '정확한 기술'을 표방하는 언어라면, 한국어는 '상호적 반응'이 본질적 기능이다. 한국에서는 표현된 말보다 숨은 뜻과 대화의 태도가 더 중요할 수 있다. 이런 언어 습관이 형성된 데에는 '관계주의'라는 문화의 특성이 크게 영향을 미쳤다.

> "관계주의를 더 잘 반영하는 한국어의 특성은 질문에 따라 바로 바뀌어야 하는, 기술의 기능을 초월한 상호 반응의 기능이라고 볼 수 있다. 개인주의와 조직적 집단주의는 효율성과 목적 중심적 특성을 가지기 때문에 정확하고 효율적인 기술적 언어가 중요하다. 하지만 관계 자체를 더욱 중요하게 여기는 한국인들은 종종 기술되는 내용보다는 내 말을 '듣고 있다'는 주관적 느낌을 훨씬 더 고려한다. 그래서 회사에서도 내가 멍청하게 물어봐도 항상 정확한 내용을 효율적으로 기술하는 사람은 왠지 차갑고 인정머리 없는 놈처럼 느껴진다. 하지만 내가 멍청하게 물어봐도 같이 멍청하게 반응하는 동료는 왠지 정이 가는 편안한 상대로 느껴진다."
>
> (허태균, 《어쩌다 한국인》, 중앙북스, 2016, 165쪽)

'내가 멍청하게 물어봐도 같이 멍청하게 반응하는 동료'라는 표현에서 고개가 끄덕여진다. 한국에서 대화란 상호 반응이다. 일방적 표현이 아니다.

문제는 상대방을 배려하는 언어 습관이 가져온 불편함이다. 매번 상대방 진심을 짐작해야 한다. 드러나는 말만으로는 판단할 수 없기 때문에 전후 맥락을 통해 해석해야 한다는 사실이 때론 피곤하다.

계약 상담을 진행한 결과 어떤 제안을 했을 때 나타나는 고객의 반응이 있다.

"설명 잘 들었습니다. 친절하게 설명해 주셔서 고맙고, 오늘 많은 도움이 됐습니다. 좋은 내용이네요. 긍정적으로 검토해서 한번 연락드리겠습니다."

"네. 그러세요. 궁금하신 사항은 언제든 전화주세요."

고객과 상담할 때 흔히 경험하는 마지막 상황이다. 그런데 이런 경우 문제가 생긴다. 고객이 정말 검토하려고 한 말인지, 예의상 한 말인지 구분이 안 되기 때문이다. 고민할 마음이 있다면 시간을 두고 기다려야만 하지만, 거절이라면 그 이유를 물어봐야 한다. 제안한 상품이 마음에 안 드는지, 다른 이유가 있는지 확인해야 한다.

재무설계사 입장에서는 고객의 생각을 파악해야 한다. 그래야 향후 추가 상담을 할지 판단할 수 있기 때문이다. 고객이 애매한 태도를 보이면 계속 신경을 쓰고 연락할 수밖에 없다. 바람직한 상황이 아니다.

시간은 재무설계사에게 가장 중요한 자원이다. 효율적인 활동을 위해서는 시간 낭비가 없어야 한다. 계약 상담을 진행하면 바로 그 순간 가입 여부를 판단해야 시간이 절약된다. 빠르게 '예' 또는 '아니오'를 말해주는 사람이 좋을 수밖에 없다.

그런 고객을 만나야 한다. 그리고 빠른 결정을 요구해야 한다. 최종 상담을 하고 계약서를 준비했다면 그 순간 계약을 제안해야 한다. 지금 계약서에 서명하지 않으면 이 건은 더 이상 진행하지 않겠다는 마음이어야 한다. 끈질긴 모습에 부담을 느끼는 고객도 있지만 어쩔 수가 없다. 절박하게 계약을 시도하지 않고서는 고객이 진심을 잘 드러내지 않기 때문이다.

당당하게 그리고 강력하게 계약을 요구하자. 그래야 숨은 마음을 알 수 있다. 그 순간은 약간 불편할 수 있지만 속마음을 파악하는 편이 낫다. 친척이 보험 회사에 근무해서 그 쪽에 계약을 해야 된다, 동생 친구가 보험 회사에 있다 등 거절의 원인은 많다. 고객이 나랑 계약 못 할 이유가 있다면 받아들이면 된다.

고객 입장에서는 거절을 직접 표현하기가 부담스럽다. '아니오'라고 말할 상황에서 '검토해 보겠다'는 식으로 에둘러 말한다. 애석한 일은 이 상황이 더 나쁘다는 점이다. 헛된 기대를 하고 또 찾아가게 만들기 때문이다.

시간을 낭비하는 일은 없어야 한다. 세일즈맨 입장에서는 고객의 의중을 분명히 파악해야 한다. 혹시 다른 이유 때문에 계약을 하지 못한다 하더라도 애매한 상황을 만들지 않아야 한다. 그래야 비생산적인 활동을 줄일 수 있기 때문이다.

주의를 기울여 고객 말을 들어야 한다. 마음을 열고 집중해서 들을 때 상대방 생각을 읽을 수 있다. 그리고 해석이 안 되는 모호한 상황에서는 상대방에게 계속 질문해야 한다. 고객이 진정으로 말하고자 하는 바를 찾아야 한다.

한국인의 대화는 '숨은 그림 찾기'다.

침묵이 빛을 발할 때

우리는

빛이 없는 어둠 속에서도 찾을 수 있는 우리는

아주 작은 몸짓 하나로도 느낄 수 있는 우리는

우리는 소리 없는 침묵으로도 말할 수 있는 우리는

마주치는 눈빛 하나로 모두 알 수 있는 우리는

우리는 연인

송창식이 작사 작곡한 노래 '우리는'은 이렇게 시작한다. 몇 번 무심코 들어 봤음직한 노래인데 이 글을 쓰면서 문득 생각난다. 노래를 찾아 다시 들어 보니 가사가 좋다. 기타 반주 하나에 맞춰 노래 부르는 영상을 보고 있자니 노랫말이 아름답게 들린다. 사랑하는 연인끼리는 빛이 없어도 서로 볼 수 있고, 작은 동작 하나로 느낄 수 있다는 표현이 시처럼 느껴지기까지 한다.

'침묵으로도 말할 수 있는'이란 표현은 연인간의 이심전심을 잘 나타낸다. '눈빛 하나로 모두 알 수 있다'는 대목에서는 일체된 감정을 느낄 수 있다. 서로 사랑하는 사이에 무슨 말이 필요할까. 눈빛만 교환해도 그 마음을 알 수 있다. 이처럼 '침묵'은 상대방에 따라서 다양한 의미를 담아낸다. 말 대신 소통 수단이 된다.

한국 사회에서 '침묵'은 커뮤니케이션의 단절이 아니다. 말로 구체화되지 않을 뿐 의미를 담고 있는 경우가 많다. 상황에 따라서 침묵은 상대방의 말에 동조하는 뜻이 되고, 어떤 때에는 거절의 표시가 되기도 한다. 굳이 입 밖에 내지 않아도 뜻을 알 수 있을 때 우리는 말을 아낀다.

이에 반해 서양 사회에서 침묵은 다르다. 그냥 말 안하기다. 별다른 뜻이 없다. 침묵으로 전달할 메시지가 없다. 'Say nothing'이므로 그 속에 다른 해석이 들어갈 여지도 없다. 말 그대로 아무 얘기 안 하고 있는 상태가 서구 사회에서의 침묵이다. 서양 사람들이 대화를 하다 입을 닫는 행동은 말할 내용이 없다는 뜻이다. 대화 중단을 의미한다. 그래서 서양 사람들은 침묵을 불편해한다.

침묵에 대한 의미가 서양 사회와 한국 사회가 다른 이유는 문화의 차이 때문이다. 한국에서는 공동체를 중심으로 사회가 발전했기 때문에 구성원의 생각이 비슷하다. 쉽게 말해 '네 생각이랑 내 생각이 크게 다르지 않다'는 전제가 있다. 굳이 표현하지 않아도 짐작할 수 있는 상황에서 한국 사람들은 애써 말하지 않는다. 시시콜콜하게 설명하지 않고 짧게 말하는 경우도 같은 이치다, 표현된 말로만 판단하지 않고 전후 맥락과 주변 상황을 통해 이해하기 때문이다.

길을 가다 낯선 사람에게 길을 물어볼 때도 차이가 있다. "강남역 어떻게 가요?", "저쪽으로 쭉 가세요."라고 우리는 길을 가르쳐 준다. 한국 사회에선 익숙한 장면이다, 그냥 쭉 가라고 했는데 듣는 사람은 고개를 끄덕이고 발길을 옮긴다. 대충 알아들었다는 뜻이다. '쭉'이라는 거리가 몇 미터인지 환산할 수 없지만, 들은 사람은 얼추 가늠했다 보다. 신기하다. 정확하게 얘기하지 않았는데도 의사소통이 된다.

반면 서구 사회에서는 대답이 다르다. "신호등을 건너 직진으로 200미터쯤 가면 우측에 빨간 건물이 보입니다. 그 건물을 왼쪽으로 끼고 돌아가면 작은 길이 나오는데, 두 번째 골목길로 들어가면 됩니다. 그 골목길이 끝나면 우측으로 50미터쯤에 강남역이 있습니다." 어떤가? 한국에서 이렇게 길 안내를 하는 사람이 있을까?

서양 사람들이 대화할 때에는 말 속에 필요한 정보를 전부 담으려고 한다. 내용이 길어지더라도 세세하고 확실하게 표현하는 방식이다. 저쪽으로 쭉 가라는 표현은 사실 모호하다. 보는 시각에 따라서 '저쪽'이 북쪽인지 동쪽인지 다를 수 있고, '쭉'가라는 말도 100미터를 의미하는지 200미터를 가리키는 건지 분명하지 않기 때문이다.

서양 사회에서는 구체적으로 모든 사항을 얘기해야 한다. 표현된 말에만 의지해서 해석하기 때문에 필요한 정보를 다 주어야 한다. 짐작 가능한 사회적 관습이나 널리 받아들여지는 상황이란 없다. 애매한 표현은 삼가고 정확한 설명을 요구하는 사회다. 우리와는 다르게 미국에서는 정확한 표현으로 언어가 발전할 수밖에 없었다. 영어를 흔히 '표현의 언어', '기술의 언어'라고 부르는 이유다.

《세계문화사전》에서 강준만 교수는 '고맥락 문화·저맥락 문화'에 대해 비교 설명하고 있다. 저맥락(low context) 문화에서는 의사소통이 표현된 말에 의해 이뤄지고, 고맥락(high context) 문화에서는 드러난 말 이외에 상대방 진의를 유추하는 단계가 필요하다.

하루 중 대화하는 시간도 문화권에 따라 차이가 크다. 고맥락 문화권에 속하는 일본인은 3.5시간을 대화에 쓰는 반면, 저맥락 문화권에 속하는 미국인은 7시간을 대화에 사용한다. 의사소통을 위해 2배나 많은 대화가 필요하다는 사실이 놀랍지 않은가? 고맥락 사회에서는 의사소통을 위해 많은 대화가 필요하지 않다. 고맥락 사회인 한국 역시 마찬가지다.

비즈니스에서도 차이가 난다. 미국의 사업계약서가 일본의 사업계약서보다 훨씬 더 길고 상세하게 표현되어 있다. 저맥락 문화권인 서양에서는 모든 것을 분명하게 기재해야 되기 때문이다. 반면 고맥락 사회인 동양에서는 다 기재할 필요가 없다. 암묵적으로 합의되는 사항들도 많기 때문이다.

서양 사람들을 보면 많은 말과 함께 풍부한 얼굴 표정, 큰 손동작이 특징이다. 상대방과 말할 때 감정과 느낌을 잘 전달하기 위해 손짓과 같은 동작도 발전해 왔다. 우리가 남들 앞에서 다소곳이 손을 모으고 얘기하는 자세와는 대조적이다. 감정을 드러내는 일도 장려하는 문화가 아닌 탓에 얼굴 표정도 없다. 무슨 얘기를 해도 밋밋한 표정인 경우가 많다. 포커 페이스! 한국인들의 표정은 비슷하다. 서양과는 이래저래 차이가 많이 난다.

한국과 같은 고맥락 사회에 대해 얘기할 때 나오는 특징이 또 하나 있다. '과묵한 사람'이 우대받는다는 점이다. 좌중을 압도하는 탁월한 언변이 멋있어 보이지만 인정받는 사람은 따로 있다.

"아는 사람은 말하지 않지만 말하는 사람은 알지 못한다."는 일본 격언이 있다. 말을 많이 하는 사람들을 경시하는 문화가 엿보인다. 우리 속담에도 "빈 수레가 요란하다"는 말이 있다. 잘 알지 못하면서 겉으로만 아는 체 떠들어 댄다는 의미다. 일본과 한국의 속담 모두 같은 뜻이다.

아는 것이 많을수록 말을 아끼는 태도는 '고맥락 사회'의 특징이다. 과묵함이 미덕인 한국 사회에서 말이 많으면 실속 없는 사람으로 오해받는다. 아는 내용이 정말 많아서 말을 하는 경우에도 사회에서는 우대받지 못하는 경우가 있다. 좀 억울해도 할 수 없다.

그러니 기억하자. 한국에서는 말을 아끼는 자가 우대받는다. “가만히 있으면 2등이라도 하지.”라는 우스갯소리는 그냥 나온 말이 아니다. 꼭 말해야 하는 상황이 아니라면 가만히 듣고 있자. 말을 아끼자. 공자도 “침묵은 충직한 자의 좋은 친구”라고 했다.

1716년 프랑스 아미앵에서 태어나 세속사제로 활동했던 조제프 앙투안 투생 디누아르는《침묵의 기술》이란 책에서 의미 있는 조언을 해 주었다.

> “지혜에서도 상책(上策)은 침묵하는 것이고, 중책(中策)은 말을 적당히, 적게 하는 것이며, 불필요하거나 잘못된 말이 아니더라도 말을 많이 하는 것은 하책(下策)이다.”
> (조제프 앙투안 투생 디누아르, 성귀수 옮김,《침묵의 기술》, 북이십일, 2016, 21쪽)

말을 많이 하는 행동은 하책이다. 잘 아는 내용을 말할 때도 조심해야 하지만 모르는 분야에 관해서는 특히 입을 닫아야 한다. 달변이 빛을 발하는 순간은 우리 삶 속에서 자주 있지 않다. 현명한 자는 필요한 경우에만 적절히 말할 뿐이다. 침묵이 금이다.

04

계약은 혀가 아니라 귀로 한다

고객은 무엇에 끌려 계약을 할까? 상품이 좋아서일까, 회사가 믿음이 가기 때문일까? 아니면 담당자에게 인간적인 매력을 느껴서일까? 회사의 안정성도 고려해야 하고, 상품이 가진 장단점도 살펴봐야 한다. 그리고 담당자에 대한 판단도 크게 작용한다. 일반 상품은 판매자가 마음에 들지 않아도 살 수 있지만, 보험은 담당자가 싫으면 구매가 꺼려지기 때문이다.

고객의 심리를 이해하는 데 도움이 된 사례가 있다. 소개를 받아 상담을 했던 경우다. 전화를 걸어 약속을 잡고 집으로 방문했다. 만나 보니 결혼한 지 3년 된 평범한 가정이었다. 남편은 직장 생활을 하고 고객은 집안 살림을 하고 있었다. 처음 만나 이런저런 얘기를 들으며 본인이 원하는 상품에 대한 정보를 얻었다. 부부를 위한 보장성 보험과 자녀의 교육자금 준비를 원했다.

두 번째 만남은 좀 더 편안한 분위기였다. 오전에 만나 대화를 시작하는데 본인 얘기를 하나씩 풀어내기 시작했다. 결혼한 지 얼마 안 된 부부를 만나면 종종 하는 질문이 있다. "두 분은 어떻게 만나셨어요?"단순해 보이는 이 질문은 많은 대답을 이끌어 낸다. 어떤 인연으로 만났다는 사실부터 출신 지역, 학교, 예전 직장 등 많은 내용을 알 수 있다. 어떻게 결혼해 오늘에 이르렀는지 여러 이야기를 듣게 된다. 인생 전체의 스토리를 듣는다고나 할까.

그날 가볍게 던진 질문은 2시간이나 이어졌다. 연애나 결혼으로 출발한 이야기는 어느새 배우자에 대한 불만으로 연결됐다. 연하 남편은 술을 좋아하고 귀가 얇아 이런저런 사고를 일으키고 있었다. 사건 사고를 시리즈로 듣고 있자니 안타까운 마음이 생겼다. "아, 그건 남자인 제가 봐도 심하네요.", "이런, 아이도 있는 사람이 가족부터 먼저 생각해야죠."라는 말이 절로 나왔다. 맞장구치며 얘기를 듣고 있자니 별의별 사연이 다 나왔다. 그동안 쌓였던 불만을 다 쏟아 내는 듯했다.

꽤 긴 시간을 듣기만 했다. 열린 마음으로 경청하고 호응해 주는 일은 그 자체로 사람의 마음을 치유하는 힘이 있다. 상대방을 이해하려면 듣는 사람에게는 노력이 필요하지만, 말하는 사람은 자기 생각을 밖으로 드러냄으로써 스스로 정화가 된다. 복잡했던 문제가 정리되고 슬펐던 감정이 누그러진다고 할까? 그날 두 번째 만난 사람에게 눈물까지 글썽이며 이야기함으로써 그녀의 마음은 스스로 위로가 되었으리라.

오전 10시에 만나 시작된 대화는 두 시간 가까이 흘러도 끝나지 않았다. 그곳에서 계속 얘기를 듣다 보니 다음 약속 시간이 다 되었다. 고객에게 양해를 구했다.

"죄송하지만 다음 약속이 있어 이만 일어나야 합니다. 오늘 많은 얘기를 들었네요. 정말 힘드셨겠습니다."

촉촉해진 눈가를 닦으며 그녀는 말을 받았다.

"들어 주셔서 고마워요."

"네. 마음이 풀렸다면 다행입니다."

"제가 주책이네요. 별 얘기를 다 하고. 그래도 말하고 나니 속이 좀 풀렸어요."

"네……. 그리고 제 이야기는 다음에 하는 편이 나을 듯합니다. 모레 시간이 괜찮으시다면 다시 오겠습니다."

"아, 죄송해요. 일부러 시간 내서 오셨는데, 쓸데없이 제 얘기만 했네요. 자료는 들고 오셨나요?"

"네. 준비는 했습니다만."

"그럼 보여 주세요."

"지금 말씀 드리기는 시간이 부족한데……."

"그래도 잠깐 볼게요."

"여기. 부부 보장 내용이랑 자녀 교육자금 플랜입니다."

"보험료는 여기 적혀 있는 금액인가요?"

"네. 표를 보시면 1안과 2안이 있는데요. 자세한 설명은 아무래도 다음에 다시 하는게 좋겠습니다. 언제 시간 괜찮으세요?"

고객은 재빠르게 자료를 훑어보더니 말을 꺼낸다.

"그럼, 여기 1안으로 할게요."

"네?"

"1안이 괜찮아 보여요. 보험료도 적당해 보이고."

"아뇨. 그래도 제가 설명을 좀 드리고 결정하시는 게 맞지 않을까요? 모레 다시 올 수 있습니다."

"알아서 잘 해오셨겠죠. 유능한 분이라고 말씀 들었습니다. 인상도 믿음이 가고요. 그냥 1안으로 할게요. 다시 오시라고 하면 제가 죄송하잖아요."

"아, 그래도……."

상품에 대한 설명은 하지 못했다. 두 시간 동안 듣기만 했다. 아니 들었다는 표현은 정확하지 않다. 공감하며 경청했다! 살아온 이야기를 함께 울고 웃으며 나누었다. 나 역시 진심으로 들었다는 느낌이었다. 감정이입도 되고 정서 교감도 하면서.

고객은 기꺼이 들어 주며 공감했던 나에게 마음을 열었던 것일까? 딱 두 번 만난 사이인데, 어떻게 자세한 설명은 듣지 않고 쉽게 계약을 했을까?

많은 세일즈맨들이 계약을 위해 많은 말이 필요하다고 생각한다. 착각이다. 심지어 어떤 세일즈 트레이너들은 고객에게 말할 기회를 주어서는 안 된다고 가르친다. 고객에게 발언권을 넘기면 계약을 하지 않겠다는 말만 하기 때문에, 그런 상황은 피하라고 조언한다. 거절을 당하지 않으려면 당신이 계속 입을 열어야 한다고 강조한다.

재무설계의 필요성에 대해 어필하고, 상품의 장단점도 설명하고, 구체적인 플랜도 제안하려면 시간이 부족하다. 급한 마음에 고객에게 말할 시간을 주지 않고 대화의 주도권을 잡으려고만 한다. 그 심정도 이해는 간다. 하지만 무엇이 계약을 이끄는지에 대해서는 생각해 봐야 한다.

특히 법인 계약이나 세금 컨설팅을 동반한 상담일수록 더 많은 말을 해야 한다는 오해를 한다. 과연 그럴까? 고객이 결단을 할 때 거기엔 어떤 마음이 있을까? 컨설팅 내용을 합리적으로 판단할까? 제안서를 논리적으로만 검토할까? 아니다. 당신의 태도와 자세, 인간적인 믿음이 더 중요하다. 사람은 감정의 지배를 더 많이 받기 때문이다.

큰 회사와 계약을 할 때 비슷한 경험을 다시 했다. 시간을 들여 여러 번 상담을 진행하며 마무리 단계가 되었다, 가업 승계를 위해 어떤 준비를 할지, 보험이 어떤 역할을 하고, 세법 규정상 한도액이 얼마인지 등을 설명했다. 실무자와는 보험 계약의 회계 처리 방법, 정관 변경과 임원 퇴직금 지급 규정 등을 통해 무엇을 준비하면 되는지 정보를 제공했다. 수차례 상담을 하며 많은 의문점을 해결했다.

드디어 결전의 날! 구체적인 플랜을 제시할 최종 상담 약속을 잡았다. 다른 상담 때보다 더 철저히 준비했다. 자료를 꼼꼼히 검토하고 수치는 오류가 없는지 거듭 확인했다. 프레젠테이션 연습도 두 차례 하고 예상되는 질문도 체크했다. 시간에 맞춰 도착한 뒤 회사 주차장에 주차를 하고 2층 사무실로 올라갔다. 심호흡을 크게 하고 문을 두드렸다.

"사장님 그새 건강하셨습니까? 지난번 중국 출장은 잘 다녀오셨는지요?"

"덕분에 잘 지냈어요. 지난 달 중국에서……."

무심코 던진 질문에 사장님은 1시간 정도를 혼자 말씀하셨다. 공항에서 있었던 에피소드, 호텔 식당에서의 다툼, 현지 공장 직원에 관한 문제 등. 그동안 경험했던 사건들에 대해서 계속 얘기를 하는데 중간에 말을 끊을 수가 없었다. 맞장구를 치며 대화에 응하니 신이 나서 고객은 본인 얘기에 몰입했다. 한편으론 시간이 지날수록 마음이 초조했다. 가방 속에 들어 있는 두꺼운 자료를 꺼내 브리핑을 하려면 시간이 좀 필요한데, 사장님 말씀이 끝날 기미가 보이지 않았다. 말을 끊을 수도 없고. 미팅 시간이 1시간이 넘어가니 오히려 마음이 가벼워졌다. 포기하고 다른 날 계약을 추진해야 되는구나 싶었다. 그러다 고객 휴대폰 벨소리가 울렸다.

"미팅중이니 나중에 내가 전화할게."

고맙게도 휴대폰이 대화의 흐름을 바꿔주었다.

"잠깐, 벌써 시간이 이렇게 되었나. 오늘 제안서 받기로 하고 내 얘기만 했네요. 중간에 얘기를 좀 하지. 그럼 자료 한번 볼까요?"

"사장님, 오늘은 시간이 좀 흘렀네요. 곧 나가셔야 하지 않습니까?"

"네. 일어날 시간은 되었는데, 그래도 잠깐 봅시다."

얼른 가방 속에서 자료를 꺼냈다. 최종 제안서 작업을 할 때 나는 1장짜리 요약 자료를 보통 준비한다. 몇십 페이지 자료를 1장으로 요약하면 핵심 내용이 전달되기 쉽고 전체 정보를 한눈에 보기도 편하기 때문이다.

"네. 여기 있습니다. 제가 총 3가지 플랜으로 준비를 했습니다. 1안의 경우는……."

안경을 고쳐 쓰고 문서를 들여다보던 사장님이 한 마디 툭 내뱉는다.

"그러면 2안으로 합시다. 이게 좋겠네요."

"네? 사장님, 그럼 제가 부연 설명을 좀 드려야 하지 않을까요? 다음 주에 다시 와서 말씀드려도 되는데요."

"그동안 여러 차례 왔는데, 내가 시간을 더 빼앗기도 미안하고. 금액만 결정하면 되지 않겠어요? 우리가 더 준비할 사항이 있으면 김 부장과 협의해요. 공 선생이 알아서 잘해 왔겠지. 믿어요."

'이솝 우화'가 생각난다. 지나가는 나그네를 보며 해와 바람이 시합을 한다. 누가 더 빨리 나그네의 외투를 벗게 할까? 바람이 먼저 세찬 바람을 일으킨다. 강풍으로 옷을 벗기려고 시도한다. 그러나 바람이 불면 불수록 나그네는 외투를 더 여밀 뿐이다. 아무리 불어도 나그네의 옷이 벗겨지지 않자 포기한다.

이번에는 해 차례다. 해는 바람과 달리 강한 햇빛을 내린다. 햇빛이 쨍쨍하니 시간이 얼마 지나지 않아 나그네는 외투를 벗는다. 따뜻한 해가 거센 바람을 가볍게 이겼다.

우리가 흔히 알고 있는 이솝 우화다. 우화로만 존재한다고 생각하는 사람도 있겠지만 현실에서 상담을 할 때도 비슷한 경험을 한다. 계약이라는 목적 때문에 말을 많이 할수록 상대방은 마음을 더 단단히 닫는다. 말이 많을수록 실수할 확률도 높고, 지나친 달변은 의심을 받기도 한다. 사기꾼일수록 말은 청산유수이지 않은가. 웅변은 멋있어 보이지만 설득하는 힘은 말에서 나오지 않는다. 묵묵히 들어 주는 모습에 상대방은 마음을 더 쉽게 연다. 경청은 웅변보다 힘이 세다.

행동 경제학에 따르면 사람은 이성적으로 판단하지 않는다. 전통적 경제학에서는 합리적인 인간을 가정하지만 실상은 그렇지 않다. 사람은 감정으로 판단할 때가 더 많다. 어떤 일이 끌리면 그냥 한다. 논리적으로 따지지 않고 기분과 느낌으로 결정한다. 다른 사람에게 이 결정을 설명하기 위해서는 이성적인 논리를 동원한다. 왜 그런 판단을 했냐고 물었을 때 '그냥'이라고 하면 궁색해 보이기 때문이다. 어떤 사항에 대한 결정은 감정이 지배하는 경우가 훨씬 많다.

상담을 오랫동안 해 오면서 이런 사례를 종종 겪었다. 계약 상담을 하러 갔을 때도 우선은 내 말보다 고객의 말부터 들어야 한다.

영업 격언 중에 '123 화법'이라는 말이 있다. 판매 상담을 할 때는 1분 말했다면 2분은 고객의 말을 듣고 3번 이상 맞장구를 쳐 줘야 거래가 이뤄진다는 뜻이다. 전적으로 동의한다. 여기에 나는 '2시간 법칙'을 추가하고 싶다. 계약 상담을 하러가서 2시간 이상 상대방 얘기를 진심으로 들어 줄 수 있다면 계약은 성사된다.

많은 말이 계약을 이끌지 않는다. 논리적인 설득이 결과를 만들지 않는다. 급하게 당신 말부터 하려고 하지 마라. 열린 귀와 따뜻한 눈빛, 공감 어린 표정이 원하는 성과를 가져다준다.

'구시화문(口是禍門)'이라는 말이 있다. 입을 통해 화가 들어온다는 뜻이다. 입은 재앙으로 가는 문이다. 반대로 귀는 지혜를 여는 문이다. 귀를 통해 행운이 생기고 기회가 온다. 귀를 열어 둘수록 좋은 일이 당신을 찾아온다.

문득 격언이 하나 떠오른다. 상대에게 원하는 것이 있을수록 더 들어야 함을 강조한다.

"최고의 충고는 경청이고, 최고의 답변은 미소이다."

05

"왜 그렇게 전화를 안 받아요?"

가끔 주변 사람들한테 핀잔을 듣는다. "왜 그렇게 전화를 안 받으세요?" 불만을 토로하는 사람들이 있다. 일반적으로 영업을 하는 사람들은 걸려 오는 전화를 빨리 받는 태도를 미덕으로 생각한다. 벨소리가 3번 울리기 전에 전화받는 행동을 자랑으로 여기는 사람도 있다. 그런데 나는 걸려 오는 전화를 종종 안 받는다. 아니 사실은 전화를 못 받는 상황인 경우가 많다. '누군가와 함께 있을 때는 전화받지 않기'가 원칙이기 때문이다.

오래전에 자동차를 새로 구입하려고 전시장을 간 적이 있다. 연일 오르는 기름값이 부담되던 때였다. 계속 유가가 상승한다면 연비가 좋은 차로 당장 바꾸는 편이 나아 보였다. 먼저 인터넷 검색을 통해 여러 종류를 비교했다. 마음속으로 대략 결정을 하고 차를 보러 가족과 동행했다. 내가 탈 차지만 최종 결정은 같이 해야 실수를 방지할 수 있어 함께 매장을 방문했다. 그러니까 그날 나는 자동차 계약을 하겠다는 생각이었다.

따로 아는 사람이 없어 현장에 있는 세일즈맨과 상담을 했다. 깔끔한 인상에 설명을 잘해 줘서 호감이 갔다. 우호적인 분위기로 대화를 하다 불쑥 걸려 온 전화를 받으면서 대화가 끊겼다.

"실례합니다. 잠시 전화 좀 받겠습니다."

"네. 그러세요."

양해를 구해서 그러라고 했다. 반가운 상황은 아니지만 달리 뭐라 하겠는가. 통화를 하고 나서 다시 대화를 이어 가는데, 10분 후에 또 전화벨이 울렸다. 예의상 말했다.

"편하게 전화받으세요."

"죄송합니다만 전화 좀 받겠습니다."

"네. 괜찮아요. 천천히 통화하세요."

전화를 받기 위해 세일즈맨이 자리를 뜨니 아내가 낮은 목소리로 말을 걸어왔다. 살짝 실망한 내 마음을 읽었나 보다.

"오늘 사지 말라는 뜻인가 봐요. 저분도 판매하고 싶은 마음이 별로 없어 보이는데요. 오늘은 천천히 구경만 하고 가요. 급하게 결정할 필요 없잖아요."

매장을 들어설 때 나는 분명 차를 사고자 하는 의지가 있었는데, 어느새 구매 욕구가 사라졌다. 눈앞에 있는 나보다 걸려 오는 전화가 더 중요한 세일즈맨에게 굳이 차를 사고 싶지 않았다.

'일기일회(一期一會)'라는 말이 있다. 평생에 단 한 번의 만남이라는 뜻으로, 다도 문화에서 나온 말이다. 차를 내는 주인과 손님이 그 순간을 일생 단 한 번뿐인 다회라 생각하고 정성을 다하라는 의미다. 지금 이 순간 내 앞에 있는 사람에게 최선을 다하려는 자세는 영업인에게 가장 필요한 태도가 아닐까? 얼굴을 직접 보고 대화를 하는 우리에게 가장 중요한 것은 내 눈앞에 앉은 사람이어야 한다. '일기일회'의 마음가짐으로 지금 여기, 내 앞에 있는 사람에게 집중해야 한다.

고객과 대화를 시작하면 나는 전화를 받지 않는다. 꼭 고객이 아니라 친구와 함께 있어도 받지 않는 경우가 많다. 내 앞에 앉아 있는 사람에게만 집중하기 위해서다. 대화 중에 걸려 오는 전화는 흐름을 끊어 놓는다. 걸려온 전화를 잠시라도 응대하고 나면 앞사람과 대화는 어색해지기 쉽다. 특히 비즈니스 대화를 하고 있다면 휴대폰은 치워야 한다.

상담을 할 때는 휴대폰을 '무음'으로 해 두는 게 좋다. 진동으로 설정해도 소리가 난다. 대화 중에 휴대폰이 '징... 징...'하고 흔들리면 앞에 앉아 있는 사람도 신경이 쓰이게 마련이다. 진동 소리가 울리면 대부분의 사람들은 전화를 받으라고 권한다. 전화를 안 받고 있으면 더 불편해한다. 이래저래 대화에 집중력이 떨어진다.

스마트폰이 널리 보급되면서부터는 전화뿐만 아니라 각종 SNS 알림 서비스도 대화를 방해한다. 시도 때도 없이 새 정보를 알려 주느라 바쁘게 울려 댄다. 어떤 알림에 반응을 하다 보면 다른 메시지가 또 온다. 일일이 확인하는 일이 벅찰 때도 있다.

상담할 때는 스마트폰을 잠시 잊는 편이 낫다. 대화할 때는 테이블 위에 휴대폰을 올려놓지 마라. 걸려 오는 전화를 지금 받지 않는다고 해서 큰일이 생기는 건 아니다. SNS 알림을 당장 확인하지 않는다고 무슨 일이 일어나겠는가? 아무 일도 없다. 내 존재를 스마트폰으로 증명할 필요는 없다. 그러니 휴대폰은 가방이나 옷 안에 보관하되, 소리는 가급적 무음으로 해 두어라. 그렇게 하고서 온 신경을 지금 바로 앞에 있는 고객에게 쏟아라.

상담을 진행하는 동안에는 온전히 고객에게 집중해야 한다. 상대방이 어떤 생각을 하고 있는지, 어떤 니즈가 있는지, 미래에 대해 무엇을 고민하고 있는지 등을 세심하게 살펴야 한다. 지나가는 가벼운 말 중에도 가족들에 대한 얘기, 사업에 대한 미래 계획이 들어 있을 수 있다. 따라서 대화에 충분한 주의를 기울여야 한다. 고객의 말을 집중해서 잘 들을 때 그 사람의 생각을 충분히 이해할 수 있다. 그리고 그 사람을 이해할 때 재무 상담도 만족스러운 결과를 얻을 수 있다.

또 하나, 상대방을 주시해야 표정도 보인다. 표정도 의사 표현이다. 실어증 환자는 거짓말을 알아차리는 능력이 일반인보다 뛰어나다고 한다. 언어를 사용하지 않으니 상대방의 표정을 더 자세히 관찰하기 때문이다.

비언어적 커뮤니케이션 분야에서 세계적 전문가로 인정받는 폴 에크먼(Paul Ekman)은 "얼굴 표정은 세계 공통어다."라는 말을 했다. 겉으로 드러나는 말은 속마음과 다를 수 있지만 표정을 조절하기란 쉽지 않다는 뜻이다. 대화를 하는 동안에는 상대방의 얼굴을 주시해야 한다.

고객 얘기를 잘 들어 주는 자세는 그 자체로 상대방을 기분 좋게 한다. 고객의 말에 귀를 기울이면 고객은 존중받는다는 느낌을 받는다. 입장을 바꿔서 생각해 보라. 당신이 말하는 동안 상대방이 휴대폰을 보고 있거나 다른 곳을 자꾸 쳐다보면 기분이 어떨까? 무시당하는 기분이 들지 않겠는가? 그러니 유쾌하게 대화를 나누기 위해서는 상대방 말에 집중해야 한다.

300년 동안 만석꾼 집안을 유지해 온 '경주 최 부잣집'이 있다. 부를 유지하기 위한 가훈과 함께 수신(修身)을 위한 지침도 있는데, 이를 '육연(六然)'이라고 한다. 여섯 가지 교훈 중에 '대인애연(對人靄然)'이란 가르침이 있다. 사람을 대하는 마음가짐에 대한 조언이다.

> "사람을 만날 때는 평화로운 마음으로 만나라. 인간관계의 기본은 남을 배려하는 따뜻한 마음을 가지는 것이다. 사람과 사람의 만남에서는 자신의 입장에서 상대를 보고 자신에게 이익이 되거나 유리한 입장에서 판단하기 때문에 상대방을 배려하지 않거나 상대방의 마음을 거스르기 쉽다. 누구나 싫어하거나 적대하는 마음을 가지고 사람을 대하면 따뜻한 마음이 나올 수 없다. '웃는 얼굴에 침 뱉으랴'는 속담처럼 따뜻하고 평화로운 마음을 가지고 대하면

모든 일이 잘 풀리는 것이다."

(전진문, 《경주 최 부잣집 300년 부의 비밀》, 민음인, 2010, 127쪽)

사람을 만날 때 '평화로운 마음으로 만나라'는 말이 가슴에 와닿는다. 마음이 평안할 때 상대방의 말이 내 귀에 들린다. 지금 내 앞에 앉은 사람에게 집중하기 위해서는 내 마음부터 여유가 있어야 한다. 짧은 시간에는 그런 척할 수 있지만, 오랜 시간 상대방의 말에 귀를 기울이려면 먼저 내 심리가 편안해야 한다.

상담을 할 때는 오롯이 고객에게 집중하자. 휴대폰은 잠시 잊고 편안한 마음으로 사람을 만나자. 인생에서 가장 중요한 순간은 바로 지금이다. 지금 이 순간 내 앞에 있는 사람이 제일 소중하다.

06

질문하고 말하지 말라

학교나 다른 교육기관에 '듣기'과목이 있다는 이야기를 들어 본 적이 없다. 독서 교실, 글쓰기 학교, 스피치 강좌와 같은 수업은 넘쳐 나는데, 잘 듣는 방법과 관련한 강의는 흔하지 않다. 외국어 영역에서나 듣기 평가가 있을 뿐, 한국어로는 잘 들었는지에 대한 평가가 없다. 현실에서는 듣기 능력이 중요한데 교육에서는 이를 반영하지 못하고 있는 실정이다.

의사 전달이 잘못되어 일의 진행이 틀어지는 경우는 빈번하다. 분쟁으로 커지는 경우도 허다하니 잘 듣고 이해하기는 우리 삶에서 분명 중요하다. 그런데 교육 과정에서는 유독 '듣기'를 홀대한다. 의사소통 네 가지 영역인 읽기, 쓰기, 듣기, 말하기 중에서 듣기만 별도로 가르치지 않는다. 배우지 않아도 들을 수 있다고 생각하니 그런가 보다. 안타까운 현실이다.

"말하는 것은 지식의 영역이고, 듣는 것은 지혜의 특권이다." 미국 법의학자 올리버 홈즈(Oliver Wendell Holmes)가 남긴 말이다. 홈즈의 말이 무색하게 한국 사회에서는 말하는 것이 특권이다. 지위가 올라갈수록 발언권을 독점한다. "나이 들수록 지갑은 열고 입은 닫아라."는 우스갯소리가 있지만 현실은 그렇지 않다.

비즈니스 대화의 목적은 잘 말하기가 아니다. 적절하게 묻고 열심히 듣기다. 상대방이 무엇을 원하는지 파악하는 일이 의사소통의 목표라고 할 수 있다. 자기 생각을 표현하기 이전에 상대방의 뜻을 이해하는 일이 먼저다. 따라서 질문을 잘해야 한다. 어떻게 묻느냐에 따라 대답은 다를 수 있기 때문이다.

고대 그리스의 철학자 소크라테스는 '문답법'으로 유명하다. 그는 사람들에게 지식을 직접 가르치기보다는 묻고 답하기를 통해 스스로 깨닫게 만들었다. 대화 속에서 반어법을 통해 느끼게 하였고 산파술로 진리에 도달하게 만들었다. 2,200년 전 소크라테스는 이미 질문이 가진 힘을 알았던 것일까. 그는 설명하기보다 질문하기를 즐겼다.

미국 메트라이프 생명에서 살아 있는 전설로 인정받는 사람이 있다. 메이디 파카자데이. 이름에서 짐작할 수 있듯 그는 미국인이 아니다. 이란 출신으로 미국에서 유학 생활을 하던 중 우연히 보험 세일즈를 시작했다. 처음에는 영어로 상담하기조차 힘들었던 메이디는 1955년부터 50년 넘는 세월 동안 탁월한 업적을 이뤘다. 그는 세일즈맨이 갖추어야 할 이상적인 모습을 다음과 같이 묘사한다.

> "대부분의 사람들은 슈퍼 세일즈맨들이 영화의 톰 크루즈나 산드라 블록처럼 매력적이고 대단한 사람들이라고 생각하곤 한다. 하지만 세일즈맨의 이상형은 구겨진 코트에 멍해 보이고 서툴기만 한, TV드라마의 형사 '콜롬보'에 가깝다. 범인들은 그가 서투르고 멍청하다고까지 생각하다가 결국에는 꼼짝 못하고 감옥에 가게 된다.
> 콜롬보는 절대 추측을 하지 않는다. 그는 다른 사람들의 마음을 읽으려고 시도하지도 않는다. 필요한 게 있으면 질문하고, 질문하고 또 조금 더 질문함으로써 그것을 얻는다. 바로 그것이 판매에 관한 모든 것이다. 질문하고 말하지 말라. 경청하고 말하지 말라."
> (메이디 파카자데이, 김양수 옮김, 《메이디의 50년 세일즈 인생 이야기》, 마젤란, 2006, 159쪽)

마지막 두 문장이 압권이다. “질문하고 말하지 말라. 경청하고 말하지 말라.” 이것이 비즈니스 대화법이다. 질문하고 듣고 공감하기. 이것이 핵심이다. 많은 내용을 말하려고 애쓰지 마라. 짧게 말하고 길게 들어라. 적절히 질문하고 진심으로 듣기가 최선이다. 질문이 가진 장점에 대해서 프랭크 베트거(Frank Bettger)가 자신의 저서 《실패에서 성공으로》에서 정리한 내용이 있다.

질문을 통해 얻을 수 있는 6가지

1. 논쟁을 피할 수 있다.
2. 너무 많이 말하는 것을 피할 수 있다.
3. 상대방으로 하여금 그가 원하는 것을 인식하도록 할 수 있다. 그 다음에 그것을 어떻게 얻을 것인지 결정하도록 도울 수 있다.
4. 상대방으로 하여금 자신의 생각을 구체화하도록 도울 수 있다. 그것은 그의 아이디어가 되는 것이다.
5. 판매를 종결지을 수 있는 가장 취약한 부분, 즉 핵심 문제를 찾아낼 수 있다.
6. 상대방으로 하여금 자신이 중요한 인물이라는 느낌을 줄 수 있다. 그의 의견을 존중해 주면 그는 당신의 의견을 더욱 존중하게 된다.

특히, 두 번째와 여섯 번째 장점을 강조하고 싶다. 질문을 하고 나면 들어야 하니 내 말을 줄일 수 있다. 대화에서 중요한 것은 좋은 청취자 되기다. 상대방과 친해지기 위해서는 혀를 내밀지 말고 귀를 열어야 한다. 사람은 누구나 자기 관심사에 대해서 얘기하고 싶기 때문이다. 얘기를 재미있게 하는 일은 차선이고 이야기를 끝까지 들어 주는 일이 최선이다. 대화는 말하기가 아니라 듣기다.

미국 생명보험협회 조사에 따르면 세일즈맨들이 거래에 실패하는 가장 큰 이유는 '말을 못해서'가 아니다. 말을 너무 '많이 해서'이다. 영업인들이 말을 많이 하는 이유는 거절에 대해 두려운 마음이 크기 때문이다. 그러나 분명히 알아야 한다. 말을 많이 한다고 해서 상대방 마음이 변하지 않는다는 사실을. 말이 많으면 실패할 확률이 높아질 뿐이다.

《잘 파는 세일즈맨의 비밀언어》에서 댄 사이드먼 역시 이 점을 강조했다.

"고객을 떠나게 하는 것은 자기 말에 집중하는 것이고, 물건을 구매하게 하는 것은 경청하는 일이다."

훌륭한 대화는 잘 말하는 것이 아니라 잘 들어 주는 것이다. 사람들에게 필요한 존재는 가르치려는 교사가 아니라 자기 말을 들어 주는 친구이기 때문이다. 듣기를 통해 도달하는 최고의 경지는 '상대방 입장이 되어 주기'다. 있는 그대로를 받아들이고 이해할 때 사람은 진정으로 통했다는 느낌을 받는다. 사람은 누구나 타인으로부터 인정받고 싶어 한다. 그렇기에 상대방을 온전히 인정하는 일은 그 자체로 선행이 된다.

모든 관계를 만드는 핵심은 '경청'이다. 관계를 쌓고 싶다면 우선 상대방 말부터 들어야 한다. 건성으로 듣지 말고 진정으로 들어야 한다. 상대방 말을 잘 들을 때 관계는 발전한다. '듣고 공감하고 인정하기'를 통해 관계는 더 견고해진다. 경청을 연습하고 훈련하자. 잘 듣는 태도가 몸에 익을수록 더 많은 친구를 얻게 된다.

사람의 마음을 얻는 최고의 기술은 바로 '경청'이다.

성공하는 세일즈맨의 언어 습관

"옳은 말은 강하다. 그런 말의 효과는 정신뿐 아니라 육체에까지 미친다."

마트 트웨인이 남긴 말이다. 말이 가진 영향력을 강조하는 것인데, 우리 속담에도 비슷한 말이 있다. "말 한마디에 천 냥 빚도 갚는다." 한마디 말이 어려웠던 일을 해결할 때가 있다.

사실 마음을 움직이는 말은 단순하다. 복잡하거나 현학적이지 않다. '미안합니다, 고맙습니다, 이해합니다, 좋아합니다, 믿습니다, 사랑합니다' 등과 같은 평범한 말이다. 다시 한번 읽어 보라. 지극히 쉬운 말뿐이다. 아이가 자라면서 우선적으로 배우는 말이다. 이처럼 사람을 감동시키는 말에는 어려운 단어가 없다. 이 말들은 듣는 사람의 마음을 따뜻하게 해 준다. 배려하고 존중하는 태도를 표현하고 있다.

말을 통해 사람을 판단할 수 있다. 어떤 단어를 주로 사용하는지에 따라 기본 성향이 드러난다. 당연한 얘기지만 부정적인 사람은 어두운 단어를, 긍정적인 사람은 밝은 단어를 많이 사용한다. 누군가와 대화할 때 사소한 어휘 하나도 허투루 할 수 없는 이유다. 짧은 한마디에 사람들이 나를 평가할 수도 있기 때문이다.

어떤 단어를 쓸지 매 순간마다 고민하기는 어렵다. 평상시에는 입에 붙은 말이 나오게 마련이다. 언어는 습관이라 여간해선 바뀌지도 않는다. 남들 앞에서 발표하는 자리나 특별한 회의 공간이 아니면 무의식적으로 말한다. 습관을 잘 들여야 하는 이유다.

상담이 직업인 사람에게 말은 조심스럽다. 잘 쓰면 소중한 무기가 되지만, 말실수를 하면 치명적인 독이 되기도 한다. 사소한 한마디 말이 듣는 이에게 상처를 줄 수도 있기 때문이다. 입 밖으로 내뱉는 말을 잘 다뤄야 하는 이유다.

성공한 세일즈맨은 좋은 언어를 사용하는 능력이 있다. 상대방이 싫어하는 말은 피할 줄 알고, 기분 좋게 하는 말은 적절히 사용한다. 좋은 언어 습관을 가졌다고 할까. 말부터 차별화돼 있다. 타고난 감각이 있거나 연습을 통해 숙달된 사람들이다.

좋은 언어 감각이 없다고 실망할 필요는 없다. 연습하고 반복하면 습관이 된다. 습관은 두 번째 본능이라고 하지 않는가. 성공하는 세일즈맨이 되기 위해서는 언어부터 신경을 써야 한다. 상담 중에 절대 피해야 할 말을 다섯 가지로 정리했다. 이론으로 배우고 경험으로 깨달았던 내용들이다.

첫째. "이해하셨습니까?"라는 말은 피해야 할 언어 습관이다.

50년 이상 보험 세일즈를 한 메이디가 지적한 내용이다. 재무설계사가 상담을 마무리하며 흔히 하는 말이다. 어떤 내용을 설명하고 상대방이 이해했는지 확인할 때 "이해하셨습니까?"라는 표현을 곧잘 쓴다. 이상해 보이지 않는데 어떤 문제가 있는지 의아한가?

천천히 이 말을 뜯어보자. “이해하셨습니까?”라는 말은 ‘이해’를 상대방에게 바라는 뉘앙스가 있다. 나는 설명을 잘했는데, 당신이 바로 이해했는지를 묻는 것이다. 이해의 노력을 상대에게 요구하고 있다. “제 말이 무슨 뜻인지 아시겠습니까?”라는 표현은 소통의 책임을 상대방에게 지우는 느낌이다.

여기서 잠깐 생각을 해 보자. 이해는 듣는 사람의 몫인가? 만약 어떤 교사가 이해의 책임을 학생한테만 돌린다면 무책임한 교사가 아닐까? 학생들이 잘 이해하도록 도울 의무는 가르치는 사람에게도 있다. 마찬가지로 상담에서 이해는 재무설계사의 몫이 아닐까?

고객이 이해하지 못했다면 어쩌면 그것은 고객의 잘못이 아니다. 당신의 책임이다. 그러니 “이해하셨습니까?” 또는 “제 말이 무슨 얘기인지 아시겠어요?”는 피해야 할 말이다. 대신 “제가 설명을 잘했나요?” 또는 “제가 추가로 말씀드릴 부분이 있나요?”라는 표현을 쓰자. 설명할 의무가 당신에게 있다면 이해시킬 책임도 당신에게 있다.

둘째. ‘하지만’은 논쟁의 씨앗이 된다.

접속어 ‘하지만’은 앞에서 얘기했던 내용을 반박할 때 사용하는 말이다. 상대방의 말을 받아서 얘기할 때‘하지만’으로 시작하면 앞 사람의 말을 부정하는 느낌을 준다. 뒤에 이어지는 내용이 무엇인지와 상관없이 ‘하지만’은 상대방의 반감을 불러일으킨다. 무슨 말인지 듣고 싶은 마음이 사라진다.

‘하지만’은 고요한 호수에 돌을 던지는 행위다. 평화로운 대화의 흐름에 찬물을 끼얹는다.

타인의 마음을 얻으려면 ‘하지만’이란 말을 피해야 한다. ‘하지만’은 대화에서 금기어로 생각하자. 대신 '그리고'를 쓰자. 《적을 만들지 않는 대화법》에서 샘 혼(Sam Horn) 역시 대화를 논쟁으로 빠지지 않게 하려면 '그리고'를 쓰라고 조언한다.

상대방이 말했던 내용과 설령 다른 말을 할 때라도 '그리고'로 연결하자. 상반되는 상황에서 '그리고'는 협상의 여지를 주고, 서로 다른 생각을 공존시킨다. 말이 되든 말든 일단은 '그리고'를 써 보자. 서로 다른 두 생각이 연결될 수도 있다.

"최고의 지적 능력은 동시에 반대되는 두 가지 생각을 할 수 있는지의 여부로 판단된다." 소설가 스콧 피츠제럴드가 한 말이다. 상대방의 말이 내 말과 다르더라도 '그리고'를 붙여 보자. 논쟁이 사라지고 더 원활한 대화가 이뤄진다. 당신에 대한 이미지가 더 좋아짐은 당연한 일이다.

셋째. '~것 같아요'는 모호한 말이다.

우리가 현실에서 자주 사용하는 표현이다. 관계에 따라서 사용하는 언어 습관이라고 할까. 특히 갑을 관계에서 많이 쓴다. 예를 들어 직장 상사와 점심 식사를 하러 가서 메뉴를 고를 때 종종 오가는 대화는 이런 식이다. "제가 원래는 매운 음식을 좋아하지 않는데, 이 집 낙지볶음은 괜찮은 것 같아요."라는 말을 한다. "괜찮다"고 말하면 되는데, "괜찮은 것 같아요."라는 어중간한 표현을 한다. 한국인들의 언어 습관이다.

인간관계에 있어서 '~것 같아요'라는 표현이 유용할 때도 있다. 상대방의 의사를 적당히 따라가는 말이기 때문이다. 적극적으로 찬성하지는 않지만 굳이 반대하지도 않는다는 중간적인 입장 표명을 나타낸다.

한국 사회에서는 타인의 의견을 강하게 비판하지 않는 경향이 있다. 또 음식 선택, 기호 등에서 취향을 굳이 드러내지 않는다. 나보다 연장자이거나 사회적 지위가 높으면 내 기호를 무시한 채 상대방 선택을 따라간다. 사소한 부분에서 일어나는 마찰을 불편하게 느끼기 때문이다. 성향을 숨기고 양보하는 일을 미덕으로 여긴다.

그러나 상담을 통해 의견을 피력할 때는 적절한 말이 아니다. '~것 같아요'라는 표현은 자신감 없는 말로 들리기 때문이다. 구체적인 상품 설명을 할 때는 쓰지 말아야 한다. 마찬가지로 '단지'나 '~만'과 같은 말도 확신 없는 표현이다. '~일지 몰라요'라는 표현도 자신 없는 느낌이다. 역시 피할 말이다.

재무 상담을 하고 상품에 대한 프레젠테이션을 할 때는 확신에 찬 어조로 임해야 한다. 예를 들어 "이 플랜은 고객님에게 맞는 것 같아요."라는 화법은 힘이 없다. "이 상품이 고객님에게 꼭 필요할지 몰라요." 역시 약한 어조다. 대신 "이 플랜은 고객님에게 꼭 필요합니다."라고 할 때 고객의 마음도 움직인다.

감정과 태도는 전염된다. 세일즈는 논리가 아니고 '감정 전이'다. 내가 자신 있게 말해야 고객도 확신을 얻는다. 상담할 때는 위축되지 말고 당당하게 말해야 한다. 겸손은 인간관계에서 필요한 태도일 뿐 상담에서 요구되는 덕목은 아니다. 자기 확신에 찬 목소리에 고객들은 반응하는 법이다. '~것 같아요'는 식당에서 메뉴를 고를 때나 사용하는 말이다.

넷째, '문제'라는 말도 피해야 할 단어다.

문제라는 말은 여러 뜻으로 사용한다. 단순히 물음을 뜻하기도 하고, 어려운 상황이나 일을 표현할 때도 쓴다. 단어 자체에 부정적인 뉘앙스가 있다. '문제점, 경제 문제, 환경 문제' 등과 같이 해결해야 할 곤란한 상황에서 주로 사용하기 때문이다. "고객님 재정 현황에 대한 문제점을 얘기하면…….”이라고 시작하는 문장은 이미 부정적인 느낌이다. 대신 ‘개선점’, ‘해결책’이란 말을 쓰면 된다.

상담할 때는 ‘문제’라는 단어를 쓰지 말자. 학창 시절을 떠올려 봐도 ‘시험 문제’가 우리에게 늘 골칫거리였다(‘문제’라는 단어가 우리에게 부정적인 느낌부터 주는 것은 학창 시절 영향이지 않을까).

긍정적인 단어는 좋은 결과를 낳고, 부정적인 말은 나쁜 결과를 만든다. 무심코 사용하는 ‘문제’라는 단어가 종종 우리 삶에 물의를 일으킨다. ‘문제’라는 단어를 습관적으로 쓰고 있다면 의식적으로 줄여야 한다. 예를 들어 고객에게 “뭐 다른 문제는 없나요?”라고 묻는 대신 “제가 따로 도울 일이 있나요?”라고 말하자. 더 부드럽게 들리지 않는가.

다섯째. "어쩔 수 없다."는 말은 대화를 막다른 골목에 이르게 한다.

대화를 하다 “어쩔 수 없어요.”라고 말하면 더 이상 타협의 여지가 없음을 선언하는 말로 들린다. 듣는 이로서는 대화를 거부하는 느낌이다. 설령 상황이 최악이라도 ‘어쩔 수 없다’, ‘방법이 없다’는 표현은 고민해 봐야 한다.

“인간 의사소통의 궁극적 목적은 타협이다.” 정신과 의사였던 모건 스콧 펙(Morgan Scott Peck)이 남긴 말이다. 대화란 결국 서로 생각을 교환해서 상호 타협하는 과정이다. 특히 사회생활에서 대화는 타협과 협상이다. 서로 열린 마음으로 주장하고 양보하기를 반복한다. 타협이 비즈니스 대화법인 셈이다. ‘어쩔 수 없다’처럼 단정적인 표현은 삼갈 말이다. 여지를 둔 표현, 상대방의 마음을 헤아리는 언어가 바람직하다.

마지막으로 세일즈에 관한 성공 키워드를 정리한 내용이 있다. 메모해 두었다가 상담에 앞서 한 번씩 읽어보자. 도움이 된다.

고객이름(name)	건강(health)	이해(understand)	신뢰(trust)
진실(truth)	쉽다(easy)	옳다(right)	발견(discovery)
보장(guarantee)	증명하다(prove)	돈(money)	이윤(profit)
안전(safety)	결과(results)	비용절감(save)	새롭다(new)
편안함(comfort)	중대한(vital)	받을 자격이 있다 (deserve)	사랑(love)
가치(value)	재미(fun)	행복(happy)	자랑스러운(proud)

지그 지글러(Zig Ziglar)가 쓴 《클로징》에 나오는 내용이다. 세일즈를 성공시키는 24개 키워드로 정리되어 있는데, 참고로 예일 대학이 5개 단어를 추가했다고 한다. 추가된 단어는 '당신(you), 보안(security), 이점(advantage), 긍정(positive), 혜택(benefit)이다.

지금까지 살펴본, 성공하는 세일즈맨이 쓰는 언어는 두 가지로 분류할 수 있다. 하나는 긍정적인 말이고, 또 하나는 존중을 표현하는 말이다. 적합한 언어가 긍정을 불러일으키고, 따뜻한 언어는 닫힌 마음을 열어 준다.

미국의 심리학자 앨버트 메라비언(Albert mehrabian)이 강조했듯, 고객은 표현하는 내용이 아니라 말하는 태도로 우리를 평가한다. 설명한 내용이 얼마나 타당한지 여부보다 언어 사용과 표현에 따라 사안을 판단한다. 상담 내용도 무시할 수 없지만 포장하는 언어 역시 소중하다. 아니 더 중요할 수 있다.

좋은 언어 습관이 톱 세일즈맨을 만든다.

2장
현장에서 묻고 답하기

01. 한국 사회에서 경청이 왜 중요한지를 설명했는데요.
경청을 잘하기 위해서 구체적으로
무엇을 연습해야 합니까?

02. 사회적 지위가 높은 직업, 예를 들어 의사와
사업가 등을 만나면 주눅이 들기도 합니다.
이분들과 상담할 때 특별히 준비하는 내용이 있습니까?

03. 여러 번 만나 상담했지만 계약이
쉽게 나오지 않는 고객도 있습니다.
이런 경우 어떻게 사후 관리를 합니까?

04. 상담에서 경청하는 태도를 강조했는데요.
그 밖에 재무설계사에게 필요한 자세 또는
마음가짐에는 뭐가 있을까요?

세 개의 귀를 가지고 고객의 말을 들으세요.
첫 번째 귀는 가망고객이 말하는 바를 듣는 귀입니다.
두 번째 귀는 그들이 말하지 않는 바를 듣는 귀입니다.
그리고 세 번째 귀는 그들이 말하고자 하지만
어떻게 말해야 할 지 모르는 것들을 듣는 귀입니다.
- 잭 킨더 & 게리 킨더

한국 사회에서 경청이 왜 중요한지를 설명했는데요. 경청을 잘하기 위해서 구체적으로 무엇을 연습해야 합니까?

경청을 잘하기 위한 방법으로 10가지 정도를 제안하고자 합니다.

첫째. '인식 전환'입니다.

구체적인 기술보다 마인드를 먼저 강조하고 싶습니다. 대화의 목적이 말하기가 아닌 듣기에 있다고 생각해야 합니다. '대화는 듣기'라고 정의해 보세요. 더 많이 들으려고 노력하게 됩니다.

사람은 누구나 자신을 표현하고 싶은 욕망이 있죠. 자기 생각과 감정을 말로 풀어내고 싶어 합니다. 《동물 농장》, 《1984》등으로 유명한 조지 오웰(George Orwell)이란 소설가 아시죠. 오웰은 《나는 왜 쓰는가》에서 글을 쓰는 목적을 네 가지로 정리합니다.

순전한 이기심, 미학적 열정, 역사적 충동, 정치적 목적이 글을 쓰는 네 가지 이유인데요. 여기서 순전한 이기심이란 자신을 표현하고 싶은 욕망을 의미합니다. 오웰이 했던 지적처럼 사람은 누구나 자신을 뽐내고 싶고 자랑하고 싶은 본능이 있습니다. 그러니까 작가는 글을 쓰고 일반인은 말을 하겠죠. 글이든 말이든 자신을 표현하고자 하는 마음은 사람에게 있는 기본 욕구입니다. 이 얘기를 뒤집어 보면, 타인의 얘기를 들어 주는 일은 그 사람의 욕망을 충족시켜 주는 행위입니다. 듣는 행동이 상대방에게 호의를 베푸는 일인 셈이죠. 듣기 자체가 친절한 행동입니다.

상대방의 마음을 얻고 싶다면 먼저 들으세요. 들을수록 나에 대한 호감은 증가합니다. 상대방이 자랑하고 싶은 주제를 물어보세요. 신나게 대화하고 나면 당신을 더 좋아하게 됩니다. 화려하게 말을 잘하는 사람이 처음에는 돋보이지만 시간이 지날수록 환영받는 사람은 묵묵히 잘 들어 주는 사람입니다. 대화에 대한 인식을 바꿈으로써 훌륭한 말벗이 됩니다. 화자가 아닌 청자가 되세요. 경청을 잘하려면 우선은 들으려는 자세부터 필요합니다.

둘째, 대화는 '상대방 관심사'를 묻는 데서 출발해야 합니다.

사람은 누구나 다 자기 중심적입니다. 세상은 자기를 중심으로 돌아가죠. 그렇게 생각하는 것이 당연합니다. 모든 사람은 각자가 주인공이니까요.

타인에 대해 관심을 가질 때 관계가 시작됩니다. 상대방의 근황을 물어보는 말로 대화는 출발해야 합니다. 이렇게 얘기하면 너무 뻔한 말로 들리겠지만, 실천하기는 쉽지 않습니다. 사람은 누구나 자기 관심사를 먼저 화제로 떠올리니까요. 최근에 경험했던 특이한 사건, 즐거운 경험 등이 자연스레 입에서 나옵니다. 스스로에게 물어보세요. 지난 주말에 봤던 영화나 스포츠 얘기를 꺼내고 싶지 않나요? 어제 있었던 둘째 아들 일화를 말하고 싶지 않으세요?

말하기 전에 다시 한번 생각해 봐야 합니다. 지금 얘기하려는 화제가 상대가 관심이 있을지를. 상대방은 내 얘기에 아무 흥미가 없을지도 모릅니다.

"안 물어봤는데……."하며 핀잔주는 말은 딱 이런 상황에 맞는 표현입니다. 관심 없으니 그만 얘기하라는 뜻이죠. 어디서나 환영받는 대화의 파트

너가 되려면 상대방의 관심사에 집중해야 합니다. 내 관심사는 접어 두고요.

로마의 시인 푸블리우스 시루스(Pubilius Syrus)는 이런 말을 남겼습니다.

"우리는 우리에게 관심을 갖는 사람에게만 관심을 갖는다."

어떠세요? 공감이 가지 않나요? 사람은 누구나 자기에게 관심을 보이는 사람에게 호감을 느낍니다. 관심이 관계를 시작하게 만들죠. 저명한 데일 카네기(Dale Carnegie)도 '상대방의 관심사'를 강조합니다.

> "당신이 대화를 나누고 있는 사람은 당신이나 당신의 문제보다 자신과 자신의 희망, 자신의 문제에 수백 배나 더 관심이 있다. 기근으로 인해 중국에서 수백만 명이 죽는다는 사실보다 자신의 이 하나가 아프다는 사실을 그는 더 중요하게 여기고, 아프리카에서 지진이 수십 번 일어난다 해도 자기 목에 생긴 종기만큼의 신경도 쓰지 않는다. 그러니 앞으로 대화를 할 때는 이 점을 명심하자. 사람들이 당신을 좋아하게 만들고 싶다면, 잘 듣는 사람이 돼라. 상대방이 스스로에 대해 말하도록 이끌라."
>
> (데일 카네기, 베스트트랜스 옮김, 《인간관계론》, 더클래식, 2015, 123쪽)

'수백만 명을 희생시킨 중국의 기근보다 자신의 치통을 더 중요하게 여긴다.'라는 표현이 눈에 띕니다. 불편하지만 사실로 들리네요. 사람은 자기 관심사가 우선입니다.

경청하기 위해서는 상대방 입장에서 질문하세요. 내 관심 분야가 아닙니다. 내가 묻고 싶은 주제를 묻지 마세요. 상대방 관심사에 나도 흥미를 가져야 합니다. 상대방이 즐겁게 말할 수 있는 화제가 우선입니다. 잘 듣기 위해서는 질문을 잘해야 합니다.

셋째. '긍정적인 호기심'을 가져야 합니다.

타인이 하는 말을 잘 듣기 위해서는 우선 흥미가 있어야겠죠. 상대가 말하는 내용에 궁금증이 있으면 얘기에 집중하게 됩니다. 사람은 누구나 자기가 재미를 느낀 분야에 관해서는 즐겁게 대화합니다. 반면 잘 모르는 주제에 관해 얘기하면 집중하기는 힘들고요.

생소한 일에 관해 대화할 때는 한 수 배운다는 생각으로 접근하면 마음이 편합니다. 대화하며 모르는 내용이 있으면 물어보세요. 그것도 모르냐며 핀잔을 주는 사람은 드뭅니다. 대부분 흔쾌히 설명해 줍니다. 설명하면서 또 신이 나죠. 대화는 더 즐거워질 수밖에 없습니다.

개인적인 경험에 관해 말할 때는 인간적인 흥미를 보이면 좋습니다. 호기심을 표현하기 위해서는 잘 들으며 "그래서 어떻게 되었는데요?"라는 질문만 하면 됩니다. 상대방은 대화를 즐겁게 이어갑니다.

2011년 11월 NASA(미국 항공 우주국)가 화성으로 보낸 탐사선 이름을 혹시 들어 보셨나요? '큐리오시티(Curiosity)', 우리말로 호기심입니다. 재미있는 이름이지 않습니까? 우주에 대한 궁금증이 우리를 화성까지 인도했다는 뜻이겠죠. 아리스토텔레스 역시 "호기심이야말로 인간을 인간이게 하는 특성"이라고 주장했습니다.

호기심은 진정으로 경청이 이루어지게 하는 내면적인 요소입니다. 낯선 것에 호기심을 가지세요. 다양한 사람과 대화할 수 있고 더 많은 정보를 얻게 됩니다. 잘 몰랐던 일에 대해서도 관심을 두는 사람은 좋은 청자가 됩니다. 지속적으로 경청하기 위해서는 호기심이 있어야 합니다.

넷째. '고개를 끄덕이며 미소 짓기'입니다.

상대방이 어떤 얘기를 하더라도 일단 긍정적인 마음으로 들어야 합니다. 공감하는 태도를 표현하기 위해 고개를 살짝 끄덕여 주는 행동이 필요합니다. 꼭 입 밖으로"맞습니다."라고 동의하지 않아도 됩니다. 머리를 가볍게 끄덕여 주는 모습만으로도 상대방은 기분이 좋아집니다.

보디랭귀지는 효과가 큽니다. 오랜 세월이 흐르면 대화 속에서 했던 구체적인 말은 기억나지 않아도 표정은 기억나는 경우가 있습니다. 내 생각과 다른 의견을 주장해도 일단은 고개를 끄덕여야 하는 이유입니다. 얘기를 다 들은 후 말할 기회는 얼마든지 있습니다. 그러니 일단 상대방이 입을 여는 동안에는 가볍게 긍정을 표현하세요.

한국인들은 표정이 없기로 유명합니다. 말을 하면서 상대방의 얼굴을 보고 있어도 내 말에 동의하고 있는지 판단하기 어렵습니다. 좋은 대화를 위해서는 말을 잘 듣고 있다는 신호를 주어야 합니다. 고개를 끄덕여 주는 행동만으로 훌륭한 청자가 될 수 있습니다. 거기에다 미소를 보태면 금상첨화겠지요. '웃는 얼굴에 침 못 뱉는다.'는 속담이 있습니다. 밝은 미소는 보는 사람의 마음을 훈훈하게 합니다.

다섯째. 상대방과 눈을 맞추고 몸은 상대방 쪽으로 살짝 기울여 들어야 합니다.

대화하며 딴 곳을 응시하는 사람이 있습니다. 휴대폰을 쳐다보거나 창밖을 응시하는 경우죠. 말하는 사람 입장에서는 유쾌할 수 없습니다. 무시당하는 느낌이 들 수도 있거든요. 대화가 시작되면 딴청을 피우지 말아야 합니다. 상대방을 쳐다보면서 말을 듣는 태도가 좋은 매너입니다.

경청의 '경(傾)'은 '기울이다'는 뜻입니다. 대화할 때 앞으로 약간 몸을 기울이는 자세는 상대방에게 존중하는 마음을 드러내는 행동입니다. '얘기를 잘 듣겠습니다'라는 표현입니다. 의외로 많은 사람들이 의자 뒤로 기대어 대화합니다. 예의에도 어긋나는 행동입니다. 대화를 시작하면 일단 몸을 기울이세요. 기울임이 존중입니다.

여섯째, 상대방 이야기를 끊지 말아야 합니다.

얘기를 하는데 상대방이 내 말을 자른 경험, 당해 보셨죠. 기분이 어땠습니까? 가볍게 무안했던 적도 있겠지만, 어떤 경우는 기억에 오래 남을 만큼 수치스럽지 않았나요. 말을 끊는 행동은 상대방의 의견을 무시하는 일입니다. 내 생각과 다르더라도 일단은 들어야 합니다.

내가 말을 자를 수도 있지만 요즘은 휴대폰이 방해하는 경우가 많습니다. 벨소리는 대화를 방해하는 주범입니다. 대화하는 중에 휴대폰 벨소리가 울리면 사람들은 "괜찮아요. 전화받으세요."라고 말해 줍니다. 이 말을 듣고 전화를 받아도 정말 괜찮을까요? 전화를 잠시라도 받고 나면 대화의 흐름이 원만히 이어지던가요? 전화를 짧게 받더라도 대화는 중단됩니다. 한 번으로 멈추지 않고 두 번 세 번 전화벨이 울리면 대화의 흐름은 끊기고 맙니다. 아마도 대부분은 긴급히 받지 않아도 될 전화일 텐데요. 중요하지 않은 전화가 대화를 방해한 셈이죠. 상대방을 존중한다면 휴대폰을 치우고 대화에 집중해야 합니다. 광고 카피처럼, "잠시 꺼두셔도 됩니다."

일곱째, 잘 들으려면 전날 '잠'을 충분히 자야 합니다.

좀 엉뚱하게 들린다고요? 육체적으로 피곤하면 만사가 귀찮아지는 법입니다. 정신력으로는 한계가 있죠. 몸이 지치면 대화에 집중할 수가 없습니다. 다들 현실에서 경험한 적 있지 않나요. 피곤해서 상대방 얘기가 귀에 안 들어왔던 일을요. 경청을 위해서는 많은 에너지가 필요합니다.

강의를 하면서도 느낍니다. 말할 때는 몇 시간을 해도 괜찮지만 들을 때는 30분만 지나도 몸이 뒤틀립니다. 왜 그럴까요? 듣는 일에도 에너지가 꽤 소모되기 때문입니다. 경청은 결코 쉬운 일이 아닙니다. 그러니 타인의 말에 주의를 기울이려면 신체가 편안해야 합니다. 몸이 피곤하면 주의력이 떨어질 수밖에 없죠. 너무 피곤할 때는 고객과의 상담을 피하는 선택이 더 현명합니다.

잠을 줄여서 더 일하겠다는 생각은 재무설계사에게는 위험한 발상입니다. 잠을 덜 자도 괜찮은 직업은 혼자서 하는 일입니다. 일하는 중간에 잠시 쉬어도 상관없습니다. 사람을 상대로 하는 일이 아닌 경우에는 속도를 스스로 조절할 수가 있기 때문입니다. 자기의 신체 리듬에 맞춰 일을 진행하면 됩니다.

사람을 만나서 하는 일은 피곤한 상태로는 곤란합니다. 대화는 서로를 확인하며 이뤄지는 상호 작용이기 때문입니다. 잠을 충분히 자야 타인의 얘기를 경청할 수 있습니다. 〈허핑턴 포스트〉를 설립한 아리아나 허핑턴(Arianna Huffington)은 '숙면의 힘'을 강조합니다.

> "뇌를 '디톡싱(detoxing. 해독)'하려면 좀 더 많이 자라. 최근의 중요한 연구 결과 가운데 하나는 수면이 기본적으로 낮 동안 뇌세포 사이에 쌓인 찌꺼기, 즉 독성 있는 단백질을 포함한 세포 찌꺼기를 청소하기 위해 데려온 '야간 청소부'와 같다는 것이다. (……) 24시간 동안 자지 않을 경우 당신의 상태는 혈중 알코올 농도가 0.1퍼센트인 상태, 즉 당신이 '법적으로 취한 상태'와 동일한 상태가 된다."
> (아리아나 허핑턴, 정준희 옮김, 《수면혁명》, 민음사, 2016, 125~130쪽)

놀랍지 않습니까? 하루를 자지 않으면 술에 취한 상태와 같다니. 잠을 자지 않은 사람과 대화하는 일은 술 취한 사람에게 말을 거는 것과 똑같습니다. 술 취한 사람과 진지한 대화를 하고 싶은 사람은 없을 겁니다. 마찬가지로 술 취해서 상담하는 세일즈맨도 없습니다. 잠을 자지 않고 대화하는 일은 피해야 합니다.

예전에 지인 세 분과 함께 아침 일찍 골프 라운딩을 한 적이 있습니다. 점심 식사를 마치고 후식이 나와 이런저런 얘기를 나누는데, 문득 한 분이 꾸벅꾸벅 조는 것이었습니다. 전날 늦게까지 음주를 하고 새벽 라운딩을 해서 많이 피곤했던 모양입니다. 이해는 하지만 좋아 보이지는 않았습니다.

프로 세일즈맨이라면 몸 컨디션을 유지해야 합니다. 운동선수가 몸 관리를 하듯, 비즈니스맨도 몸 상태를 최상으로 관리해야 합니다. 전날 충분히 휴식을 취해 맑은 정신으로 상대방의 이야기에 귀를 기울여야 합니다.

"건강한 신체에 건전한 정신이 깃든다."이 말 아시죠? 중학교 체육 교과서에 있었는데, 로마 시대 유베날리스(Juvenalis)가 남긴 말입니다. 그때는 시험 치려고 외웠던 문장인데, 지금 와서 보니 마음에 크게 와닿습니다.

여덟째, '편안한 심리'를 유지하세요.

육체적으로 피곤하지 않기 위해 충분한 수면을 취해야 하듯이 정신을 위해서도 걱정이 없어야 합니다. 마음속에 큰 고민거리가 있으면 상대방의 말이 들리지 않습니다. 대화할 때는 내 문제를 잠시 잊어야 합니다. 육체적으로 피곤해도 대화가 힘들지만, 정신적으로 피로해도 마찬가지입니다. 정서가 불안하면 이야기가 잘 안 들리거든요. 늘 편안한 기분을 유지해야 하는 이유입니다.

세일즈를 흔히 '멘탈 게임'이라고도 합니다. "영업은 정신으로 하는 것이다."라는 말도 같은 뜻이죠. 어려운 일이지만 늘 평온한 마음을 위해 노력해야 합니다. 아침에 출근할 때 개인적인 고민거리는 집에 두고 나와야 합니다. 가정에서나 직장에서나 스트레스 받는 일이 생겨도 평상시 마음으로 빨리 돌아와야 하고요.

마음이 평화로울 때 상대방의 이야기를 잘 들을 수 있습니다. 육체적으로도 정신적으로도 여유가 있어야 합니다. 너무 큰 사건이 생겨 기분이 회복되지 않을 때는 사람 만나는 일을 잠시 멈추는 것도 한 방법입니다. 충분히 쉬어 마음이 편안해지면 그때 다시 활동하는 편이 낫습니다. 사람의 마음에도 쉼표가 필요합니다.

아홉째, '상식'을 늘리려고 애를 써야 합니다.

사람은 자기가 아는 만큼 들을 수 있기 때문입니다. 저는 영업을 시작한 후 3년 차가 되었을 때 골프를 시작했습니다. 30대 초반에 시작했으니 당시 사회 분위기로는 빠른 편이었습니다. 골프를 통해 영업 활동을 하려는 목적은 아니었습니다. 단지 '골프'라는 운동을 경험하기 위해서였습니다.

골프를 전혀 모르던 때, 어느 날 저녁 자리에 우연히 프로 골퍼가 합석하게 되었습니다. 여덟 명이 함께 어울렸는데, 그 이후로는 정말 힘든 시간이었습니다. 저를 제외한 일곱 명이 세 시간 넘게 골프 얘기만 하는데, 그렇게 지루할 수가 없었습니다. 골프를 전혀 모르는 사람 입장에서는 대화 내용이 전혀 흥미롭지 않았습니다. 용어를 알아듣지도 못하니까요. 아프리카 말로 대화하는데, 내용도 모르면서 억지로 웃어야 하는 그런 기분이랄까요. 다들 진지한 분위기로 대화에 빠져드니 화제를 돌리기도 힘들었죠.

지금 생각해 보면 아마추어 골퍼들에게는 행복한 자리였습니다. 궁금한 내용을 물어보고 프로는 시원하게 답을 해 주고. 그런데 거의 알아듣지 못하는 저는 얼마나 힘들었겠습니까? 고문에 가까운 시간이었죠. 다음 날 골프 연습장에 등록을 하고 바로 레슨을 받기 시작했습니다. 골프를 배우겠다는 목표가 아니라 일단 용어라도 알아듣겠다는 마음이었습니다.

사람은 누구나 자기가 모르는 분야는 집중해서 들을 수 없습니다. 어떤 화제는 배경지식이 없으면 대화 내용을 이해하기 힘듭니다. 대화는 당연히 지루해질 테고요. 친해지고 싶은 사람이 있다면 상대방의 취미 생활에 대해서는 얘기를 들어 줄 수 있어야 합니다. 그렇지 않고서는 가까워지는

데 분명 한계가 있습니다. 상식이 풍부해져야 하는 이유입니다. 자신이 잘 모르는 영역에 관해서는 정보를 찾고 지식을 쌓아야 합니다.

신문과 잡지를 멀리하지 마세요. 활자를 접하는 방식이 종이에서 인터넷으로, 나아가 스마트폰으로 바뀌고 나니 각종 책자가 멀어진 시대가 되었습니다. 세상 돌아가는 이야기의 흐름을 놓치지 않기 위해서는 신문을 봐야 합니다. 이동 중에 뉴스를 청취해도 도움이 될 테고요. 세상사를 알아야 다양한 이야기가 귀에 들어옵니다. 고객을 만나 대화하는데 모르는 주제라고 해서 상대방 말을 중단시킬 수는 없는 노릇입니다.

상식과 지식을 증대시키기 위한 노력을 해야 합니다. 신문과 경제잡지 등을 읽으세요. 바쁠 때는 신문 사설이라도 확인하면 도움이 됩니다. 동시대 주요 현안을 신문 사설이 요약하고 있으니까요. 고객이 화제를 꺼냈을 때 이미 알고 있는 이야깃거리라면 대화를 하는 데 불편함이 없습니다. 상식이 풍부해지면 대화가 더 편안합니다.

마지막으로, 대화가 끝날 때는 '감사' 인사말을 하세요.

사소한 정보였더라도 고마워하면 상대방은 함께 보낸 시간에 만족하게 됩니다. 작은 지식이라도 감사할 줄 알아야 더 큰 정보를 얻을 수 있습니다.

심리학에 '피크엔드 법칙(Peak-End rule)'이라는 개념이 있습니다. 어떤 사건이나 경험을 평가할 때 극적인 순간(peak)과 마지막 순간(end)을 합해 그것을 기억한다는 말입니다. '유종의 미'라는 말도 같은 맥락이겠지요. 끝이 좋으면 좋은 일로 기억하는 이유입니다.

대화를 마무리할 때는 가벼운 감사의 말을 전하세요. 바쁜 시간을 내 주어 고맙다든지, 어떤 정보를 알려줘서 고맙다든지, 유쾌한 대화여서 즐거웠다는 말 등은 상대방을 기분 좋게 만듭니다. 특히 대화 속 어떤 내용에 관해 구체적으로 감사하는 일은 기억에 남을 칭찬이 됩니다. 이야기를 그만큼 충실히 들었다는 증거도 되고 상대방의 정보를 귀하게 여기는 마음을 전달하기 때문입니다.

가벼운 감사의 인사가 당신을 또 찾게 만듭니다. 밝은 첫 미소와 마지막 감사의 말이 인상을 형성합니다. 짧은 대화에서도 늘 감사하는 습관을 들이세요.

끝으로 셰익스피어의 희곡《햄릿》에 등장하는 조언을 소개합니다.

"귀는 모두에게, 입은 소수에게만 열고, 모든 의견을 수용하되 판단은 보류해라."

경청을 실천해서 어디서나 환영받는 사람이 되시기 바랍니다.

사회적 지위가 높은 직업, 예를 들어 의사와 사업가 등을 만나면 주눅이 들기도 합니다. 이분들과 상담할 때 특별히 준비하는 내용이 있습니까?

이 질문은 아직 경력이 오래되지 않은 재무설계사가 궁금해하는 내용인데요. 답을 드리기 전에 제가 먼저 질문을 하나 드리겠습니다. TV 토론 프로그램 아시죠? 이런 방송에서는 사회자가 나오고, 논객들이 4명에서 8명 정도 출연합니다. 어떤 사안에 대해 다른 견해를 주장하는 사람들이 논리와 증거로써 언쟁합니다. 분위기가 과열되거나 너무 한쪽이 말을 많이 하면 사회자가 중재하기도 하죠. 중간중간 내용을 정리해 가며 다시 묻기도 하고요.

여기서 질문입니다. 고객을 만나 상담하는 세일즈맨은 토론하고 있는 논객 역할일까요, 중재를 하는 사회자에 가까울까요?

또 비슷한 예를 들어 볼게요. TV에서 하는 프로그램 중에 대담 형식으로 하는 토크쇼 같은 방송이 있습니다. 진행자와 보조 진행자들, 그리고 그날의 주인공이 나오죠. 보통 사회자가 질문을 하면 출연자가 답변을 하는 식으로 구성됩니다. 이런 프로그램 중에서 강호동의 '무릎팍 도사'라고 있었죠. 본 적 있으세요? 저도 이 프로그램을 가끔 시청했는데요. 인상적인 장면이 생각납니다.

그날 출연한 주인공이 힘들었던 과거 얘기를 하며 눈물을 글썽였는데요. 그 모습을 보던 강호동씨도 눈시울을 붉혔습니다. 스토리에 조금씩 빠져들며 주인공에게 점점 다가가더니 클라이맥스에서 주인공 손을 꼭 잡으며 흐느꼈습니다. 마침내 감정이 폭발하자 함께 눈물을 보였습니다. 진정으로 상대방 말에 공감하는 모습이었죠. 그러면서 "아, 얼마나 힘드셨어요?"라며 위로하는데, 그 모습을 보는 저도 먹먹해졌습니다. 강호동 씨의 촉촉한 눈가는 아직도 생생합니다.

세일즈맨은 앞서 예를 든 토론 프로그램의 사회자, 토크쇼 진행자 역할입니다. 상대방과 논쟁을 펼치는 논객도 아니고, 자기 얘기를 1시간 동안 해도 되는 주인공이 아닙니다. 세일즈맨은 그저 묻고 듣는 사람입니다. 공감하면서요.

사람을 만나 상담하는 일은 가르치는 행위가 아닙니다. 지식을 전달하는 자리도 아니고요. 고객의 생각, 느낌, 바람, 사실, 계획, 꿈 등을 들어 보는 시간입니다. 내가 아니라 내 앞에 앉아 있는 사람이 주인공입니다.

상담을 잘하려면 많이 알아야 한다고 생각하지 않아야 합니다. 미리 겁부터 먹지 마세요. 고객은 지식과 정보 때문에 나를 만난 것이 아닙니다. 진실한 마음과 따뜻한 태도 때문에 나와 시간을 보내고 있습니다. 우리가 알아야 하는 지식은 그리 많지 않습니다. VIP 고객일수록 더욱 그렇습니다. 사회적 지위가 높거나 경제적으로 크게 성공한 사람들을 만날 때는 지식이 중요하다고 짐작하는 세일즈맨이 많습니다. 절대 그렇지 않습니다. 이런 분들일수록 듣는 시간이 더 필요합니다.

성공한 사람일수록 이야기가 더 많습니다. 사람들이 인정하는 자리에 올라가기까지 얼마나 많은 우여곡절이 있었을까요? 그 얘기를 우리는 들을 뿐입니다. 대화에 공감하고 다시 질문하고 그렇게 시간을 보낼 뿐이죠. 세일즈맨으로서 우리가 하고 싶은 얘기는 어쩌면 이미 다른 사람에게서 들었을 수도 있습니다. 큰 기업체 대표를 만나 보세요. 보험 회사를 통한 컨설팅을 안 받아 본 대표는 드뭅니다. 대부분 접해 보셨죠. 그런데 계약은

요? 지식이 전부라면 많은 전문가들과 이미 계약을 하셨어야죠. 현실은 절대 그렇지 않습니다.

지식에 대한 부담을 버리시기 바랍니다. 고객에게 배우러 간다고 생각하면 마음도 한결 편해집니다. 만나 보세요. VIP일수록 가르침을 받을 내용도 많습니다. 성공한 사업가로부터 지혜를 얻을 수 있다면 얼마나 좋은 기회인가요? 토크쇼 진행자처럼 대화를 잘 이끌면 됩니다. 적절하게 질문하면서요.

1시간을 만나 대화한다고 했을 때 55분 동안 고객 말씀을 들었다면 훌륭한 상담입니다. 내가 하고 싶은 메시지를 전달하지 못했다고 무의미한 시간일까요? 뭔가를 말해야 한다는 생각을 버리세요. 말을 잘하려고 굳이 애쓰지 마세요. 잘 들으면 됩니다. 좋은 상담은 상대방의 얘기를 충분히 듣는 일입니다. 신기한 점은 그 마음으로 사람을 만나면 내가 원하는 계약도 어느새 따라온다는 사실입니다.

1시간 동안 꼬박 얘기만 듣다 자리에서 일어날 때 추가로 한마디를 더 들을 때가 있습니다.

"아이고, 오늘은 내 얘기만 했네요. 공 선생 얘기도 좀 들어야 하는데."

"유익한 시간이었습니다. 많이 배웠습니다."

"배우긴 뭘……."

"다음에도 좋은 말씀 부탁합니다."

"아니, 무슨 말씀을. 하하하. 그리고 법인에서 들어가는 적금이 하나 끝나는데, 괜찮은 상품 있으면 다음에 올 때 추천해 주세요."

실제 현장에서 가끔 생기는 일입니다. 여러 차례 상담을 통해 계약을 하는 경우가 보통이지만, 고객은 나를 관찰하다 불쑥 한마디 하는 때가 있습니다. 과정은 다르지만 같은 결과죠. 어떤 길이 확률이 더 높을까요? 지식을 쌓는 일은 세일즈맨으로서 중요한 일입니다. 그러나 지식보다 듣는 태도가 훨씬 중요하다고 말씀드리고 싶습니다.

한 가지 더 추가하자면, 고객을 만나 상담하는 일에 익숙하지 않을 때에는 주변에 있는 선배를 활용하세요. 의사나 법인 대표를 처음 만날 때는 누구나 부담스럽죠. 그럴 때는 경험이 많은 재무설계사와 동반 상담을 하세요. 꼭 전문직을 만날 때가 아니어도 부담스러운 고객은 협업(Joint-Work)을 권합니다. 실제 현장에서 어떻게 상담하고 계약하는지 옆에서 볼 수 있거든요. 책에서 배우고 들어서 아는 내용과는 다를 수 있습니다. 선배와 함께 가서 상담하는 과정을 지켜보세요. '백문이 불여일견'이라고 했나요. 상담은 어떻게 해야 한다고 백번 설명을 듣기보다 옆에서 한 번 보는 경험이 더 크게 도움이 됩니다. 다시 한번 강조하고 싶습니다.

"좋은 재무설계사는 말을 잘하고 많이 듣습니다.
더 좋은 재무설계사는 말을 줄이고 대부분 듣습니다.
최고의 재무설계사는 말없이 듣기만 합니다."

말하기가 아닙니다. 재무설계사는 듣기가 직업인 사람입니다.

질문 3.

여러 번 만나 상담했지만 계약이 쉽게 나오지 않는 고객도 있습니다. 이런 경우 어떻게 사후 관리를 합니까?

재미있는 영화의 장면이 생각나서 소개해 드리겠습니다. 2006년에 개봉했던 영화 '타짜'입니다. 당시 700만 명에 가까운 관객을 동원했으니 꽤 흥행했던 영화인데요. 혹시 영화를 보지 않았더라도 상황에 대한 이해가 어렵지 않을 겁니다.

주인공 조승우(고니 역) 씨와 유해진(고광렬 역) 씨가 카페에서 술을 마시는 장면이 있습니다. 술을 마시다 경찰이 단속 나온 줄 알고 카페 주방으로 몸을 숨기죠. 그때 깡패 두목인 김응수(곽철용 역) 씨와 그 일당이 카페에 들어옵니다. 낮에 도박판에서 조승우에게 큰돈을 잃고 기분이 상해 있죠. 테이블에 앉으며 깡패 두목은 주문을 받으려는 여종업원에게 말을 겁니다.

"화란아, 더 예뻐진 것 같다. 자리에 앉아."

"그냥 서 있을게요. 주문하세요."

여종업원은 깡패 두목이 싫은 눈치입니다.

"너, 빚 때문에 그러는구나."

"빚은 빨리 갚을게요." 여자는 억지 미소를 보입니다.

"안 갚아도 돼."라며 목소리가 커지자 화란은 자리를 피하려고 돌아섭니다. 그때 옆에 있던 깡패 부하가 일어서며 여자의 손목을 잡습니다. "저

화란 씨, 오늘 우리 회장님이 이상한 놈들 두 놈한테 상처를 좀 받으셔서."라며 분위기를 누그러뜨립니다. 그러자 옆에 있던 두목이 힘주어 얘기합니다.

"나 깡패 아니다. 나도 적금 붓고 보험 들고 그러고 산다."

"……."

영화 보신 분들, 이 장면 기억나세요? 전 마지막 대사에서 살짝 웃음이 나더군요. 적금 붓고 보험 들기 때문에 깡패가 아니라는 말, 웃기지 않나요? 보험 들면 평범한 사람이고 안 들면 깡패라는 뜻인가요? 보험은 평범한 사람들이 가입한다는 뉘앙스를 줍니다. 전체 흐름에서 보면 이 장면은 크게 의미 있는 내용은 아니지만 제 기억 속에는 오래 남아 있네요.

이 얘기를 좀 더 해 보겠습니다. 보험 상품은 누구나 가입할 수 있지만 모두가 선호하는 상품은 아닙니다. 보험을 싫어하는 사람들이 있죠. 저는 그들을 '보험 알레르기'가 있는 사람이라고 부릅니다. 특정 음식이나 환경에 거부 반응을 보이는 경우를 알레르기라고 하지요. 복숭아 알레르기, 땅콩 알레르기 등 종류도 다양합니다. 땅콩 알레르기가 있는 사람은 땅콩을 먹으면 안 되듯이 보험 알레르기가 있는 사람은 보험 얘기를 들으면 거북해합니다. 개인적으로 안 좋은 경험이 있을 수도 있고 본인 성향에 보험이 맞지 않을 수도 있습니다. 그런 분들에게는 굳이 보험을 권할 이유는 없겠죠.

가끔 사무실에 있는 후배나 강의실 청중으로부터 질문을 받습니다.

"소득도 많고 재산도 꽤 되는 사업가를 알고 지냅니다. 매너도 좋고 인격도 훌륭하고요. 그런데 보험은 싫어합니다. 이런 경우 어떻게 상담할까요?"

여러분은 어떻게 하시겠습니까? 좋은 방법이 있나요? 저는 이 경우에 아주 쉬운 방법이 있다고 말합니다.

"만나지 마세요!" 이 말이 정답이라고 생각합니다. 보험을 싫어하면 만나지 않으면 됩니다. 보험 비선호자를 꼭 만나야 할 이유가 있습니까? 헛힘 빼지 말고 포기하는 편이 현명합니다. 아무리 달고 맛있는 복숭아라도 알레르기가 있는 사람은 먹을 수 없습니다. 마찬가지로 보험 알레르기가 있는 사람을 굳이 설득할 필요가 있을까요?

대답에 실망한 후배는 저부터 설득하려고 말을 이어갑니다.

"그래도 재산이 많아 나중에 상속세 문제도 있고, 뭐 어떻게든 계속 만나서 보험을 권할 세일즈 포인트가 있지 않습니까?"

"……."

제가 뭐라고 답을 할까요?

"계속 만나다 보면 좋은 결과가 있으니 관계를 잘 유지하세요. 세월이 흐르면 필요성을 느끼는 순간이 옵니다. 그때가 언제일지 모르니 열심히 만나 보세요. 파이팅!"

뭐, 이런 대답을 원하십니까? 꼭 그분을 만나고 싶으세요?

15년간 영업을 하며 깨달은 사실이 있습니다. 진리라고 생각합니다. 사람은 잘 안 변합니다. 특히 보험에 대한 선호도 역시 마찬가지입니다. 사람이 가진 기본 성향과 생각은 쉽게 변하지 않더군요.

보험을 선호하지 않는데 재산이 많다는 이유만으로 계속 만날 이유가 있습니까? 세일즈에 필요한 유일한 자원은 시간입니다. 그리고 그 시간을 의미 있는 활동으로 채우는 사람이 성공합니다. 세일즈 활동에서 의미 있는 시간이란 가능성 있는 사람과 상담하고 기존 고객들과 좋은 관계를 유지하는 활동이지 않을까요?

보험 상품을 선택하는 사람을 찾아 그 사람과 상담하는 일이 우리 업무입니다. 다른 일에 시간을 빼앗겨서는 안 됩니다. 만약 골프 클럽을 판매하는 사람이라면 누구를 만나겠습니까? 돈이 많은 사람을 만납니까? 아닙니다. 골프하는 사람을 만나야 합니다. 그래야 골프 클럽을 팔 수 있으니까요. 마찬가지입니다. 보험 세일즈를 하려면 재산이 많은 사람이 아니라 보험 상품의 필요성을 느끼는 사람을 만나야 합니다. 그래야 판매가 가능합니다. 부지런히 움직여서 보험 선호자를 찾아내야 합니다.

원래의 질문을 다시 떠올려 보겠습니다. 여러 번 만나 상담을 했는데 계약이 나오지 않는다면 어떻게 할까요? 두 가지 경우를 생각할 수 있습니다.

한 가지는 지금까지 말씀드린 대로 보험에 대한 선호도가 없는 경우입니다. 인간관계상 거절하기 힘든 재무설계사가 자꾸 찾아와서 권하니 고민해 볼 뿐입니다. 고객이 될 가능성은 희박합니다. 돌아서는 용기가 필요하겠죠. 연락하지 말아야 합니다.

또 한 가지는 결정을 쉽게 내리지 못하는 스타일입니다. 이 경우는 결정 시한을 정함으로써 마무리를 해야 합니다.다음 달부터 보험료가 인상된다든지, 보장 내용이 축소된다든지 하는 이슈가 있을 때 마지막 시도를 합니다. 그때 꼭 이 말을 덧붙여야 합니다.

"고객님, 이번 기회가 마지막입니다. 그동안 제가 여러 번 찾아뵈었네요. 같은 내용으로 계속 말씀드리면 고객님 시간을 낭비하는 일이고 저 또한 그렇습니다. 만약 이번에 결정하지 않는다면 더는 말씀드리지 않겠습니다. 이 보장은 고객님에게 꼭 필요해서 권해 드립니다."

최후통첩은 진지하게 고민할 기회를 줍니다. 결정하면 좋고 정하지 않으면 더 이상 찾아가지 않으면 됩니다.

여기서 정말 강조하고 싶은 원칙이 있습니다. 마지막이라고 얘기했다면 더 이상 돌아보지 않아야 합니다. 한두 달이 흐르면 혹시나 하는 마음에 그 고객이 생각납니다. 특별히 계약을 시도할 곳이 없으면 다시 가 볼까 하는 유혹이 고개를 듭니다. 사무실 매니저도 옆에서 부추깁니다.

"혹시 모르니 또 찾아가 봐. 시간이 많이 드는 일도 아니고. 열 번 찍어 안 넘어가는 나무 없잖아."

"그럴까요? 마침 내일 근처에 갈 일이 있는데 한번 들러 볼게요."

안타깝지만 늪으로 빠지는 순간입니다. 재무설계사를 무력하게 만드는 바로 그 늪! 빠져나오기 힘든 수렁으로 들어갑니다. 왜 늪이냐고요? 다른 곳으로 가지 못하고 그 자리에 머물게 만들기 때문입니다. 결과는 나오지 않는데 시간만 빼앗아 가고 뜨거운 열정을 식게 만듭니다. 열심히만 한다고 최선인가요? 아무나 부지런히 만난다고 결과가 나올까요? 답이 없는 문제는 아무리 풀어도 답이 없습니다. 풀이를 멈추고 다음 문제로 넘어가야 합니다. 영업도 마찬가지입니다. 저 역시 여러 번 경험했던 일입니다.

니즈가 없는 사람을 만나 설득하려고 하지 마세요. 숨은 니즈가 있는 사람을 찾아내세요. 세일즈는 설득이 아니라 발견입니다. 세일즈 프로세스를 얘기할 때 'FF'라는 과정이 있습니다. 'Fact and Feeling Finding'의 약자입니다. 사실(Fact) 정보로서 고객 재무 정보와 감정(Feeling) 정보로서 계획, 희망 등을 찾아낸다(Finding)는 의미입니다. 고객 생각을 발견하는 활동이라고 할 수 있죠. '생각을 발견한다.' 멋진 표현이지 않습니까. 생각을 바꾸는 일이 아니라 생각을 발견하는 일입니다. 세일즈는 사람을 만나 설득하는 일이 아닙니다. 필요성을 느끼는 사람을 찾아내는 일입니다. 다시 한 번 강조합니다. 세일즈는 설득이 아니라 발견입니다.

상담에서 경청하는 태도를 강조했는데요. 그 밖에 재무설계사에게 필요한 자세 또는 마음가짐에는 뭐가 있을까요?

답하기 어려운 질문입니다. 재무설계사로서 15년 정도 일한 경력으로 말씀드리기에는 부담스럽습니다. 짧은 경력은 아니지만 그리 긴 세월도 아니니까요. 한 분야에서 직업 철학을 얘기하려면 평생을 바쳤을 때 가능하겠죠. 기간으로 얘기하자면 30년 이상은 돼야 할 겁니다.

정답이 아닐 수도 있지만 지금까지 경험으로 느꼈던 바를 말씀드리겠습니다. 미완성 직업관이라 10년 후에는 바뀌어 있을지도 모릅니다. 인생은 늘 현재 진행형이니까요. 넉넉한 마음으로 들어 주시면 좋겠습니다.

재무설계사에게 필요한 마음가짐에는 여러 가지가 있겠지만 두 가지를 강조하고 싶습니다.

첫번째 덕목은 '자기 확신'입니다.

세상에는 수많은 직업이 있습니다. 다양한 기능과 역할이 있죠. 어떤 일을 선택했다면 그 의미는 스스로 찾아야 합니다. 직업이 가진 가치를 발견해야 합니다.

보험을 판매하는 일은 세상을 이롭게 합니다. 사망 보험금은 다음 세대에게 경제적인 안정을 제공해 줍니다. 갑작스런 사고로 아버지가 세상을 떠났을 때 자녀가 겪게 될 미래를 상상해 보세요. 당장은 심정적인 상실감이 크겠지만 시간이 지날수록 재정적인 고통이 현실로 다가옵니다.

사망 보험금은 남은 가족들을 위한 몫입니다. 따뜻한 아빠 역할은 못해 주지만 경제적인 힘이 되어 줄 수는 있습니다. 보험은 배려이고 가족에 대한 사랑입니다. 보험을 판매하는 일은 그 사랑을 실천할 수 있도록 도와주는 일입니다.

저 역시 사망 보험금을 고객의 유족에게 지급한 적이 있습니다. 장례식장에서 남은 가족이 서럽게 우는데, 제 마음도 참 무거웠습니다. 이후 일상으로 돌아왔을 때 유족을 찾아가 보험금 청구를 도와 드렸습니다. 슬픔은 남아 있겠지만 표정이 밝아지는 모습을 발견할 수 있었습니다. 그 순간 직업인으로서 보람을 느꼈다고 할까요? 지급된 사망 보험금은 먼저 세상을 떠난 아빠가 남긴 배려입니다. 그 마음은 분명 가족들에게 정서적 위로가 되었을 겁니다.

'진분위귀(盡分爲貴)'라는 말이 있습니다. 본분을 다함으로써 귀해진다는 뜻입니다. 귀한 일이 따로 있지 않고 본인 일에 최선을 다할 때 귀한 사람이 된다는 의미입니다. 사람들이 선망하는 직업은 분명 있지만 그 직업 자체가 귀하지는 않습니다. 귀하게 여겼던 직업에서 추한 행동을 하는 사람들을 뉴스에서 자주 접하니까요. 지금 하고 있는 일에 최선을 다함으로써 존중받는 사람이 될 수 있습니다.

보험 상품의 가치를 믿으세요. 매 순간마다 의식할 수는 없지만 마음속에는 확신을 바탕에 둬야 합니다. 세상에 도움이 된다는 생각, 사회를 위해 선한 일을 한다는 믿음이 소중합니다. 그래야 지치지 않으니까요.

어쩌다 보니 세일즈 업계에 들어오신 분들이 많겠지만, 직업에 대한 소명의식은 우연히 생기지 않습니다. 스스로 찾으려는 노력이 필요합니다.

두번째 덕목은 '전념'입니다.

활동에 매진하는 태도가 필요합니다. 재무설계사는 자유롭기 때문에 자칫 나태해지기 쉽습니다. 자신을 직접 제어하고 절제하는 자세가 있어야 합니다. 자제력과 인내심은 한 가지 일에 전념할 수 있도록 합니다.

방만한 삶은 근면하지 못한 성격 탓도 있지만, 집중력을 잃었기 때문이기도 합니다. 방향을 잃은 배는 표류하기 마련입니다. 목적지가 분명하지 않으면 모든 바람이 역풍입니다. 앞으로 나아가기 힘들겠지요. 목표와 지향점이 있으면 삶을 더 의미 있게 만들 수 있습니다.

1812년 스코틀랜드에서 태어난 새뮤얼 스마일스(Samuel Smiles)는 《자조론》에서 '전념과 끈기'를 성공의 비결로 꼽았습니다. 스마일스는 아이작 뉴턴(Isaac Newton)이 했던 말을 인용해 이 사실을 강조합니다.

"내가 국가에 공헌한 것이 있다면, 그것은 오로지 부지런함과 끊임없는 사색 덕분이다."

전념하는 삶을 우리에게 말해 줍니다. 일본에서 '살아 있는 경영의 신'으로 존경받는 이나모리 가즈오 회장 역시 비슷한 생각을 말합니다.

> "다만 바라고 원하는 바를 성취로 이어 가기 위해서는 그냥 계속 생각하는 것만으로는 안 된다. '엄청나게 많이 생각'하는 것이 중요하다. 막연하게 '그렇게 되면 좋겠다'라는 식의 어설픈 정도의 수준이 아니라 강렬하게, 그리고 자나 깨나 끊임없이 바라고 원해야 한다. 머리끝에서부터 발끝까지 온몸을 그 생각으로 가득 채우고, 피 대신 '생각'이 흐르게 해야한다. 그 정도로 한결같이 강렬하게 하나만을 생각하는 것. 그것이 일을 성취하는 원동력이다."
> (이나모리 가즈오, 김형철 옮김, 《카르마경영》, 서돌, 2009, 45쪽)

'자나 깨나 강렬하게, 한결같이 하나만을 생각하는 것'을 강조합니다. 이나모리 회장은 이것을 '카르마(Karma, 業)'라고 표현합니다. 200년 전 영국에서 살았던 새뮤얼 스마일스와 오늘날 이나모리 가즈오는 같은 뜻을 다르게 표현했습니다.

긍정의 심리학으로 유명한 미하이 칙센트미하이(Mihaly Csikszentmihalyi) 교수는 '몰입(flow)'이란 개념을 우리에게 소개합니다. 깊이 파고들어 몰입에 빠지는 즐거움을 통해 인간이 행복할 수 있다고 주장합니다. '삼매경(三昧境)'이라고도 하는데요. 무언가에 빠져 행복을 느끼는 신비스러운 상태입니다. 연구에 따르면, 사람은 몰입할 때 행복하고 탁월한 성취를 이룰 수 있다고 합니다. 역시 전념과 뜻이 통하는 개념입니다.

《아웃라이어》를 통해 널리 알려진 '1만 시간의 법칙' 역시 같은 맥락입니다. 말콤 글래드웰은 '비틀즈'와 '빌 게이츠'가 성공한 요인으로 엄청난 훈련 시간을 꼽습니다. '전념'했던 시간이 그들을 만들었다고 지적합니다.

비틀즈는 1960년부터 1964년까지 독일 함부르크에서 무려 1,200시간을 공연합니다(수많은 밴드가 전체 경력을 통틀어도 그만큼 연주하지는 않습니다). 공연 시간만 1,200시간이었다고 하니 연습 시간은 얼마나 됐을까요. 그 결과 다른 밴드와는 차원이 다른 음악 수준을 완성합니다. 함부르크에서 단련된 연주 능력은 비틀즈를 만든 밑거름이 되었습니다.

빌 게이츠는 어린 시절부터 컴퓨터에 빠져 지냈습니다. 저녁 시간과 주말을 활용해 프로그래밍에 몰두했죠. 미국 학제로 8학년부터 하버드 대학 2학년까지 7년간, 쉼 없이 소프트웨어 개발을 연습한 셈입니다. 마이크로소프트의 성공 신화에도 역시 '엄청난 연습 시간'이 있습니다. 빌 게이츠와 비틀즈 모두 한 가지 일에 빠져 지낸 시간이 있었습니다. 앞서 얘기했던 몰입 또는 전념이란 개념으로 이어집니다.

시대와 지역은 다르지만 모두가 같은 얘기를 하고 있습니다. 말콤 글래드웰은 '1만 시간의 법칙', 미하이 칙센트미하이는 '몰입', 이나모리 가즈오는 '카르마', 새뮤얼 스마일스는 '전념'을 얘기합니다. 다른 용어지만 한 가지로 귀결됩니다. '전념'입니다.

세일즈 활동을 하다 보면 위기는 늘 옵니다. 마음이 상처를 받을 때도 많고요. 그럴 때는 잠시 멈추고 자신과 대화하세요. 처음 했던 다짐을 떠올려 보세요.

바닷물에 가까이 다가서면 파도가 보이지만 멀리서는 평온하게 느껴집니다. 장기적인 관점에서 보면 어려움은 잠시 있는 일입니다. 순간은 힘들 수 있지만 전체를 포기하지 마세요. 전념하고 있다면 앞으로 나아가고 있는 중입니다. 때로 지칠 때는 휴식을 취하세요. 잠시 쉬었다 다시 가면 됩니다.

스스로를 믿으세요. 직업의 가치를 믿으세요. 미래를 희망하며 오늘에 몰입하세요. 비전은 누가 주는 것이 아니라 내가 만드는 꿈입니다. 행복한 재무설계사가 되시기 바랍니다.

TOP 세일즈맨의 성공전략 3

우리

성공이란 세월이 흐를수록
가족과 주변 사람들이 점점 더 나를 좋아하는 것이다.
- 짐 콜린스

'우리'라는 끈은 쉽게 끊어지지 않는다

2002년 12월, 일을 시작하고 3개월째로 접어들었을 때의 일이다. 세일즈에서 실적을 높이려면 많은 사람을 만나야 하는데, 일을 시작하고 두 달이 지나니 가망고객이 남아 있지 않았다. 사회생활 경험도 짧았고, 전 직장 동료도 많지 않다 보니 연락할 사람이 없었다. 어떻게 가망고객을 늘릴지 고민하다 동문 명부를 뒤적이게 되었다. 고등학교 후배라면서 찾아가면 문전박대는 당하지 않으리란 기대감이 있었다.

두꺼운 책자를 펼쳐 보니 많은 이름이 있었다. 제조업, 건설업 분야의 사업가부터 의사, 변호사까지 다양했다. 한 장씩 넘기다 문득 약국이 눈에 들어왔다. 직업 특성상 약사는 늘 일정한 곳에 있으니 언제든지 찾아가면 만날 수 있겠다는 생각이 들었다. 그렇다! 약국을 찾아가면 되겠다. 낮에는 환자들이 많아 바쁘겠지만 저녁에는 여유가 있다(그 당시 대부분의 약국은 늦게까지 문을 열었다). 드문드문 환자가 오니 틈을 봐서 말 붙일 시간은 있겠지 싶었다.

모든 약국을 방문하겠다는 1차 목표를 세우고 명단을 따로 추렸다. 지역별로 나눠 수첩에 정리해 보니 찾아갈 곳이 제법 나왔다. 전화 약속 없이 바로 방문하기로 마음먹었다. 괜히 사전에 연락해서 거절당하면 찾아가기 애매해지고, 시간을 따로 정하지 않아도 되니 시간 관리도 편하다. 당일 활동 지역에 따라 근처 약국을 가면 된다.

막상 한 곳씩 찾아가 보니 분위기가 나쁘지 않았다. "고등학교 후배입니다."라고 인사하면 대부분 우호적이었다, 간혹 차갑게 대하는 사람도 있었지만, 보통은 인사를 받아 주었다. 환자가 없으면 이런저런 대화도 하고 드링크도 얻어 마셨다. 차 한잔 마시며 나누는 환담 시간이 좋았다. 저녁까지 고생한다며 따뜻하게 대해 주는 선배들이 많았다.

영업한지 얼마 안 된 후배에게 덕담을 해 주는 분도 있었고, 어떻게 영업하라고 조언을 해 주는 분도 있었다. 찾아갈 곳이 있다는 사실이 당시 나에게는 큰 위안이었다. 실적은 이차적인 문제였다. 만날 수 있다는 사람이 생겼다는 이유만으로 마음이 훈훈했다. 내가 편한 시간에 방문하니 시간 활용도 효율적이었다. 그러던 어느 날이었다.

그날은 오후부터 잔뜩 흐렸는데, 저녁 무렵부터는 눈이 내리기 시작했다. 창원 사람들에게 눈은 흔하지 않다. 겨울 내내 제대로 눈이 내리는 날은 한두 번쯤일까? 간혹 온다고 해도 약간 날리다 마는 그런 수준이다. 눈 구경을 자주 할 수 없는 지역이다. 눈으로 시작했다 해도 이내 비가 되는 날이 많다. 그런데 그날은 땅에 내려와서도 빗물로 변하지 않았다. 더 굵어지지는 않았지만 바로 녹지도 않았다.

늦은 시간, 약국 근처에 차를 세우고 고민했다. 눈길에 운전 걱정도 되고 시간도 애매해 방문을 계획했던 약국 앞에서 망설였다. '눈도 오는데 다음에 올까?', '아니면 잠시 인사라도 하고 갈까?' 잠시 주저하다 차 문을 열고 일어섰다. '그래! 지금 만나고 가자. 다음에 다시 오려면 일부러 시간을 내야 되니까.' 명단에 있는 선배들을 다 찾아가기로 결심했으니 만날 수 있을 때 한 명이라도 더 봐야 했다. 시계는 저녁 8시를 가리키고 있었다. 약국 문을 천천히 열었다.

"어서 오세요."

"안녕하세요. 선배님! 창원 경상고 16회 졸업생 공민호라고 합니다. 동문 명부를 보고 왔습니다."

"어, 그래요. 어디서……?"

"ING생명에서 일합니다. 지역에 있는 선배님들께 인사드리고 싶어서 왔습니다. 반갑습니다."

"아, 보험 회사? 몇 회라고 했지요?"

"네. 16회입니다."

"그래요. 난 11회 졸업생인데. 반가워. 저녁 늦게까지 수고가 많네."

그분은 11회라고 말하며 자연스럽게 말씀을 편하게 하셨다. 얘기를 하며 온장고에서 드링크 한 병을 꺼내 주셨다.

"날도 추운데, 따듯한 거 하나 마셔."

"네. 고맙습니다. 약국은 9시까지 하시나 봐요?"

"응. 그때까지 하지. 오늘 눈도 오는데, 열심히 다니네."

"네. 마침 근처에 왔다 들렀습니다."

"그래. 고3때 담임은 누구였어?"

"박해진(가명) 선생님이었습니다."

"수학 가르치는 선생님. 아직도 계시는구나. 주윤발은 잘 있어? 생물 말이야."

"주윤발요? 여전하죠. 나이가 들어도 아직 팔팔하실 걸요. 하하하."

"그렇구나. 후배, 대학은 어디 나왔어?"

"부산대 나왔습니다. 학교 졸업하고 서울에서 2년쯤 직장 생활했는데, 고향으로 내려오고 싶더라고요. 일을 찾다 ING생명에 입사하게 되었습니다."

"그랬구나. 일은 안 힘들어? 보험 일이 보통 힘든 게 아닐 텐데."

"시작한 지 얼마 안 되어 아직은 할 만합니다. 배운다는 생각으로 열심히 다니고요. 다행히 사람 만나는 일이 적성에도 맞습니다."

"다행이네. 결혼은 했어?"

"아뇨. 아직 안 했습니다. 선배님은 하셨죠. 아이는 어떻게 되세요?"

"나는 아들만 둘이지."

얘기를 하다 환자가 들어오면 잠깐씩 대화가 중단되었다, 처음 약국에 들어갔을 땐 환자들 있는 쪽에 서 있었는데, 시간이 지나니까 자연스럽게 조제실 안쪽으로 들어가게 되었다. 내부에 있는 테이블에 앉아 대화를 나눴다. 환자가 오면 잠시 흐름이 끊어지고 다시 이어지기를 반복했다. 즐겁게 얘기를 나누다 보니 시간은 벌써 9시가 다 되었다. 이제 그만 나오려고 자리에서 일어났다.

"선배님, 오늘 대화 즐거웠습니다. 반갑게 맞아 주셔서 고맙습니다. 시간이 늦은 것 같아 이만 가 보려고요. 다음에 또 인사드리러 오겠습니다."

"어, 벌써 가려고?"

그러는데 또 환자가 들어왔다. 선배는 머뭇거리다 짧게 한마디 한다.

"후배, 안 바쁘면 잠시 기다려 볼래."

"네, 선배님. 저는 시간이 괜찮습니다만."

일어서려다 다시 자리에 앉았다. 창문 밖에는 눈발이 굵어지기 시작했다. 시커먼 콘크리트 바닥은 희끗희끗하게 변했다. 환자가 나가자 선배가 나에게 고개를 돌린다.

"후배! 아프면 나오는 거 말고, 저축성도 있지? 연금 같은 거. 기본이 얼마야?"

"네?"

"아니. 이렇게 눈 오는 날 여기까지 찾아왔는데, 내 뭐라도 하나 해 줄게. 지금 들어

가는 게 많아서 큰 거는 못 해 주고."

"아뇨 선배님, 그러지 않으셔도 됩니다."

"그냥 하나 해 주고 싶어. 도움 되면 작은 거라도 하나 가입할게. 저축하는 셈 치면 되지. 다음에 적금 하나 끝나면 그때 큰 거 하나 해 줄게."

"괜히 안 그러셔도 되는데……."

첫눈이 감성을 자극했을까? 선배는 그날 바로 계약을 했다. 생면부지로 만나 1시간 만에 보험을 계약하다니! 나조차도 놀랐다.

보험은 다른 상품과 달리 눈에 보이지 않는다. 판매하는 사람을 믿을 수 있어야 구매가 가능하다. 재무설계사에게 필요한 덕목으로 '신뢰'를 강조하는 이유가 여기에 있다. 눈에 안 보이는 상품을 사려면 판매자를 믿을 수 있어야 한다. 그날 선배는 짧은 시간에도 불구하고 신뢰감이 생겼다. 왜일까? 내가 믿음이 가는 얼굴이라서? 특별한 말과 행동으로 마음을 움직여서? 설마 그럴 리가!

이유는 하나다. 같은 고등학교 출신이라는 사실! 동문 선후배라는 연결고리 하나가 우리를 가깝게 만들었다. 처음 만난 사이지만 거리감은 이내 사라졌다. 학창 시절 추억을 떠올리며 쉽게 친밀감이 형성되었다.

"한국 사람들은 처음 만나는 사람들에게 너무나도 자연스럽게 호구 조사를 한다. 우연히 길거리에서 마주친 사람이 아니라면 모든 만남에는 구체적인 이유와 목적이 있고 그 이유에 따라서 서로의 공적인 관계가 결정된다. 하지만 한국 사람들은 공적인 관계로는 만족하지 못한다. 그래서 초등학교에서부터 대학교까지, 태어난 곳에서부터 살았던 동네까지, 가족 관계는 어떻게 되는지, 사돈의 친구의 친구까지 파헤쳐서 어떻게든 사적인 관계를 찾아내고자 한다. 그래야 진정으로 서로를 알게 되었고 통했다는 느낌에 만족감을 느낀다. 그런 거대한 네트워크 속에서 상대방과 자신만의 고유한 연결성을 찾는 데서 한국 사람들은 '우리성(weness)'을 경험하며, 편안함을 느끼는 것이다."

(허태균, 《어쩌다 한국인》, 중앙북스, 2016, 134쪽)

허태균 교수의 지적처럼 한국인은 '우리' 속에서 편안함을 느낀다. 특별한 이유가 없다. '같은 집단 출신'이라는 사실을 알면 그냥 편안해진다. 희한하다. 아무 근거가 없다. 난생 처음 보는 사람이라도 같은 지역, 같은 학교 출신이라는 이유만으로 동질감을 느낀다. 약국 선배가 나에게 보여 준 호의도 친근함을 느꼈기 때문이다. "왠지 남 같지 않다"는 말, 우리는 그런 표현을 종종 한다.

한국인은 '우리' 속에서 사람을 찾아야 한다. 서양인들이 보편적인 기준에서 사람을 대한다면 한국인들은 같은 집단의 사람들을 편애한다. '우리'라는 울타리 속에서 편안한 관계를 맺는다.

재무설계사는 끊임없이 새로운 사람을 만나 컨설팅을 하고 계약을 유치하는 사람이다. 새로운 사람을 계속 찾아야 한다면 어디에서 구해야 할까? 누구를 계속 만날 것인가? 답은 밖에 있지 않다. 우리 안에 있다.

아, 약사 선배와는 그 후 어떻게 되었냐고? 여전히 잘 지낸다. 매번 약값도 잘 받지 않으신다. 15년 가까운 세월이 흘렀지만 좋은 관계를 유지하고 있다. 아마 앞으로도 그러겠지. 당연하다. '우리'라는 끈은 쉽게 끊어지지 않기 때문이다.

02

'우리' 속에서 사람을 찾아라

"당신을 소개해 보세요." 살다 보면 누군가에게 나를 소개할 때가 있다. 처음 만난 사람에게 나를 설명하는 상황을 떠올려 보자. 무슨 말부터 하는가? 어떤 단어부터 떠오르는가? 잠시 생각해 보기 바란다. 책을 덮고 잠깐만 떠올려 보자. 비즈니스로 만난 자리든, 사생활로 만난 사람이든 상관없다. 어떤 단어, 무슨 내용으로 설명할 수 있는지 잠깐 메모를 해 보자. 길게 쓸 필요도 없다. 몇 개 단어로도 충분하다. 나를 표현할 때 무엇이 먼저 생각나는가?

자기소개서는 나를 설명하는 글이다. 대부분 학교나 회사에서 쓴다. 써 본 지 오래된 사람들은 기억을 더듬어 보자. 어떤 내용이 들어 있었는가?

보통은 '부모'에 대한 이야기로 시작한다. 그때 등장하는 아버지는 엄격하고 부지런한 분이다. 어머니는 자식들을 위해 희생하는 이미지로 그려진다. 그런 부모 밑에서 자란 나는 풍족한 형편은 아니었지만(또는 여유 있는 경제 환경이었다 하더라도), 근검절약을 배우며 자란 젊은이로 묘사한다. 형제들과 우애가 좋은 것도 빠지지 않는다.

가족 관계를 서술한 후에는 '지역'으로 넘어간다. 태어나고 자란 곳을 언급한다. 출신 지역은 '뿌리'라고 표현하기도 한다. 가족 관계와 고향을 얘기하고 나면 출신 학교에 관한 내용이 이어진다. 학교에서 했던 활동에 대해 기술이 이어지고 무엇을 배우고 느꼈는지 적는다.

가족, 지역, 학교 얘기를 한 후에는 자기 자신을 설명한다. 능력, 성격, 장단점, 취미를 나열한다. 흔히 썼던 자기소개서는 대략 이 정도로 구성된다.

여기서 알 수 있는 내용이 하나 있다. '타인과의 관계'를 통해 나를 설명했다는 사실이다. 우리는 가족 관계, 고향, 출신 학교를 설명하지 않고서는 자신을 소개하지 못한다. 놀랍지 않은가? 나를 설명하는데 온전히 '나'에 대한 설명으로 표현하지 않았다니!

한 가지 더, 한국에서 여자는 결혼하면 자기 이름을 쓰는 일이 줄어든다. 전업주부라면 더 그렇다. 누구 부인, 누구 엄마로 부르는 일이 대부분이기 때문이다. 역시 다른 사람과의 관계로 자기를 표현한다. 같은 맥락이다.

> "일례로 누군가에게 '당신은 누구인가?'하고 물으면, 대부분 '어느 집안의 아들 또는 딸'이거나 '어느 학교의 학생', '어느 회사의 직원'이라고 답한다. 누구와 같이 있으며, 어디에 소속되어 있는지, 사회적 역할이 무엇인가 하는 것이 자신을 가장 잘 나타낸다고 믿는 것이다. 여기에 한 개인으로서 특성이나 행동 방식, 삶에 대한 이야기는 끼어들 여지가 거의 없다. (……) 나의 정체는 '나'가 아니라 내가 속한 가족이나 직장, 학교 등 집단으로 쉽게 확인되기 때문이다. 우리는 이것을 한국인의 집단주의라고 해석한다. 집단과 개인을 동일시하려는 성향이 강하다는 것이다."
> (황상민, 《한국인의 심리코드》, 추수밭, 2015, 27~28쪽)

한국인은 공동체와 분리된 나를 상상하기 어렵다. 스스로를 떼어 내 생각하는 일이 어색하기만 하다. 누군가의 자식, 친구, 아빠, 엄마로 존재해 왔기 때문이다. 어떤 단체의 구성원으로 인식하며 살아왔다고 할까. 집단

내의 상호 관계를 떠나 개인을 설명하는 일은 불가능에 가깝다. 사람은 독립된 존재가 아니라 '상호 연결된 존재'라고 생각하기 때문이다. "당신은 누구십니까?"라는 질문에 오롯이 '나'만 떠올리지 못한다.

반면, 서구 사회에서 자신을 설명하는 일은 집단과는 상관없다. 구분된 존재로 인식한다. 무엇에 관심이 있고 성격이 어떠한지, 무엇을 잘하는 지로 나를 설명한다. 어떤 집단에 소속되어 있어도 그 집단과 나를 분리해서 생각한다. 모든 사람을 '독립된 존재'로 인식하기 때문이다. '독립성'으로 표현되는 서양 사회와 '상호 의존성'으로 나타나는 한국 사회, 두 사회는 이렇듯 전혀 다르다.

동서양 문화의 차이를 심리학자 리처드 니스벳은 '저맥락 문화와 고맥락 문화'의 개념을 통해 설명하고 있다. 조금 길고 어려울 수 있는 설명이지만 동서양 차이점을 자세히 이해하기 위해 몇 단락을 읽어 보자. 핵심은 내(內)집단과 외(外)집단에 대한 동서양 관점의 차이이다.

> "인류학자인 에드워드 홀(Edward Hall)은 이러한 차이를 '저맥락(low context)'사회와 '고맥락(high context)'사회의 구분을 통해 설명하였다. 저맥락 사회인 서양에서는 사람을 맥락에 서 떼어 내어서 이야기하는 것이 가능하므로, 개인은 맥락에 속박되지 않은 독립적이고 자유로운 행위자로서 이 집단에서 저 집단으로, 이 상황에서 저 상황으로 자유롭게 옮겨 다닐 수 있다. 그러나 고맥락 사회인 동양에서 인간이란 서로 긴밀하게 연결되어 있는 유동적인 존재로 주변 맥락의 영향을 크게 받는다. (……)동양인들은 자신들이 속한 내집단에 대해서는 강한 애정을 보이지만, 외집단이나 그저 아는 사이인 사람들에게는 상당한 거리를 둔다. 그들은 자신이 내집단의 다른 구성원들과 매우 유사하다고 느끼고, 그들을 외집단 구성원보다 훨씬 더 신뢰한다. 그러나 서양인들은 자신과 내집단 사이에도 일정한 거리를 두고 싶어 하며, 내집단이나 외집단원을 크게 구분하지 않는 보편주의적 행동 원리를 따른다."
>
> (리처드 니스벳, 최인철 옮김, 《생각의 지도》, 김영사, 2009, 54~56쪽)

리처드 니스벳의 설명에 공감할 수 있는가? 한국과 같은 동양 사회에서 개인은 주변 맥락에 영향을 받는다. 개인 행위가 독립적인 행동으로 간주

되지 않고 타인과의 관계로 풀이된다. 사람은 단독으로 존재할 수 없고 남들과 더불어 살아간다고 생각하기 때문이다. 이런 환경에서 인간관계의 조화는 자연스럽게 사회생활의 목표가 된다.

이런 사회에서 무엇이 우선시될까? 타인과의 관계가 가장 중요한 관심사가 된다. 공동체 구성원을 신뢰하지 않고 생활하기란 불가능에 가깝다. 서로를 믿고 의지할 때 공동체의 삶이 가능해진다. 집단 내부에 있는 사람을 믿어야 한다. 우리끼리 똘똘 뭉쳐야 행복해진다. 내가 속한 집단에 더 애정을 보이고 바깥 집단을 멀리하는 태도는 이런 이유 때문이다. 한국과 같은 고맥락 사회에서 내(內)집단에 대한 신뢰는 문화적 결과라고 봐야 한다.

일본 문화를 설명할 때 나오는 '우치'와 '소토'도 고맥락 사회를 설명하는 개념이다. '內(うち,안, 우치)'와 '外(そと,밖, 소토)', 일본에서 우리 편인지 아닌지를 가지고 사람을 구분하는 말이다. 우치와 소토를 명확하게 구분하고, 상대편을 공격까지 하면 '이지메'가 된다. 한국에서도 사회 문제가 되는 '왕따' 현상은 일본의 '이지메'와 같은 개념이다.

내가 속한 집단만 편애하고 외부인을 배척하는 마음이 극단적으로 표출된 형태가 바로 이지메다. 집단 내 사람들끼리만 뭉쳐 외부 사람을 괴롭히고 공격하는 일이다. 일본에서는 학교에서 없어져야 할 고질적인 문제로 보고 개선의 노력을 하지만 쉽게 없어지지 않는다고 한다. 안타까운 일이다. 수천 년간 형성된 문화적 특성은 사람들의 성향도 고착화시켰다. 정도의 차이만 있을 뿐 내집단을 신뢰하고 외집단을 배척하는 기질은 한국과 일본이 같다. 우리 편만 좋아하는 고맥락 사회가 가진 단점이다.

한 가지 덧붙이자면, 내집단에 대한 편애는 '불확실성 회피 문화'때문이기도 하다. 《행복 소통의 심리》에서 나은영 교수는, '내집단 편애(ingroup favoritism)' 성향은 집단주의 문화와 불확실성 회피 문화가 합쳐져 나타나는 현상이라고 설명한다.

처음 대하는 사람과 사물을 잘 수용하는 태도를 '수용 문화'라 하고, 배척하고 두려워하는 기질을 '불확실성 회피 문화'라고 한다. 우리는 어느 쪽이겠는가? 낯선 사람을 잘 받아들이는가? 일상에서 쓰는 말에 답이 있다.

"우리가 언제 봤다고 친한 척하지?"

"모르는 사람하고는 거래 안 해요."

짐작했겠지만 한국인은 불확실한 상황을 싫어한다. 불확실성 회피 문화다. 아는 사람만 받아들인다. 어딜 가나 '신원보증'을 요구하는 일만 봐도 알 수 있다. 낯선 사람은 일단 불신하기 때문이다.

불확실성 회피 기질과 고맥락 사회의 특성이 합쳐져 내집단을 더 신뢰하게 만든다. 다른 집단 사람은 배척하고 나와 같은 집단의 사람만 감싼다. 사회적 문제가 되기도 한다. 더 뛰어난 능력을 보이는 외부 사람보다 좀 떨어지더라도 동일 집단의 사람을 선택하기 때문이다. 바람직하지 않지만 현실이 그렇다. 한국인의 특성과 문화가'우리'만 편애하게 만들었다.

"당신은 누구십니까?"글을 시작하며 처음 했던 질문에 어떤 답을 했는가? 그때 떠올리거나 메모했던 내용을 확인해 보자. 나를 소개하는 말을 쓸 때 무엇으로 시작했는지. 오롯이 나만 설명했는가? 아니면 가족 관계, 출신 지역, 졸업학교로 나를 설명했는가? 만약 관계로 나를 설명했다면 당신도 전통적인 한국인임을 인정해야 한다(이래서 핏줄은 속일 수 없다). 성향과 기질로 판단할 때 당신이 영업인으로서 만날 사람은 정해졌다. 바로 '내집단'이다.

'우리' 속에서 사람을 찾아야 한다.

상담을 잘해도 결과는 '관계'가 만든다

'설득'이란 무엇인가? 사전에서 찾아보면 "상대편이 이쪽 편의 이야기를 따르도록 여러 가지로 깨우쳐 말함"이라고 정의되어 있다. 정의에 따르면 설득이란 뭔가를 '말하는' 행위다. 그래서일까? 설득이란 단어를 대하면 강력한 어조로 호소하는 장면이 먼저 떠오른다. 스스로에게 물어보자. 누군가를 설득할 일이 생기면 어떻게 말할지부터 고민하지 않는가?

그러나 실제 사람을 설득하는 일은 꼭 말하기가 아니다. 사실 설득은 상대에게 어떤 행동을 하도록 그 근거를 주장하는 '말'이 아니다. 내 생각을 표현하는 일이 아니고, 상대방을 변하게 하는 행동이다. 설득은 내가 아니라 상대방을 위한 행위다. 얼마나 논리적으로 말을 하느냐는 중요하지 않다.

아리스토텔레스는 설득과 관련하여 다음의 이야기를 남겼다.

"마음에 호소하는 것은 머리에 호소하는 것보다 강하다. 머리에 호소하면 사람들이 고개를 끄덕이게 할 수 있지만, 마음에 호소하면 사람들을 당장 움직일 수 있게 만든다.”

머리가 아니라 마음에 호소하라는 말이다. KFC 창립자 커넬 샌더스(Harland David Sanders)도 비슷한 말을 남겼다.

“사람을 이해시키는 건 논리지만 결국 움직이게 만드는 건 감정과 이해관계다.”

아리스토텔레스의 말과 같은 뜻이다. 이해하는 데 그치지 않고 행동하게 만들려면 감정이 있어야 한다.

하버드 정신의학부 교수인 다니엘 샤피로(Daniel Shapiro) 역시 ‘감정’에 초점을 둔다. 《원하는 것이 있다면 감정을 흔들어라》에서 그는 “협상에서 감정을 배제해야 한다”는 주장은 틀린 말이라고 반박한다. “긍정적 감정을 자극하라”고 얘기하며, 더불어 협상 상대와 좋은 관계가 필수임을 강조한다.

와튼 스쿨 최고의 인기 강사인 스튜어트 다이아몬드(Stuart Diamond)는 협상에 관해 다음과 같이 설명한다. 역시 ‘감정’에 초점을 맞추고 있다.

> “협상을 할 때 가장 먼저 할 일은 상대방의 그날 기분과 상황을 파악하는 일이다. 설령 평소 상대방의 성격과 상황을 손바닥 들여다보듯 잘 아는 사람이라고 해도 말이다. 과거에는 주로 협상의 사안과 이익에 초점을 맞춘 후, 이에 맞춰 어떤 제안을 할지 궁리하는 식이었다. 하지만 진짜 효과적인 협상법은 상대방에 초점을 맞추는 것이다. 오늘 상대방의 기분은 어떤지, 지금 이 상황을 어떻게 인식하고 있는지 파악해야 한다.”
> (스튜어트 다이아몬드, 김태훈 옮김,《어떻게 원하는 것을 얻는가》, 8.0, 2012, 42쪽)

다이아몬드 교수는 협상을 할 때 상대방 기분이 중요하다는 점을 강조하고 있다. 그에 따르면, 호감이나 신뢰처럼 ‘인간적인 면’이 협상의 성패에서 55%를 기여한다. 37%는 절차적인 요소이고, 대부분의 사람들이 공을 들이는 지식적인 측면, 즉 내용은 고작 8%다.

고대 아리스토텔레스부터 오늘날의 다이아몬드 교수에 이르기까지 강조하는 바가 같다. 설득은 논리가 아니라 감정이다. 마음을 움직이게 하고 행동하도록 하는 힘은 바로 감정에 있다.

여기서 또 한 가지 주목할 일이 있다. 마음을 움직이게 하는 행동은 서로 만났을 때 이루어진다는 사실이다. 얼굴을 봐야 대화를 하고 감정도 자극할 수 있다. 즉, 직접 만나야 한다.

그런데 한국 사회는 좀 다르다. 만남과는 별도로 마음에 영향을 줄 수도 있다. 직접 만나서 서로에게 영향을 미치는 행동과는 상관없이 선입견이 만들어진다. 사전에 이미 형성된 연줄과 관계에 따라 호감이 생길 수 있다는 뜻이다. 사회적 관계가 첫인상까지 좌우한다고 할까.

설득은 감정을 움직이는 일이다. 그리고 한국인의 감정은 관계에 의해 이미 만들어지기도 한다. 《손자병법》에서는 싸우기 전에 이미 이긴 상황을 실제 전쟁을 통해 확인하는 것이라고 했다. 마찬가지로 한국인을 설득하는 일은 만나기 전에 이루어지는 측면이 강하다.

서구 사회에서 호감은 상대를 배려하고 존중할 때 생긴다. 이런 감정은 서로 만나서 의사소통하는 과정에서 싹튼다. 백지 상태로 만나 느낌을 하나씩 채워 가는 과정이라고 할까. 이에 반해 한국에서는 어떤 관계가 상대방에 대한 이미지를 만들어 놓는다. 백지가 아니라 밑그림이 그려져 있는 셈이다.

결국 서양 사람들의 시각에서 누군가를 설득하는 일은 철저히 '개인'에 맞춰져 있다. 사람을 만나 감정을 어떻게 긍정적으로 자극할까 하는 개인적 관점이라고 볼 수 있다. 반면, 한국 사람들을 설득하는 일은 '관계'라는 큰 틀에서 출발해야 한다.

"미안합니다. 그동안 상담 잘해 주시고, 좋은 정보도 많이 주셨는데 아무래도 이 보험 계약은 친구한테 해 줘야 할 것 같습니다."

"네? 원장님, 그게 무슨 말씀입니까? 제가 실수한 부분이라도 있습니까?"

"그런 건 아닙니다. 다만……."

"그럼 왜……? 괜찮습니다. 말씀해 주시죠."

"서울에 있는 대학 친구가 보험 회사에 근무합니다. 최근 들어 자주 내려와 부탁하는데 거절하기 어렵네요."

"아, 그래도 보험은 장기 계약인데 친분 관계를 떠나 결정해야 되지 않습니까?"

"저한테 잘해 주신 것을 생각하면 당연히 해 드려야 하는 건데, 정말 면목 없습니다. 다음에 다른 계약을 할 때는 꼭 연락드리겠습니다."

"……."

요샛말로 '멘붕'이었다. 소개를 받아 진행했던 상담 건이었다. 첫 만남에서 좋은 인상을 주었고 서로 호감을 느꼈다. 이후 상담도 잘했다. 세금과 관련해서 궁금한 사항들도 해소하고 여러 가지 의문 사항들도 해결했다. 상담에 만족하는 모습을 보면서 당연히 계약을 기대했는데, 결과는 의외였다. 상담을 하는 순간에는 그도 나에게 계약을 하려고 생각했겠지만, 친한 친구의 부탁을 외면할 수 없었으리라.

물론, 반대의 일화도 있다. 오래전 업계 전체에 새로운 상품이 나왔을 때다. 대대적으로 그 상품을 홍보했고, 방송 광고도 하던 시절이다. 어느 날 기존 고객으로부터 전화가 걸려 왔다. 먼저 연락을 하는 분이 아니어서 휴대폰을 열며 살짝 긴장을 했다. 최근에 방문을 못 해서 불만이 있는 건가, 아니면 다른 안 좋은 일이 있나 걱정하며 전화를 받았다.

"반갑습니다. 잘 지내셨죠?"

"나야 늘 똑같죠. 공선생도 잘 있지요? 요즘 바쁜 모양이네. 병원에 한번 안 들르고. 언제 시간 날 때 와요. 얼굴 좀 봅시다. 내 물어볼 일도 좀 있고."

"네. 그럼 다음 주에 찾아뵙겠습니다."

전화를 끊고 잠시 생각을 했다, 특별히 불만은 없어 보이는데, 무슨 일이지? 이런 저런 생각을 하며 방문을 했다. 막상 가 보니 기대하지 않은 선물이 나를 기다리고 있었다.

"2주 전부터 A사(보험 회사)에서 전혀 모르는 사람들이 몇 번이나 찾아왔어요. 팀장도 오고, 다음에는 지점장도 같이 와서 소개하는 상품이 있더라고. 괜찮아 보이던데, 혹시 그쪽 회사에서도 취급해요? 있으면 하나 하려고. 마침 적금도 끝난 게 있어서."

"네. 저희 회사도 비슷한 상품이 있습니다. 안 그래도 한번 말씀드려야지 했는데, 설명은 다른 회사에서 듣고 저에게 전화를 주셨네요. 원장님, 고맙습니다."

"그래요. 잘되었네. 이왕 할 거면 아는 사람한테 해 줘야지. 좋은 상품 있으면 가끔 와서 소개도 해주고 그러세요. 맨날 병원 안에 갇혀 있는 우리가 아는 게 있나? 모레 시간 되면 점심이나 같이 먹든지?"

"네. 그럼 모레 다시 오겠습니다."

병원을 나서는 발걸음이 가벼웠다. 열심히 설명하고 갔던 누군가에게는 미안한 일이지만, 어차피 세상은 돌고 도는 법! 그 사람도 이 건은 뜻대로 되지 않았지만 다른 곳에서 똑같은 행운이 찾아오리라.

모든 일의 뒤에는 '관계'가 있다. 아무리 상담을 잘해도 그게 전부가 아니다. 논리적으로 호소하고 감정을 흔들어도 결과는 '관계'가 만드는 경우가 많다. 상담은 누구에게나 받을 수 있지만 가입할 때는 친한 사람을 찾는다. 한국인이 가진 보편적인 정서다. 능력이 있고 없고는 이차적인 문제다. 유능함도 무시할 수 없는 판단 기준이지만, 관계가 더 중요한 요소로 작용할 때가 많다. 능력을 기르는 일도 중요하지만 좋은 관계를 만드는 노력이 더 소중한 이유다. 보다 많은 사람과 친구가 되기 위해 애를 써야 한다.

《사람을 남기는 관계의 비밀》에 소개된 일화가 있다. 세계대전 후 프랑스 재건에 앞장섰던 '장 모네(Jean Monnet)' 얘기다. 모네 플랜을 통해 프랑스 부흥에 힘썼고, 나중에는 유럽공동체 의장까지 지낸 인물이다. 그가 어린 시절 영국으로 유학을 떠날 때 아버지는 이런 말을 했다고 한다.

"공부를 마치고 돌아올 때는 지금 가지고 가는 책은 가지고 오지 말거라. 대신 많은 친구를 사귀어서 돌아와야 한다."

기억하고 싶은 멋진 말이다. 유학을 통해 남길 대상은 책이 아니라 사람이다.

다니엘 샤피로 하버드대 교수는 "원하는 것이 있다면 감정을 흔들어라"는 조언을 했는데, 살짝 바꾸고 싶다. 한국인에게 더 맞는 표현으로!

"원하는 것이 있다면 친구가 되어라."

04

내가 살아온 길에 답이 있다

혈연·지연·학연은 대한민국을 움직이는 3대 연줄이다. 우리가 인정하든 안 하든 한국에서의 사회생활은 이런 연고가 작용할 때가 많다. 부작용과 폐단도 있지만 잘 없어지지는 않는다. 전통적 연고주의는 한국 사회를 설명하는 중요한 특징 중 하나라고 할 수 있다.

2012년에 개봉한 '범죄와의 전쟁 : 나쁜 놈들 전성시대'라는 영화가 있다. 민생 치안을 위해 범죄와의 전쟁을 선포했던 1990년 '10·13 특별선언' 전후가 시대 배경이다. 평범한 공무원이었던 최민식(최익현 역)이 범죄자들과 어울려 사업하는 모습이 전개된다. 그 과정에서 혈연관계를 이용하는 장면이 나온다. 범죄 조직 두목 하정우(최형배 역)와 관계를 맺기 위해서 혈족을 활용한다. 이어서 불법 사업의 뒤를 봐줄 검사를 만날 때도 집안 어른을 동원한다. 종친회 모임을 통해 미리 친해진, 검사의 삼촌이 가교 역할을 한다. 먼 친척인 부장 검사를 만나는 장면에서 주고받는 대사가 재미있다.

주인공 최민식과 종친 어른이 사무실 문을 열고 들어서자 부장 검사가 뛰어오며 반긴다.

"어이구 삼촌, 오셨습니까?"

"아이고 그래 우리 주동이, 어찌 잘 지냈나?"

인사말을 건네며 바로 최익현을 소개한다.

"인사해라. 여는 저번에 와 내가 얘기 한번 안 하드나? 우리 집안사람 최익현 씨다."

"아, 예. 반갑습니다. 최주동(검사)입니다."

하며 깍듯이 허리를 구부려 인사를 한다.

"반갑네, 최 검사. 하하하."

두 사람이 환하게 웃으며 악수를 할 때 옆에 있던 어른이 한마디 거든다.

"익현 씨는 니하고 마 촌수로 따지면 한 10촌쯤 되는기라. 그러니까 가만 있자…… 아, 그래 맞다. 느그 아부지, 그 우리 형님의 할부지의 9촌 동생의 손자가 바로 익현 씨인기라."

"아, 예. 반갑습니다. 하하하."

화기애애한 분위기가 이어진다. 이 대화 장면을 보고 있자면 가볍게 웃게 된다. 대화의 끝부분에서 알 수 있듯 주인공 최익현 씨와 소개를 받는 최주동 검사는 촌수로 굉장히 먼, 실제로는 남에 가까운 사이이다. 그럼에도 불구하고 종친 어른은 최익현을 '우리 집안'사람이라고 표현한다. 남과 같은 사이였지만 소개자 한마디가 두 사람을 묶어 놓는다.

그 후 영화 속에서는 검사가 경찰서장에게 전화를 걸어 주인공 최익현을 변호하는 장면이 나온다. 이후에도 주인공이 위기에 처할 때마다 나서서 해결해 준다. 집안사람이니 덮어놓고 도와주는 모습이다.

혈연은 강한 결속 관계를 만든다. 혈연관계에서 어떤 사건에 대한 판단은 객관적으로 이루어지지 않는다. 상황에 대한 옳고 그름을 따지지 않고, 무조건 편들고 감싸 주는 특별한 사이가 된다. 관계가 가진 특수성이 보편적인 사고방식을 무너뜨리기 때문이다.

혈연과 함께 '지연'도 강한 연줄로 작용한다. 처음 만나는 사람이 같은 지역 출신이라는 사실에 우리는 동질감을 느낀다. 같은 억양을 쓰는 사람을 만나면 반갑다. 자신들만 알아들을 수 있는 지역 방언을 들으면 쉽게 공감대가 형성된다. 경계심이 사라지고 쉽게 마음도 열린다. 언어 사용은 남을 모방하는 습성이 있어 지역 사람들끼리는 동일한 상황에서 같은 표현을 쓴다.

예를 들어 식당에서 공깃밥을 추가할 때 어떤 지역 사람들은 "여기, 공기 하나 더 주세요."라고 말한다. 처음 들었을 때 신선했다. 나는 그때까지 "공깃밥 하나 주세요." 또는 "밥 하나 더 주세요."라는 표현만 들어 봤기 때문이다. 그러다 다른 사람이 또 공깃밥을 '공기'하고 말하는 모습을 보면서 그 말투가 생각났다. 확인해 보니 그 두 사람은 같은 지역 사람이다. 사소해 보이지만 지역에 따라 주로 쓰는 어휘나 어투가 다르다는 사실을 알 수 있었다. 비슷한 언어를 사용하는 사람끼리 더 친밀감을 느끼는 일은 당연하다. '지연'도 사회적 관계를 만드는 중요한 요소가 된다.

또 한국 사회에서 새로운 사람을 만났을 때 종종 물어보는 말이 있다.

"학교는 어디 나오셨어요?"

출신 학교를 확인하는 질문은 '연결된 끈'을 찾는 일이다. 처음 만난 사람이 동문이라는 사실을 알게 되면 태도가 변한다. 일적인 관계로 만나 서로 존댓말을 하다가도 서로 같은 학교를 졸업했다는 사실을 아는 순간 말투는 달라진다.

"참, 고등학교는 어디 나오셨어요?"

"저는 ○○고 나왔습니다."

"어! 저랑 같은 학교시네요. 혹시 몇 회 졸업생이세요?"

"저는 25회입니다."

"아이고! 선배님이시네요. 저는 30회입니다. 여기서 선배님을 뵙게 되네요. 어쩐지 남 같지 않더라고요. 하하하. 형님, 말씀 편하게 하십시오."

"30회라고? 더 젊어 보이는데, 하하. 후배 반갑네."

"형님, 정말 반갑습니다."

처음 만난 사이지만 순식간에 형님 동생 하는 사이가 된다. 실제 사회생활에서 경험하는 일이다. 동문 선후배라는 사실이 딱딱한 관계를 허물어뜨린다. 격식을 차리지 않고 편하게 대화하는 사이가 된다. 말이 편해지면서부터는 개인사에 대해서도 스스럼없이 질문한다. 인간적으로도 더 빠르게 친해진다.

한국 사회에서 학연은 강력한 유대 관계를 만든다. 사람과 사람이 만나 서로를 알아 가는 과정에서 개인의 성격과 특징은 두 번째다. 그가 나온 학교, 소속 집단이 더 큰 영향을 미친다. 그 사람의 정체성을 성격과 생각으로 설명하지 않고 그가 속한 단체, 출신 학교로 규정한다.

한국 사회에서 혈연, 지연, 학연을 중시하는 경향은 수천 년간 쌓여 온 문화의 산물이다. 낯선 곳에서 환영받지 못하고 '우리' 집단 안에서 대접받는 일은 당연해 보인다. 그러니 영업을 하는 사람 입장에서는 이러한 특성을 고려해야 하지 않을까.

영업 대상을 누구로 삼을까? 우리가 만나야 할 사람을 어디에서 찾을까? 왜 많은 영업인들이 동문회에 참석하고 향우회, 종친회 등 각종 모임을 나가겠는가? 답은 뻔하다. 그 단체 사람들이 나에게 우호적이기 때문이다.

이질적인 집단에서 가망고객을 찾으려고 하지 마라. 만날 고객은 내가 살아온 길에 있다. 지금까지의 인생을 돌아보면 그 속에 우호적인 사람들이 있다. 엉뚱한 곳을 기웃거리지 마라. 낯선 사람을 애써 만나려고 하지 마라. 나를 이방인으로 보는 사람에게서 얻을 수 있는 영업 결과가 따뜻한 시선으로 보는 사람과 어찌 같겠는가?

우리는 이미 답을 알고 있다. 부정하려고 하지 마라. 당신과 조금이라도 연결된 끈이 있는 사람을 찾아야 한다. 만나야 할 사람은 내 안에 있다.

05

선택한 고객에게 집중하라

보험 상품의 특성에 대해 말할 때 '비자발적'이라는 말이 있다. 비자발적 상품이란 고객을 직접 찾아가서 권하지 않는 한 고객이 스스로 구매하지 않는 경향을 보이는 상품을 말한다. 쉽게 말해 보험을 자기 발로 찾아가서 가입하는 사람은 드물다는 뜻이다.

이에 반해 '자발적'상품은 소비자가 스스로 구매한다. 10, 20대들에게 스마트폰이 그렇다. 대부분의 남성들에게 자동차, 여성들에게 가방과 액세서리가 해당된다. 누군가 옆에서 권하지 않아도 스스로 찾아서 사고 싶어 하는 물건이다. 이미 갖고 있어도 경제적 여유가 생기면 더 새롭고 좋은 상품을 원한다.

그럼 이제 다음 질문을 생각해 보자. 비자발적 상품을 판매하는 데 있어서 가장 중요한 과정은 무엇일까? 자발적 상품은 찾아오는 고객을 잘 응대하는 것이 기본이라면 비자발적 상품은 무엇이 중요할까?

정답은 '가능성 있는 잠재고객'을 만나는 일이다. 세일즈 프로세스에서 제일 신경 써야 할 과정은 바로 '가망고객 발굴'이다. 비자발적 상품 판매에 있어 첫 번째로 중요한 문제는 '누구에게 판매할까'이다. 보험업계에서 쓰는 용어로 '프로스펙팅(prospecting)'이 가장 핵심이다.

자발적 상품은 사람들이 늘 구매를 원하는 상품이다 보니 잠재 수요자가 항상 존재한다. 이 경우에는 가망고객을 발굴하는 과정이 따로 필요하지 않다. 잠재 구매자는 늘 존재하기 때문이다. 구매를 문의하는 고객에게 잘 응대함으로써 판매 기회를 잡을 수 있다. 반면 비자발적 상품은 가망고객의 확보가 영업의 시작이라고 할 수 있다.

"효율이란 일을 제대로 하는 것이고 효과란 올바른 일을 하는 것이다."

현대경영학의 창시자로 평가받는 피터 드러커(Peter Ferdinand Drucker)는 '효율과 효과'에 관해 이와 같이 정의했다. 효과를 설명하면서 사용했던 '올바른'이라는 단어에 주목할 필요가 있다. 모든 일이 아니라 올바른 일이라고 강조했다. 드러커의 명언에 빗대어 보험 세일즈 업무를 다음과 같이 정의하고 싶다.

"보험 세일즈에서 효율이란 동일한 시간 속에서 더 많은 사람을 만나는 것이고, 효과란 적합한 사람을 만나는 것이다."

적합한 사람! 이것이야말로 첫 번째 성공법칙이다. 실패하는 영업인들은 효율만을 생각한 나머지 누구라도 만나려고 노력한다. 보다 많은 사람을 만나는 일이 최선이라고 믿는다. 잘못된 믿음이다. 많은 사람을 만나야 한다는 그릇된 생각에 사로잡혀 '적합한' 사람인지에 대한 판단을 하지 않는다. 아니, 판단을 회피한다. 한 명이라도 더 만나려고 '적합한'사람인지를 따지지 않는다.

재무설계사는 많은 사람을 만나야 한다는 강박 관념이 있다. 영업은 누군가를 만나면서 시작하는 일이기 때문이다. 대부분의 세일즈 교육도 많은 사람을 만나라고 강조한다. 그러나 세일즈 프로세스를 시작하기 전에 고민해봐야 한다. 지금 만나려는 사람이 내가 정한 '이상적'인 고객 기준에 맞는 사람인지, 내가 원하는 우수한 잠재고객인지 판단해 봐야 한다.

대면 영업을 하는 사람들에게 가장 힘든 일은 사람에 대한 상처다. 나랑 맞지 않는 사람과 시간을 보내면 그 자체로 스트레스가 된다. 이런 일이 반복되면 사람 만나는 일이 싫어진다. 우수한 능력을 가진 재무설계사가 갑자기 업계를 떠나는 이유는 뭘까? 사람에게서 받은 상처는 그 무엇으로도 치유하기 힘들기 때문이다.

시간은 누구에게나 한정되어 있다. 제한된 시간 속에서 엄선된 사람들만 봐야 한다. 당신이 좋아하는 사람들과 어울려야 지치지 않는다. 존중하는 사람들과 함께할 때 지속적인 영업 활동이 가능하다. 결과를 위해서도 선택된 사람들만 만나야 한다.

1970년도부터 보험 세일즈를 시작하여 40년 이상 탁월한 실적을 유지하고 있는 가이 E. 베이커(Guy E. Baker) 역시 비슷한 맥락으로 '가망고객'의 중요성을 강조한다.

> "솔직히 말하면, 나는 내 커리어 초기에 잘못 설정한 목표에 너무 많은 시간을 낭비했다. 나는 목적이 아니라 살아남아야 한다는 생각 때문에 움직였다. 모르는 사람을 방문하는 것은 두려워하지 않았으나, 내가 정의한 시장에 속하지 않는 구매자를 쫓는데 너무 많은 시간을 썼다. 내가 앞서 언급했듯이, 나는 어디라도, 언제라도 기꺼이 갔다. 나한테 구매하는 데 관심이 있는 사람들과 단지 대화를 하려고 노력하는 동안, 나는 시장을 구축하지 못하고 있었다. 장기적 사업 목표에 도달하는 것을 도와줄 만한 사람들에게, 목적에 따라 말하지는 않았던 것이다. 결과적으로 나의 장기적 목표는 더욱더 도달하기 어려워졌다.(……)판매하기 전에 판매하라. 그러려면 수익성이 없는 구매자를 필터로 효과적으로 제외해야하며, 필터는 당신의 장기적 목표에 맞게 변별력 있게 구성되어야 한다. 이를 무시하면 그만큼 목표에 더디 갈 수밖에 없을 것이다."

(가이 E. 베이커, 윤정숙 옮김, 《와이 피플 바이》, 순정아이북스, 2008, 99~100쪽)

'판매하기 전에 판매하라'라는 말을 되새겨 보자. 상담을 시도하기 전에 가망고객부터 미리 신중히 선택해야 한다는 뜻이다.

2011년 6월 미국 애틀랜타 연차 총회에서 들었던 강연도 같은 의미다. 영국에서 활동하고 있는 부핀더 S. 아난드(Bhupinder S. Anand) 역시 "NO! 라고 말할 고객부터 정하라"는 메시지를 남겼다.

"모든 사람이 우리 고객이 되어야 한다는 생각은 버리셔야 합니다. 우리가 하고 있는 일에 대해 자신감을 갖고 긍지를 느껴야 합니다. 그리고 역량을, 우리가 즐기면서 관계를 맺을 수 있는 사람들과 나눠야 합니다. 그렇지 않으면, 고객층을 제가 '에너지 뱀파이어'라고 부르는 사람들로 오염시키게 됩니다. 그런 고객들은 우리 진을 빼 놓으며, 다 포기하고 싶게끔 만드는 사람들입니다."

'에너지 뱀파이어'라는 표현이 과하게 들리는가? 그러나 영업인이라면 스스로 솔직해야 한다. 아난드 말에 동의하지 않는가? 우리 모두는 성인군자가 아니다. 모든 고객이 나를 좋아할 수 없고, 나 역시 그들 전부를 좋아할 수 없다. 고객이 나를 선택하듯이 우리도 고객을 고르고 선별해야 한다. 선택한 고객에게 집중해야 한다.

자동차 세일즈를 통해 12년 연속 세계 기네스북에 오른 조 지라드(Joe Girard) 역시 비슷한 말을 했다. 어떤 분야에서든 최고는 같은 관점을 갖고 있다는 사실을 알 수 있다. 《누구에게나 최고의 하루가 있다》에서 조 지라드는 디트로이트 자동차 업계에서 널리 쓰는 '무우치(Mooch)'란 용어를 설명하고 있다.

'무우치'란 구매 의사는 없으면서 여기저기 배회하며 사은품 같은 공짜만 밝히는 사람을 말한다. 구매는 하지 않으면서 구경만 취미 생활로 하는 이들이다. 이것저것 물어보면서 우리의 시간을 가져가는 사람들이다. 이런 부류의 사람들에게 에너지를 빼앗겨서는 안 된다. 지라드는 '무우치'를 외면하라고 조언한다.

보험 세일즈에서 '편애'는 성공으로 가는 길이다. 우리가 만나는 모든 사람이 고객이 될 수 있다고 착각하지 마라. 모든 사람들에게 잘해 주겠다는 말은 아무에게도 잘하지 않겠다는 뜻이다. 비즈니스는 소수만 선택해도 된다. 모두를 배려할 필요가 없으며, 그렇게 할 수도 없다. 선택한 소수에게만 소중한 자원인 시간과 열정을 쏟아야 한다. 그러니 영업 활동에 앞서 스스로에게 먼저 질문을 하자. 내가 원하는 '이상적'인 고객이 누구인지? 오랜 시간 함께하고 싶은 사람이 누구인지?

06

혹시나 하는 기대감을 버릴 용기

월스트리트 역사상 가장 탁월한 수익을 거둔 펀드매니저를 아는가? 그 이름은 '피터 린치(Peter Lynch)'다. 피델리티 인베스트먼트에서 일했던 피터 린치는 마젤란 펀드를 세계 최대 뮤추얼 펀드로 키워낸 투자자로 평가받는다. 그는 1977년 5월부터 1990년 5월까지 13년간 마젤란 펀드를 운용하며 누적 수익률 2,703%, 연평균 수익률 29.2%라는 경이적인 기록을 남겼다. 10년이 넘는 기간 동안 시장 수익률을 능가한 사람은 월스트리트 역사를 통틀어 워런 버핏과 피터 린치, 단 두 명뿐이라고 하니 얼마나 탁월한 실적이었는지 알 수 있다.

더욱 놀라운 일은 그 다음이다. 린치는 한참 전성기였던 47세에 은퇴를 결심한다. 직업적으로 더 큰 성공이 기다리고 있었는데, 가족에게 돌아가겠다며 일을 그만둔다.

업계를 떠나는 과정에서도 피터 린치는 직업인으로서 양심을 보여 준다. 명성이 워낙 뛰어나서 회사는 그에게 명의만 걸어 두는 새로운 펀드 상품을 제안한다. 말 그대로 '피터 린치'이름만 내세우고 실제 운용은 다른 펀드매니저들이 하는 방식이다. 이름값으로 제시된 보수만 1,500만 달러가 넘었다고 하니 피터 린치가 그 당시 월스트리트에서 얼마나 대단한 존재였는지 짐작이 간다. 그러나 피터 린치는 이 제안을 거절했다. 그때 남긴 말은 금융인이라면 한번 되새겨 볼 만한 이야기다.

> "펀드매니저는 펀드 규모와 관계없이 운용에 전념해야 하고 자신의 주식은 자신이 직접 골라야 한다는 게 그의 투자 철학이었기 때문이다. 수백 명의 애널리스트와 다른 직원의 도움이 있다 해도, 결국 투자와 관련된 최종 결정을 펀드매니저 자신이 내려야 하며, 이런 결정을 위해서는 모든 시간을 기업 연구에 쏟아야 한다는 게 그의 지론이다. 월스트리트가 그를 최고의 펀드매니저로 손꼽는 것은 바로 이 같은 소신 때문일 것이다."
> (박정태, 《대가에게 배우는 투자의 지혜》, 김&정, 2007, 97쪽)

엄청난 돈을 쉽게 벌 수 있는 유혹을 뿌리치며 남긴 말이다. 피터 린치는 소신을 지킨 사람이다. 가족들과 시간을 보내기 위해, 모든 시간을 기업 연구에만 쓸 수 없어 떠나겠다는 발언은 놀랍다(그는 세 딸 생일은 잊어버리면서 수많은 기업 데이터는 외우고 있는 자신에게 염증을 느꼈다고 고백했다). 피터 린치가 얼마나 성실하고 정직한 펀드매니저였는지 알 수 있는 대목이다.

피터 린치가 투자 방식을 설명했던 말들 중 재미있는 표현이 하나 있다. 한 기자가 어떤 방식으로 투자 종목을 선정하느냐는 질문에 답한 말이다.

"좋은 꽃밭을 원한다면 물 주기 전에 잡초부터 제거하세요."

꽃밭을 가꾸기 위해서는 땅을 고르고 씨를 뿌려야 한다. 그런 다음 물을 준다. 주기적으로 물을 주며 해야 할 일이 또 있다. 잡초 제거다. 더 많은 꽃을 원해 씨앗만 많이 뿌린다면 기존에 심었던 종자들은 자라지 못한다.

씨앗만 뿌리고 물을 주지 않아도 꽃은 자라지 못한다. 물을 주기적으로 주고 비료를 공급해도 꽃이 그 영양분을 받지 못하면 역시 크지 못한다.

잡초를 제거해야 하는 이유다. 잡초는 항상 자란다. 그러니 자주 제거해야 한다. 원하는 꽃을 키우기 위해서는 잡초를 수시로 제거해야 한다.

피터 린치의 '잡초'이야기를 세일즈 업계에서도 적용할 수 있다. 세일즈 업계는 영업인들에게 용기를 북돋아 주기 위해 가끔 과장된 신념을 가르친다. 그중 하나가 "누구를 만나도 판매할 수 있다"는 믿음이다. 불가능은 없다! 과연 그럴까?

영업 현장을 15년 경험한 나는 감히 말할 수 있다. 만나는 모든 사람에게 판매할 수는 없다. 그게 현실이다. 내가 만났던 수많은 사람을 고객으로 만들었지만, 그보다 몇 배 이상 많은 사람과는 인연을 맺지 못했다. 다른 사람이 판매하지 못한 고객에게 세일즈를 성공한 적도 있지만, 나를 거절한 고객은 그보다 훨씬 많았다.

성공을 위해서는 모든 사람을 만나려는 생각부터 버려야 한다. 기준에 부합하는 고객을 '꽃'이라고 한다면 그렇지 않은 사람은 '잡초'라고 분류하자. 꽃이든 잡초든 한 사람 한 사람을 모아 성공이 결정되는 분야는 정치다. 비즈니스는 정치가 아니다. 비즈니스는 만인을 대상으로 하는 인기투표가 아니다. 당신에게는 잡초가 아니라 꽃이 필요하다. 대부분의 세일즈 조직들이 'How'를 가르치는 데 많은 시간을 쓰지만, 정작 우리가 고민해야 할 주제는 'Who'다. 누구! 누구를 만날지가 초점이다.

이제 '꽃과 잡초'에 대한 구체적인 이야기를 해 보자. 보험 세일즈에서 잡초라고 할 수 있는 사람은 누구인가? 우리가 만나지 말아야 할 나쁜 고객에는 어떤 유형이 있을까? 누굴 피할까? 다음 네 가지로 분류할 수 있다.

첫째, '차이나 에그(China Egg)'다.

많은 재산을 가지고 있지만 절대 고객이 되지 않는 잠재고객을 금융업계에서는 '차이나 에그'라고 부른다. 절대로 부화하지 않는 쓸모없는 달걀이지만 너무 탐스럽게 보여 버리지 못한다. 사실 수많은 보험 세일즈맨들이 '차이나 에그'때문에 힘들어한다. 평균 계약 규모에 비해 몇 배 또는 몇십 배가 가능해 보이는 부자를 만나면 그 고객에게 특별히 신경을 더 쓰기 마련이다. 아니 꼭 큰 금액이 아니어도 특정인에게는 계속 마음이 간다. 마음을 쓴다는 의미는 시간을 쏟는다는 말이다. 소중한 자원인 시간을 그 사람에게만 쓴다. 당연히 다른 고객들에게는 최선을 다하지 못한다. 쓸 시간이 부족하기 때문이다.

일정 기간이 지나 잠재고객에게서 결과가 없으면 포기하고 돌아서야 하는데 그러지 못한다. 그동안 시간 투자도 아깝고 조금만 더 만나면 되겠지 하는 기대감이 발목을 잡는다. 이제 곧 계약이 나온다고 스스로를 위로한다. 하지만 대부분 결과는 없다. 결국 시간과 에너지만 낭비하고 말았다. 나 역시 여러 번 경험했고 주변에서 숱하게 많이 봐 왔다.

그러니 결심해야 한다. 스스로 다짐해야 한다. 합리적인 선에서 노력했는데도 결과가 나오지 않을 때는 포기한다고! 최선을 다했다면 돌아설 줄도 알아야 한다. 가망고객 리스트에서 종종 누군가를 지우겠다고 마음먹어야 한다. 그리고 꼭 실천해야 한다(오해는 하지마라. 그 분을 미워하라는 의미는 절대 아니다. 다만 재무설계사로서 연락을 자제하라는 뜻이다).

둘째, '체리 피커(Cherry Picker)'다.

카드업계에서 쓰기 시작한 용어다. 실적은 없으면서 무료 혜택만 챙기는 이들을 말한다. 말 그대로 '케이크'는 사지 않고 위에 있는 '체리'만 골라 먹는 사람이다. 얄미운 행동이다. 비즈니스 측면에서 보면 수익은 주지 않으면서 비용만 발생시키는 고객이다. 이런 고객 역시 피해야 한다. 계약은 하지 않은 채 정보만 요구하는 사람들이 있다. 시간만 빼앗고 수익을 주지 않는 고객은 거절해야 한다. 업무 시간은 온전히 '고객'을 위해 써야 한다.

셋째, '멘붕 유발자'다.

적절한 용어가 없어서 내가 붙인 이름이다. 만나면 피곤해지는 사람이 있다. 본래 성격이 까다로울 수도 있고 나랑 성격이 안 맞아서 그럴 수도 있다. 어쨌든 피해야 하는 이들이다.

아마추어 골퍼들이 하는 우스갯소리 중에 이런 말이 있다. 워터 해저드에 빠지면 1타 손해고 OB 나면 2타 손해지만, '멘탈 해저드(Mental Hazard)'는 10타를 잃는다. 영업에서도 마찬가지다. 영업인들에게 멘탈 해저드는 활동을 멈추게 한다. 사람에게서 상처를 받으면 모든 일에서 무력해진다.

만나면 기분이 안 좋아지는 사람도 있다. 나랑 안 맞는 사람이다. 굳이 싫은 사람을 억지로 만날 필요는 없다. 정신 건강을 해치는 사람들은 피해라. 세상은 넓고 만날 사람은 많다.

넷째, '블랙 컨슈머(Black Consumer)'다.

원래 블랙 컨슈머란 기업 등을 상대로 악성 민원을 제기하여 부당 이득을 챙기는 자를 말한다. 보험 세일즈 관점에서 보면 민원은 아니더라도 이미 정해진 약관이나 제도 등을 계속해서 문제 삼는 고객들이다. 재무설계사 개인으로서는 어떻게 해 줄 수 없는 사항을 요구하고, 불만을 제기하는 사람들이다. 현장에서 많은 고객을 만나 보면 이런 사람들도 꼭 있다. 만남이 잦아지면 스트레스가 쌓인다. 역시 피해야 할 고객 유형이다.

4가지 유형 중에서도 특히 조심해야 할 유형은 '차이나 에그'다. 우량 고객이 될 수 있다는 기대감에 관계를 정리하지 못하는 경우가 대부분이기 때문이다. 큰 병원을 운영하는 의사, 규모 있는 법인회사 대표 등을 만났을 때 종종 이런 문제가 발생한다. 인간성까지 좋은 사람이면 더욱 외면하지 못한다. 인격이라도 바닥이면 금방 포기할 텐데……. 그렇게 늪에 빠져 헤어나오지 못한다. 이렇게 잠재고객을 버리지 못해 힘들어하는 후배를 만나면 해주는 이야기가 있다. 밀림에서 원숭이 잡는 얘기다.

> "밀림에서 원숭이를 잡을 때 나무둥치에 원숭이 손이 간신히 들어갈 만한 구멍을 뚫어 놓고 그 안에 바나나를 넣어 둔다. 그러면 원숭이가 조심스럽게 다가와 구멍 속으로 손을 넣어 바나나를 빼내 먹으려 한다. 원숭이가 바나나를 움켜쥔 채로 손이 빠지지 않아 끙끙대는 순간에 다가가 사로잡는 것이다. 움켜쥐고 있는 바나나를 놓으면 원숭이는 도망갈 수 있다. 그런데도 바나나를 놓지 않으려는 욕심 때문에 사람에게 사로잡힌다. 이러한 원숭이 사냥이 수백 년이나 계속되었다는 것을 보면 '원숭이는 원숭이'라고 비웃을지도 모른다."
> (오종남, 《은퇴 후 30년을 준비하라》, 삼성경제연구소, 2009, 107쪽)

한심해 보이는 원숭이라고? 이 이야기를 자기 일에 대입해 봐야 한다. 냉정하게 스스로를 돌아보라. 집착하고 있는 '바나나'는 없는가? 최근 6개월 동안 만났던 고객 명단을 확인해 보자. 종종 만나는 사람과 적절한 비즈니스 관계가 없다면 한번 진지하게 고민해 봐야 한다. 그 사람이 내 영업 활동에서 '바나나'일지 모른다.

더 이상 발전하지 못하고 정체되어 있다면 효과적으로 시간을 쓰고 있는지 검토해야 한다. 열심히 활동하고 있지만 결과가 신통치 않다면 적합한 가망고객을 만나지 않았기 때문이다. 지금 만나고 있는 사람을 고집하지 마라. 아쉬워하지 말고 놓을 수 있어야 새로운 잠재고객을 만날 기회가 생긴다. 밀림에서 살던 원숭이도 손에 쥔 바나나를 놓았더라면 자유를 얻을 수 있었다. 버스도 가고 나면 다른 버스가 다시 온다. 그 원숭이도 움켜

쥔 바나나를 포기했다면 다른 나무에 가득 달린 바나나를 발견하지 않았을까?

"전략의 핵심은 해야 할 일을 정하는 것이 아니라 하지 않을 일부터 정하는 것이다."

하바드 비즈니스 스쿨 마이클 포터(Michael Eugene Porter) 교수가 남긴 명언이다. 참고로 포터 교수는 '경영 전략'분야에서 세계 최고 권위자로 인정받는다. 전략이란 하지 않을 일부터 정하기다. 영업 전략도 마찬가지다. 만날 사람을 무작정 찾기 전에 피해야 할 사람부터 정해야 한다. 누구를 만날지 고민하기 전에 가망고객 명단에 담지 않을 사람부터 규정해라. 최소한 차이나 에그, 체리 피커, 멘붕 유발자, 블랙 컨슈머는 만나지 않아야 한다. 한두 번 의문 부호가 붙는 사람은 아닐 확률이 높다. 혹시나 하고 기대하지 마라. 역시나 그렇다. 불에 데어 보지 않고 불이 위험하다는 사실을 알 수 있다면 화상을 입을 일은 확실히 줄어든다. 의심이 들 때는 피터 린치의 조언을 떠올리자. 나 역시 한동안 책상 앞에 써 둔 명언이다.

"좋은 꽃밭을 원한다면 잡초부터 제거하라."

고객을 선별하는 6가지 기준

세일즈라는 직업이 가진 장점은 뭘까?

"세일즈는 열심히 일하는 사람에게는 가장 높은 보수를 보장하지만 일하지 않는 자에게는 가장 낮은 대가가 주어지는 직업이다."

세계적인 동기 부여가 지그 지글러가 남긴 말이다. 일한 만큼 많은 보상을 받는다는 사실은 영업이 가진 가장 큰 매력이다. 또 시간이 자유롭다는 특징이 있고, 건강이 허락하는 한 평생 일할 수 있다는 점도 이점이다. 실제 2016년 6월 캐나다 밴쿠버 연차총회에서 88세 현역을 만난 적이 있다. 캐나다 토론토에서 일한다는 그는 50년 MDRT 회원이었다.

성과에 비례한 보수, 자유로운 시간 활용, 평생 직업이라는 점 등은 분명 좋은 점이다. 다 맞는 말이다. 여기에 추가하고 싶은 장점이 한 가지 더 있다. 영업 10년 차가 되어서야 발견한 사실이다. 보험 세일즈가 갖고 있는 매력이다.

"만날 사람을 선택할 수 있다."

내가 좋아하는 사람만 만날 수 있다는 사실은 꽤 큰 축복이다. 직업인으로서 만날 사람을 선택할 수 있는 일은 세상에 없다. 곰곰이 생각해 봐라. 떠오르는 직업이 있는가? 내가 알기로는 없다. 식당을 하거나 매장을 운영하면 문 열고 들어오는 사람을 맞는다. 손님을 받을 뿐 고를 수는 없다. 직장 생활을 하면 같은 공간에 있는 상사나 동료를 매일 봐야 한다. 역시 내가 뽑지 않았다. 의사는 병원 문을 열고 들어오는 환자를 진료해야 한다. 이처럼 그 어떤 직업도 만나는 사람을 지정하지는 못한다. 사람에게서 자유로울 수 있는 직업이란 거의 없다.

이에 반해 보험 세일즈맨은 사람을 고를 수 있다. 애초에 만날 사람이 정해져 있지 않다는 점은 누구를 만날지 정할 수 있다는 뜻이기도 하다. 어떤 잠재고객도 우리를 만나려고 애쓰지 않는다. 그래서 고객을 자유롭게 선별할 수 있다. '영업인의 역설'이라고 할까? 사실 이것은 이 직업이 가진 애환이면서 매력이다. 우리를 찾는 사람이 없기 때문에 내가 원하는 사람들하고만 지낼 수 있다는 사실은 분명 큰 이점이다. 사람에게서 받는 스트레스를 줄일 수 있기 때문이다.

보험 세일즈에서 롱런하기 위한 비결은 '좋은 사람'에 있다. 관계에 대한 스트레스가 없어야 한다. 사람을 만나는 일이 싫어지면 영업 활동이 줄어든다. 자신과 맞지 않는 고객에게 자주 상처를 받으면 누구라도 지친다. 그러니 아니다 싶을 때는 멈추어야 한다. 왠지 거북한 느낌을 외면하면 안 된다. 혹시 큰 계약을 하지 않을까 하는 기대감이 문제다. 버릴 수 있는 용기가 필요하다.

원하는 사람만 만나야 하는 이유는 또 있다. 당신이 꺼리는 사람은 어차피 당신을 싫어하기 때문이다. 심리학에서는 이를 '상호성의 법칙(Law of reciprocality)'이라고 한다. 당신이 좋아하면 상대방도 당신에게 호감을 느끼고, 당신이 싫어하면 상대방도 당신이 마음에 들지 않는다. 인간이 가진 기본적 습성이다. "가는 정이 있어야 오는 정도 있다." 이럴 때 쓰는 속담이다.

좋은 느낌이 있는 사람을 만나야 그도 당신에게 긍정적일 확률이 높다. 서로 좋아하는 가운데 친분이 쌓이고 재무 상담도 부드럽게 진행된다. 영업을 위해 좋아하는 척하는 태도는 한계가 있다. 그리 오래가지 못한다. 계속해서 그런 척하기도 어렵거니와 상대방 역시 진심인지 아닌지 가려내기 때문이다.

어떤 사람을 만날 것인가? 보험 세일즈맨으로서 영업 대상이 될 기준을 가지고 있는가? 매 순간 느낌으로 호감도가 결정되지만 만날 사람에 대한 기준은 필요하다. 느낌과 감정으로만 판단이 어려울 때는 미리 세워 둔 기준이 참고가 된다. 내 경우엔 여섯 가지 기준이 있다. 이 조건에 맞는 사람들을 만나려고 노력한다.

첫째. 대화를 시작할 때 '어제는 내가'로 입을 떼기보다 '내일은'으로 시작하는 사람을 만나라.

많은 사람을 만나 대화하면서 문득 깨달았다. 성공한 사람은 늘 미래를 얘기하고, 그렇지 않은 사람은 과거를 자주 말한다. 과거에 집착하는 사람은 흔히 들을 수 있는 '왕년에 내가 뭐 했다'는 스토리가 많다. 물론 흘러간 자랑거리를 한두 번은 이야기할 수도 있다. 예전 업적을 얘기하는 일은 자신을 상대방에 알리는 방법이기 때문이다. 하지만 옛날 얘기에서 벗어나지 못하는 사람은 그때만 그리워한다. 이런 분들과의 대화는 즐겁지 않다.

지나간 일을 자주 화제로 삼는 사람은 고객이 될 가능성도 낮다. 보험은 미래를 지향하기 때문이다. 보험은 당장 이득을 기대하지 않는다. 현재 쓸 수 있는 돈을 희생해서 미래를 대비하는 상품이다. 평소 시각이 과거보다 미래를 향해 있어야 보험을 생각한다.

둘째. 가족 중심적인 사람을 만나라.

보험은 이타적인 상품이다. 사망 보험금은 나를 위해서가 아니라 가족을 배려해서 가입한다. 상담을 하다 보면 “나 죽으면 끝이다”라고 말하는 이들이 더러 있다. 사망 시 나오는 사망 보험금에 관심 없다는 말이다. 이렇게 말하는 사람은 나도 관심이 없다. 피해야 할 유형이다. 보험 세일즈맨은 가족 중심 가치관을 가진 사람을 만나야 한다.

셋째. 판단이 빠른 사람을 만나라.

계약 상담을 하면 신속하게 답을 주는 사람이 좋다. 시간이 유일한 자원인 재무설계사 입장에서는 한두 번 제안에 결론을 내리는 고객을 선호할 수밖에 없다. 꼭 ‘예’라는 대답이 필요하지는 않다. 계약하지 않아도 된다. 거절 의사를 분명하게 표현하는 사람이 시간을 절약시켜 준다.

상담 결과로서 플랜을 제시했는데 결정을 못 하고 미적거린다면 시간을 허비하게 된다. 한참이 지나 재방문했을 때 처음부터 다시 설명해야 하는 상황은 우리를 힘 빠지게 한다. 시간이 낭비되기 때문이다. 동일한 내용으로 두 번 세 번 하는 상담은 가장 피해야 할 일이다. 시간을 빼앗기만 할 뿐 결정은 또 연기될 가능성이 크다. 설명만 반복해서 듣고 판단을 미루는 사람이 최악이다. 당연히 피해야 한다.

넷째, '평판'이 좋은 사람을 만나라.

주변에서 인정받는 사람이 나에게도 괜찮을 확률이 높다. 문제는 반대의 경우다. 지인들에게 안 좋은 평을 받는 사람이 좋아 보일 때는 갈등이 된다. 다른 친구들에게서 인정을 받지 못해도 나와는 잘 맞겠지 하는 기대감으로 만난다. 가끔은 좋은 결과로 이어지기도 한다. 문제는 그렇지 않을 때가 더 많다는 사실이다(투철한 실험 정신으로 실험해 봐도 좋지만 결과는 본인 몫이다). 세일즈는 확률이 지배하는 세계다. 다수가 좋아하는 사람이 나하고도 좋은 인연이 될 확률이 높다.

덕망이 높은 사람을 만나야 하는 이유는 또 있다. '소개 마케팅'에 도움이 되기 때문이다. 주변에서 널리 인정받는 인물은 영향력이 크다. 누군가를 소개하면 그 사람도 나를 긍정적으로 본다. 소개해 준 사람을 믿기 때문이다. 주변 평판이 좋은 사람을 만나야 하는 이유다.

다섯째, 상호 존중하는 사람을 만나라.

상대방을 존중하는 일은 그 사람을 있는 그대로 받아들이는 자세다. 우선 직업에 대한 인정이 기본이다. 누군가를 인정한다면 그 사람이 하는 일도 받아들인다. 우리가 만나는 사람들 중 일부는 보험의 가치를 존중하지 않는다. 직업의 의미를 폄하하는 사람들이다. 이런 사람들과의 만남에서는 긍정적인 에너지를 받기 힘들다.

상호 존중은 '시간 매너'에서도 나타난다. 상대방을 배려하는 일은 약속 지키기에서 출발한다. 재무설계사와 잡은 일정을 너무 쉽게 생각하는 사람들이 있다. 우리와의 미팅을 대수롭지 않게 여기고 종종 취소하는 이들이다. 급한 일이 생긴 경우는 이해할 수 있지만, 약속을 가볍게 여기는 사람은 피해야 한다. 그런 사람이라면 어차피 내 조언도 진지하게 받아들이지 않기 때문이다.

마지막으로 관대한 사람을 만나라.

세상에 완벽한 사람은 없다. 사람은 누구나 실수를 한다. 그럴 때 야박하게 굴기보다는 가볍게 넘어갈 줄 아는 사람이 좋다. 일이 계획대로 진행되지 않아도 넉넉한 마음으로 여유를 보이는 사람이 편하다. 사소한 잘못에도 크게 화를 내고, 모든 일에 예민한 사람은 부담스럽다. 작은 손해도 보지 않으려는 사람은 만족함을 모르는 사람이다. 타인의 입장을 고려하지 않은 채 자기 이득에만 집중한다. 이런 사람과는 만남 자체가 긴장된다.

까다로운 사람은 어디에서도 환영받지 못한다. 사업적인 필요에 의해서 만날 수는 있겠지만 인간적인 관계를 기대하기는 어렵다. 작은 실수를 했거나 일이 계획대로 되지 않아도 상대방을 너그럽게 용서할 수 있어야 한다. 때로는 손해를 볼 줄 알고 넘어가는 사람에게 호감이 간다. 관대함은 타인에 대한 용서이자 배려이다. 훌륭한 인격을 가늠하는 지표다.

우리는 계속해서 사람을 만난다. 그중 일부는 나를 좋아하고 다른 일부는 나를 싫어한다. 호불호 감정은 어찌할 수 없는 타인의 마음이다. 내가 관여할 일이 아니다. 고객이 우리를 평가하듯, 우리도 고객을 판단할 수 있어야 한다.

모든 사람을 만족시킬 수는 없다. 쉽지 않은 일이고 그럴 필요도 없다. 선택한 사람들에게만 충실히 잘해도 훌륭한 인간관계를 맺을 수 있다. 모든 사람에게 잘해 주겠다고 결심하면 종국에는 실패하고 만다.

사람에 대한 '기준'을 만들어라. 그리고 그 기준에 부합하는 사람들만 만나라. 당신과 맞지 않는 사람은 고객 리스트에서 삭제하라. 잠재고객이 줄어드는 불안감을 느낄 수도 있다. 괜찮다. 누구나 겪는 일이다. 그 대신 계속해서 새로운 사람을 만나기 위해 노력하면 된다.

만나고 싶은 사람만 만나라. 우리에게 있는 특권이다. 그러면 세일즈가 더 즐거워진다.

진정한 세일즈는 판매 이후에 시작된다

미국 대형 할인점 월마트는 세계 1위 자리를 다투는 기업이다.

경제 전문지 《포춘》이 정하는 '2016년 글로벌 500대 기업'순위에서 1위로 선정되었다. 4년 연속 1등이다. 미국 아칸소 주 작은 도시에서 시작한 월마트는 빠르게 체인망을 확대했다. 대도시보다 소도시를 중심으로 성장을 거듭했고, 그 결과 2001년에 이르러서는 세계 1위 기업이 되었다. 그 후 지금까지 오랫동안 상위권을 유지하고 있다.

월마트가 첫 할인점을 오픈했던 시기는 1962년이다. 그런데 같은 해에 먼저 시작한 유통업체가 있었다. 혹시 들어 본 적이 있는가? 한국인에게는 생소한 K마트가 그 주인공이다. K마트는 미시간 주에 오픈한 1호점이 단기간에 성공을 거두자 전국 지역으로 빠르게 진출했다. 미국 대륙뿐만 아니라, 괌, 푸에르토리코 등에서도 매장을 열었다. 1994년이 되었을 때는 미국에만 매장이 2,323개에 달했다고 하니 그 성장세가 대단했다. 그야말로 전국적으로 성공한 유통업체로 자리매김했다.

한참을 승승장구하던 K마트는 2002년 제동이 걸린다. 창립 40주년을 맞는 해에 위기가 왔다. 법정관리 신청은 주변을 놀라게 했다. 무너지는 일은 순간이었다. 같은 해에 출발한 월마트는 여전히 성장하고 있었는데 K마트는 왜 파산했을까?

> "K마트 몰락의 직접적인 원인은 고객 서비스의 부재와 방만한 경영에 있었다. 광고와 매장 수리 비용의 10분의 1만이라도 직원 교육에 투자했다면 월마트와 같은 고공 행진을 계속할 수 있었을 것이다. (……) K마트의 문제는 가장 기본적인 것이었다. 질 좋은 제품을 가장 저렴한 가격에 제공하겠다는 고객과의 약속을 지키지 않았던 것이다. (……) K마트는 고객들의 신뢰를 잃었고 그로 인한 손실은 기업을 무너뜨리기에 충분한 것이었다."
> (마이클 레빈, 김민주·이영숙 옮김, 《깨진 유리창 법칙》, 흐름출판, 2010, 39~43쪽)

고객의 신뢰를 잃음으로써 K마트는 무너졌다. 초창기 광범위한 품목에 대한 가격 할인 정책을 펼쳐 고객의 마음을 얻었는데, 어느 날 K마트는 '블루 라이트 스페셜'(특별할인 제도)을 폐지해 버렸다. 기존 고객을 무시하는 정책이었다.

이에 반해 월마트는 고객 지향적인 영업 철학을 내세운다.

"1조, 고객이 항상 옳다. 2조, 고객이 틀렸다고 생각되면 1조를 다시 보라."

평범해 보이지만 명쾌하다. 고객 우선주의 마인드는 오늘날 월마트를 만든 기업 철학이다. 창업주 샘 월튼(Samuel Moore Walton)은 고객 중심 철학을 이렇게 표현했다.

"우리에게 상관은 단 한 명이다. 바로'고객'이다. 그리고 그들은 언제나 다른 어딘가의 상점을 선택하는 간단한 결정을 통해 우리를 해고할 수 있다."

비즈니스의 핵심이 고객이라는 사실을 강조한 것이다.

월마트는 '고객 중심주의'원칙을 실천했고, K마트는 어느 순간부터 고객을 잊은 회사가 되었다. 한때는 훨씬 유리한 고지에 있었지만 그 지위를 오래 유지하지 못했다. K마트는 비즈니스의 흥망을 쥐고 있는 존재가 고객이라는 사실을 잊었다. 1962년 같은 해에 오픈한 월마트는 세계 최고의 기업이 되었고, K마트는 역사 속으로 사라졌다.

기업이 존재하는 이유는 무엇인가? 비즈니스의 목적은 어디에 있는가? 기업의 목적은 '이익 극대화'에도 있고, '사회공헌'에도 있다. 경영학 교과서에 나오는 얘기다. 피터 드러커는 다른 관점에서 비즈니스를 정의한다.

"비즈니스의 목적은 고객을 창출하고, 그들을 섬기는 일이다."

《피터 드러커의 위대한 혁신》에는 고객 존재의 가치를 설명하는 대목이 나온다. "고객이 없으면 비즈니스도 없다. 비즈니스를 하는 유일한 목적은 고객을 창출하는 데 있다." 덧붙여 "고객이 되어야 할 사람들이 그들에게 적합한 서비스가 제공되지 않기 때문에 고객이 되지 않는 경우가 있다." 라고 지적한다. K마트 사례에서 보듯 고객에게 적합한 서비스가 제공되지 않으면 고객은 떠난다. 드러커의 표현처럼 고객이 없으면 비즈니스도 없다. 자동차 세일즈맨 조 지라드는 더 구체적으로 설명한다.

> "제품 자체에 차이가 있는 것이 아니다. 궁극적으로 성공을 보장해 주는 것은 서비스를 얼마나 잘하느냐에 달렸다. 만족한 고객이 찾아오고, 다른 사람을 소개해 주어 수수료를 벌게 된다. 사실 판매 경력이 2년쯤 되면, 그 후에는 판매의 80퍼센트가 당신의 서비스에 만족한 기존의 고객으로부터 나온다. 반대로 서비스가 엉망인 사람은, 고정 고객을 확보하기 어렵고 지속적인 거래를 유지하지 못할 것이다. 서비스를 소홀히 하는 판매원은 한 걸음 내디딜 때마다 적어도 두 걸음은 뒷걸음질 치는 것이나 다름없다."
> (조 지라드, 안진환 옮김, 《세일즈 불변의 법칙12》, 비즈니스북스, 2006, 294쪽)

마지막 문장을 다시 보라. 서비스를 소홀히 하면 세일즈는 뒷걸음을 친다고 했다. 기존 고객이 만족하지 못했다면 추가 계약은 어렵다. 소개도 나오지 않는다. 고정 고객을 확보하지 못한다면 영원히 '신입'처럼 일해야 한다. 그런데 한번 생각해 보자. 매번 신규 고객만 만나야 한다면 얼마나 힘들겠는가? 평생 새로운 사람을 찾아다니며 영업할 수 있겠는가?

고객을 잊지 않아야 한다. 기존 고객과의 관계를 멈추지 않을 때 비즈니스도 중단되지 않는다. 서비스를 멈추지 않을 때 고객도 나를 돌아본다. 롱런으로 가는 길은 기존 고객이 열어 준다. 답은 고객에게 있다!

한 가지 더 보태고 싶은 말이 있다. 오래된 고객과 가까운 사람부터 먼저 챙겨야 한다.

"여인자(與人者) 여기이소어종(與其易疎於終) 불약난친어시(不若難親於始)." 채근담에 나오는 말이다. "사람을 사귈 때는 나중에 가서 쉽게 멀어지기보다 처음 만날 때 쉽게 친해지지 않는 편이 낫다." 처음 사람을 사귈 때 신중하고 한번 친구가 되면 오래가라는 뜻이다. 벗을 사귀는 일에도 지혜가 필요함을 말해 준다.

《논어》에도 "근자열 원자래(近者說 遠者來)"라는 말이 나온다. 중국 춘추 전국 시대에 '섭공'이라는 제후가 있었다. 백성들이 자꾸 다른 나라로 떠나자 근심이 쌓였다. 고민 끝에 '공자'를 불러 물었다.

"어찌 하면 백성들이 늘겠습니까?"이 질문에 공자는 여섯 글자로 답한다.

"근자열 원자래.", "가까이 있는 사람을 기쁘게 하면 멀리 있는 이도 찾아옵니다."는 뜻이다.

마음에 와닿는 말이다. 주변 사람부터 먼저 챙기라는 의미다. 비즈니스도 인간관계도 마찬가지다. 기존 고객에게 잘해야 새로운 고객이 늘어난다. 주변 사람에게 인심을 잃지 않아야 내 주위에 좋은 사람들이 쌓여 가지 않을까.

SNS의 발달로 지구 반대편 사람과도 관계를 유지하는 시대가 되었지만 내가 살고 있는 곳은 '지금 여기'다. 사이버 공간에서 친구가 많아지고 인정을 받아도 삶은 늘 이곳에 있다. 누가 중요한가? 누가 나에게 더 소중한 사람인가? 누구로부터 지속적인 사랑을 받고 싶은가?

비즈니스는 고객을 창출하고 잘 섬기는 일이라고 했다. 그리고 기존 고객부터 챙기는 일이 우선이다. 인간관계도 가까운 사람에게 더 잘해 주기가 출발점이다. 돌아보자! 가족부터, 가까운 친구부터, 주변 사람부터 먼저 아끼고 존중해야 한다. 옆에 있는 사람부터 사랑해야 한다.

3장
현장에서 묻고 답하기

01. 30세에 일을 시작했으면
아는 사람이 많지 않았을 텐데요.
초기 가망고객 발굴은 어떻게 했습니까?

02. 이미 가입된 보험이 많은 지인들에게는
어떻게 접근할 수 있을까요?

03. 가망고객 발굴을 위해 모임(대학원, 동호회 등)
가입을 고려하고 있습니다.
어떤 단체가 가망고객 발굴에 도움이 되나요?

현명해지는 기술은

곧 무엇을 무시할지 아는 기술이다.

- 윌리엄 제임스

30세에 일을 시작했으면 아는 사람이 많지 않았을 텐데요. 초기 가망고객 발굴은 어떻게 했습니까?

"최종 면접 합격했습니다."

부산에 있는 대학 선배를 만나고 돌아오는 길에 ING생명 입사안내 전화를 받았습니다. 기쁜 마음도 잠시, 무엇을 준비해야 할지 고민이 시작되었죠. 막상 새로운 일에 도전한다고 생각하니 긴장된다고 할까요? 궁금한 사항이 많았습니다. 어떻게 영업해야 하나?

창원으로 돌아와서는 서점부터 들렀습니다. 세일즈에 도움이 되는 책을 읽어 보려는 의도였습니다. 주변에 직접 물어볼 사람이 없을 때는 책이 유용합니다. 2시간여 머물면서 뒤적였고 두 권을 사서 나왔습니다.

한 권은 데일 카네기가 쓴《인간관계론》, 다른 한 권은《사람의 마음을 움직이는 설득심리》였습니다.《인간관계론》은 전 세계 6천만 부 이상 판매된 '관계와 처세'분야 베스트셀러입니다. 관계 심리를 이해하는데 도움을 많이 받았죠. 요즘도 한번씩 들춰 보는 책입니다. 영업인이라면 꼭 봐야 할 업무 지침서라고 할까요.

이현우 교수가 쓴《사람의 마음을 움직이는 설득심리》는 설득 원리에 관해 잘 정리돼 있습니다. 특히 '한국인을 위한 설득 원칙들'이라는 주제는 영업 방향을 잡는데 도움이 되었죠. '우리가 남이가'(온정주의 문화), '고래 힘줄보다 더 질긴 연줄'(전통적 연고주의)이라는 대목에서 가망고객 발굴에 힌트를 얻었습니다. 한국 사회에서는 연고가 있는 사람을 만나야 성공 확률이 높아진다는 생각을 하게 되었죠.

처음 접하는 분야에서 책을 통해 배우는 방법은 시간상 효율적입니다. 사람이 어떤 일에 확신을 가질 수 있는 방법은 두 가지라고 생각합니다. 첫 번째는 경험을 통해서이고, 다른 한 가지 방법은 책을 통해서입니다. 이를 두고 독일 재상이었던 비스마르크가 한 말이 있죠.

"바보라도 자기 경험의 덕을 볼 줄 안다. 현명한 사람은 타인의 경험에서도 큰 이득을 얻는다."

타인의 경험을 얻는 방법은 직접 그 사람의 말을 듣거나 그가 쓴 책을 읽는 일입니다. 책을 통해 얻는 지식이 소중한 이유입니다. 독서를 통해 배우고 사색하여 생각을 다듬는 일, 이것이 지름길이라고 생각합니다.

처음 일을 시작하며 가망고객이 될 중요 대상으로 '동문'을 생각했습니다. 우선은 같은 고등학교와 대학교 출신들에게 집중하기로 마음을 먹었죠. 소개를 받을 때도 동문 선후배가 1순위입니다. 처음 만난 동문 사람과 빠르게 친해지는 경험을 몇 번 하면서 확신이 생겼습니다. 학연이라는 눈에 보이지 않는 끈은 사람을 연결시키는 강한 힘이 있다고 할까요. 연고가 있는 사람을 만나는 일이 효과적인 영업 방법입니다.

일을 시작하고 5개월이 되었을 때 결혼식장에서 우연히 인사한 사람이 있습니다. 같은 고등학교 선배였죠. 사무실에서 멀지 않아 오며 가며 종종 들렀습니다. 차도 한잔하고 식사도 하다 보니 친분이 생기더라고요. 동문 후배라고 잘 대해 주며 주변 분들을 많이 소개해 주셨죠. 그 당시에만 열 명이 넘는 고객을 연결시켜 주었습니다. 덕분에 꽤 많은 계약을 할 수 있었죠.

나랑 같은 집단 사람을 '내(內)집단'이라 하고, 다른 단체를 '외(外)집단'이라고 부릅니다. 서양 사람들은 내집단과 외집단에 대한 구분 없이 보편적으로 대하지만, 한국 사람들은 내집단에 대한 편애가 심합니다. 그것은 개인에 따라 다르게 나타나는 성향이 아닙니다. 자신은 예외라고 주장하지 마세요. 수천 년 동안 내려온 문화적 관습입니다. 가망고객의 발굴은'내집단'에 집중하는 전략이 맞습니다. 결과가 나올 확률이 더 높아지니까요.

일을 처음 시작하거나 가망고객이 없는 분들에게 드리고 싶은 말씀은 학연, 지연, 혈연을 먼저 확인하라는 겁니다. 같은 출신 학교 동기와 선후배를 만나세요. 그분들을 통해 다시 동문 선후배를 소개받으세요. 그 사람이 생면부지라 하더라도 같은 학교 출신이라는 사실을 알면 금방 가까워집니다. 친분이 쌓이면 또 새로운 사람을 추천받고, 이렇게 계속 반복하면 많은 가망고객이 확보됩니다.

제가 영업을 시작했던 2002년에는 종친회 모임을 나가는 분들도 주변에 제법 있었습니다. 친족을 돌아보는 일이기도 하거니와 영업 활동에 도움을 받으러 가는 목적도 있겠지요. 같은 학교 선후배를 만나는 일과 같은 맥락입니다. 학연과 함께 혈연도 강력한 연고이니까요.

학연, 지연, 혈연을 통해 가망고객을 발굴하라고 말씀드리면 좀 곤란한 표정을 짓는 분들이 계십니다. 자신은 출신 학교 1회 졸업생이라 선배도 없고, 지역 연고도 약하다고 말씀하시는 경우죠. 그렇다면 어떤 해법이 있을까요? 간단합니다. 학연을 지금부터 만들어 나가면 됩니다. 혈연은 타고난 인연이지만 학연은 얼마든지 스스로 만들 수 있으니까요.

최고의 세일즈맨 중에는 대학원을 10군데 이상 다녔던 사람도 있습니다. 왜 그럴까요? 학문적 갈증이 많은 사람이어서 대학원을 몇십 개씩 다녔을까요. 설마 그런 의도였을까요? 답은 그곳에 사람이 있기 때문입니다. 새로운 사람!

찾으세요. 원하는 사람들이 있는 곳을 발견하세요. 그리고 그곳으로 들

어가세요. 사람들과 어울리며 친분을 쌓는 일이 시작입니다. 우리를 묶어 주는

'끈'은 그렇게 만들어집니다. 연줄이 없다면 내가 만들면 됩니다.

보험을 흔히 '피플(People) 비즈니스'라고 합니다. 유형 상품이 아니라 서비스를 파는 일이기 때문입니다. 보험 세일즈는 사람을 향합니다. 물건이 아닌 사람! 보험은 나를 판매하는 일입니다. 그렇다면 누가 나에게 사겠습니까? 아니, 누가 나를 살까요? 누가 따뜻한 시선으로 마음을 열어 줄까요? 답은 나와 인연이 있는 사람입니다.

한국인은 '내집단'속에서 영업을 확장해야 합니다. 학연, 지연, 혈연관계를 먼저 살피세요. 그 속에서 원하는 사람을 만나세요. 쉬운 길이 있는데 굳이 어려운 길을 택할 이유가 있을까요?

세일즈는 과정이 아닌 결과로 평가받는 직업입니다. 한 건을 계약하는데 100번을 만나 계약하든 2번을 만나 계약하든 결과는 같습니다. 어렵게 계약을 성사시켰다고 더 큰 실적으로 인정받나요? 그렇지 않습니다. 성취감은 더 있을지 모르지만 보수는 똑같습니다. 쉬운 과정이 최선입니다. 이에 관해 워런 버핏은 재미있는 비유를 하죠.

> "또 한 가지 관련된 교훈으로는 '쉽게 하라'는 것이다. 25년 동안 수많은 기업들을 매입하고 관리하면서도 찰리와 나(워런 버핏)는 기업의 복잡한 문제들을 어떻게 해결해야 하는지 배우지 못했다. 다만 우리가 배운 것은 그런 어려운 문제들을 피하라는 것이다. 우리가 성공할 수 있었던 것은 우리에게 힘든 2m 장애물을 넘을 수 있는 남다른 능력이 있었기 때문이 아니라, 우리가 넘을 수 있는 30cm 장애물을 찾아내는데 주력했기 때문이다."
> (브루스 그린왈드 외, 이순주 옮김, 《가치투자》, 국일증권 경제연구소, 2007, 260~261쪽)

세계 최고의 투자가 워런 버핏은 투자 실력 못지않게 적절한 비유를 잘 들기로도 유명한데요. 2m 장애물과 30cm 장애물! 공감가지 않나요? 어려운 장애물을 뛰어넘으려고 시도하지 말고 손쉬운 장애물만 찾으라는 거

죠. 2m 장애물에 도전할 필요가 있을까요? 30cm 장애물도 세상에 많은데요.

세일즈도 마찬가지입니다. 쉬운 고객을 만나세요. 어려운 사람은 피해야 합니다. 우리에게 우호적이지 않은 고객과 씨름할 이유는 없습니다. 세일즈 업계에서 성공은 어쩌다 한번 어렵게 성사시키는 계약에서 오지 않습니다. 반복적으로 성사시키는 쉬운 계약들이 합해져 나옵니다. 잊지 마세요! 우리가 넘을 대상은 2m 장애물이 아니라 30cm 장애물이어야 합니다. 어려운 사람을 만나 힘들이지 말고 쉬운 고객을 만나야 합니다.

생각해 보세요. 여러분에게 누가 그런가요?

이미 가입된 보험이 많은 지인들에게는 어떻게 접근할 수 있을까요?

보험 세일즈를 시작하면 누구나 처음에는 지인부터 만나기 시작합니다. 간혹 아는 사람을 배제하고 전혀 모르는 사람에게 접근하는 사람들도 있지만 예외적인 경우입니다. 추천하고 싶은 방법도 아니고요.

보험 회사에서 처음 접하는 세일즈 교본에도 지인 시장, 소개 시장, 개척 시장으로 활동 영역을 넓혀야 한다고 말합니다. 흔히 X시장, Y시장, Z시장이고 부르죠. 우호적인 지인 시장에서 상담을 많이 함으로써 훈련이 된다고 말합니다. 그 과정에서 계약도 하지만 상담 요령도 연습하게 됩니다.

대부분 세일즈맨들은 누구를 만나든 판매하려는 생각에만 몰두합니다. 저 역시 마찬가지였고요. 초창기 활동에서는 지인을 세일즈 대상으로만 여깁니다. 소개를 받으려는 생각을 잘 못한다고 할까요. 단순히 한 건 계약만 목표로 하지, 소개자로서 역할을 이끌어 내지 못합니다. 장기적으로는 소개 요청이 더 중요한데 말이죠.

처음 일을 시작할 때는 실적을 올려야 한다는 생각에 계약에만 집중합니다. 지인을 만나 판매를 시도하고, 그 결과 계약을 받기도 하고 실패도 경험하죠. 그러면서 관계가 더 편해지는 친구도 있고, 부담스러워지는 경우도 있습니다. 너무 끈질기게 계약을 시도하면 불편해지기도 하니까요. 저 역시 경험한 적이 있습니다. 친한 사이라고 생각해서 강하게 계약을 권하니 피하는 친구가 있었죠. 지금 돌이켜 보면 미안했습니다. 부끄러운 과

거죠. 한 건 계약을 하는데 너무 급급해 친구를 괴롭혔으니까요.

결과만 지향해서는 곤란합니다. 목표 관리 지표로 계약 건수만 생각해서는 장기적인 성공에서 멀어집니다. 과정도 신경 써야 합니다. 상담 횟수, 새로운 사람 만나기, 가망고객 소개받기, 전문지식 학습 등도 가볍게 여기지 않아야 합니다. 이런 과정들에 충실하면서 결과가 나와야 안정적으로 발전합니다. 특히 가망고객 소개받기가 중요합니다. 당장 계약 한 건은 지금 이 순간의 실적일 뿐이지만, 장기적으로는 새로운 가망고객이 더 소중합니다. 계약과 소개! 두 가지 관점이 동시에 필요합니다.

처음 질문을 다시 떠올려 보겠습니다. 초기 활동을 할 때 지인들이 이미 많은 보험에 가입돼 있다면 어떻게 영업할까요? 답이 나오지 않았습니까. 정답은'소개받기'입니다. 보험에 이미 많이 가입되어 있는 친구를 만나면 굳이 판매하려는 생각을 버리세요. 대신 소개를 요청하세요.

여러분에게 도움을 주려는 친구도 억지로 계약을 시도하면 부담을 느낍니다. 이미 가입한 보험이 다수 있는데, 추가 가입을 권한다면 누구나 불편해하죠. 우정 때문에 작은 금액을 하려고 해도 말려야 합니다. 대신 적극적으로 소개를 요청해야 합니다.

"한 건 계약보다 세 명의 가망고객이 나에게는 더 가치 있어!" 이렇게 친구에게 얘기해 보세요. 자기 계약은 못 해도 주변 지인들을 적극 소개해 줍니다. 자기 계약 1건 가입하기보다 3명 소개가 더 쉬울 수도 있으니까요.

보험영업을 시작했다고 주변에 알리면 껄끄러워하는 친구들이 있습니다. 그 친구들은 아마 이런 고민을 하고 있겠죠. '저 친구가 내게 연락을 해오면 어떻게 거절할까?'라고요. 그때 만나서 계약을 요구하지 말고 소개를 요청하세요. 이미 많은 보험이 있고 추가 필요성을 느끼지 못한다면 굳이 뭔가를 할 필요가 없다고 하세요. 그 말에 친구들은 마음이 편해질 겁니다. 그리고 소개 요청에 기꺼이 응합니다. 소개쯤이야! 재미있는 일은 소개로 계약이 한 건이라도 나오면 그 친구랑 '절친'이 된다는 사실이죠. 이후 만남은 언제나 반갑습니다.

"친구야, 나는 재무설계사로 성공하고 싶어."

"응, 그래. 너 잘되면 나도 기분 좋지."

"그런데 우리 일에 성공하기 위해서는 무엇이 가장 중요할까?"

"글쎄, 아는 사람이 많으면 유리하겠지."

"맞아. 세일즈 분야에서 성공하기 위해서는 많은 사람을 만나는 일이 중요해. 아쉽게도 난 아는 사람이 많지 않아. 그래서 말인데, 네가 소개해 줄 사람이 있을까?"

"음……."

"너의 이름을 대면 문전박대하지 않고 딱 30분만 시간 내줄 수 있는 사람, 그런 사람을 추천해 줘. 최근 가족에 변화가 있거나 소득에 변화가 있는 사람, 생각나는 친구 없어?"

"응, 생각나는 친구가 있기는 한데. 내가 먼저 물어본 다음에 연락 줄게."

"고마워. 그럼 내일 다시 통화하자. 그리고 다음 만날 때는 꼭 3명 소개해 줘. 파이팅!"

친구를 만났다면 계약보다 '소개'를 먼저 요청하세요. 초창기 영업 활동에서 신경 써야 할 점은 한 건 계약이 아닙니다. 한 명을 소개받는 일입니다. 의식하지 않으면 소개 확보는 어려운 일이거든요. 습관이 될 때까지는 누구를 만나든 소개 요청을 해야 합니다.

때로는 계약 추진이 아닌 소개를 위해 만날 수 있어야 합니다. 소개받기는 가장 소중한 활동이니까요. 가망고객이 없으면 세일즈 활동은 중단됩니다. 새로운 사람을 소개받는 일을 멈추지 마십시오. 언제 어디서 누구를 만나든 소개를 요청하세요. 보험 세일즈맨에게 가장 필요한 습관은 '소개 요청'이라고 단언할 수 있습니다. 지속적인 소개받기가 성공으로 가는 길입니다. 영업은 '소개'입니다.

질문 3.

가망고객 발굴을 위해 모임(대학원, 동호회 등) 가입을 고려하고 있습니다. 어떤 단체가 가망고객 발굴에 도움이 되나요?

어떤 모임이 영업 활동에 도움이 될까요? 이 질문에 대한 답을 고민하기 전에 먼저 확인해 볼 사항이 있습니다. 그 옛날 소크라테스가 남긴 명언인데요."너 자신을 알라"는 말이죠. 자기 성향이 어느 쪽인지를 우선 파악해야 합니다. 모임 활동이 성격에 맞을 수도 있고, 그렇지 않을 수도 있거든요. 기질과 맞는 사람에게는 좋은 기회가 되지만, 아닌 사람에게는 큰 성과를 기대하기 힘듭니다.

성격이 어느 쪽인지 판단하기 위해서는 다음 질문에 답해 보면 됩니다.

"여유 시간을 어떻게 보냅니까? 혼자서 휴식을 취합니까, 아니면 친구들을 만나 어울립니까?" 여러분은 어느 쪽이세요?

혼자서 쉬는 편을 선호한다면 '모임'이 맞지 않는 분들입니다. 영업을 위해 억지로 단체 활동을 하는 경우가 많죠. '비사교형 인간'이라고 할까요. 제가 그렇습니다. 쉬고 싶을 때는 영화를 보거나 책을 보며 혼자 시간을 보냅니다. 스트레스가 쌓였을 때는 사람들을 만나지 않거든요. 아무도 만나지 않을 때 에너지가 재충전되는 느낌이라고 할까요.

사람들 속에서 쉽게 지치는 편이라면 모임이 영업 활동에 크게 도움이 되지 않습니다. 편안하지 않은 상태에서 다른 사람들과 교제하기가 쉽지 않기 때문이죠. 이런 사람은 다수가 모이는 자리보다 일대일 만남을 선호합니다. 한 번에 한 명씩, 상담으로 만나든 사적인 일로 만나든 한 사람을 만나 소통합니다.

모임 활동이 성과가 있으려면 여러 사람과 어울리는 일이 즐거워야 합니다. 처음 만난 사람들과 친해지는 데는 많은 시간이 필요하니까요. 가령 1차 자리에서만 끝내지 않고 2차, 3차까지 함께해야 정이 쌓입니다. 공식적인 행사뿐만 아니라 개별적인 자리까지 나가야 친분이 생깁니다. '술보다 술자리가 좋다.', '분위기를 즐긴다.'이런 분들에게 모임 활동이 적합합니다.

또 하나, 이분들은 사람들과 함께 있을 때 에너지가 보충됩니다. 대학원을 다니고 동호회 활동을 하는 일이 그 자체로 즐거운 시간이 됩니다. 만나는 일 자체를 즐기다 보니 가망고객 발굴이 자연스럽게 이뤄집니다.

제 경우 대학원, 동호회, 골프모임 등 많은 경험을 했지만 세일즈 실적으로는 크게 연결이 되지 않더군요. 시간이 지나면서 차츰 깨닫다가 영업 10년 차가 넘었을 때 분명히 결론을 내렸습니다. 단체 활동이 저에게 효과적인 마케팅 수단이 아니라는 사실을요. 가망고객 발굴을 위해서 각종 모임에 가입해야 한다는 고정관념이 컸지요. 막연한 기대감이랄까요. 지금 생각해 보면 현명한 선택이 아니었습니다.

생긴 대로 산다는 말이 있습니다. 영업도 성격대로 하는 것이 쉬운 방법입니다. 자신과 맞지 않는 방법으로는 단기적인 결과만 만들 수 있습니다. 억지로 하면 오래 하기는 힘드니까요. 성향을 고려해서 판단해야 합니다. 소속된 동호회나 단체 없이 영업을 오래 할 수 있냐고요? 가능합니다. 한 명씩 사람을 만나면 됩니다. 가망고객을 어떻게 확보하냐고요? 소개를 받으면 됩니다. 소개받기를 멈추지 않는 한 만날 사람은 계속 있으니까요.

'모임'에 대한 근본적인 생각을 먼저 말씀드렸고 원래의 질문으로 돌아가겠습니다.

"어떤 단체가 가망고객 발굴에 도움이 될까요?"

협력자! 답은 협력자가 있는 단체입니다. 모임 활동을 통한 영업이 효과적이려면'협력자'가 있어야 합니다. 나를 도와줄 협력자가 존재하는지가 중요합니다. 사실 모임의 종류가 크게 의미 있지는 않습니다. VIP 마케팅을 기대한다면 경영 대학원, 골프, 와인, 승마 동호회 등이 도움이 될 수 있습니다. 1인당 GDP 상승에 비례하여 골프 인구가 늘고, 다음에는 승마, 그 다음에는 요트를 즐기는 사람이 증가한다고 합니다. VIP 고객들이 주로 하는 취미에 관심을 가지면 힌트가 되겠지요.

성과를 내려면 적극적으로 도와줄 사람이 한 명 이상 있어야 합니다. 흔히 '키맨'이라고 부르지요. 애초에 대학원이나 동호회를 가입할 때 키맨과 함께한다면 최선입니다. 아니면 모임에 들어가서 협력자가 될 수 있는 사람을 빨리 찾아야 합니다. 모든 사람들과 전부 다 친해지려 하지 말고 소수에게 집중해 '절친'을 만들어야 합니다. 상호 호감을 느끼는 사람은 어디를 가든 있기 마련입니다. 대화가 잘 통하면서 연배가 약간 위인 선배라면 좋겠지요. 한국인의 정서상 '형님'이란 호칭은 도움을 요청할 수 있는 묘한 힘을 갖고 있으니까요.

직접 다가서기보다는 협력자가 옆에서 도와줄 때 원만한 영업 활동을 할 수 있습니다. 모임에 나가서는 사람들과 즐겁게 어울릴 뿐입니다. 적극적으로 마케팅 활동을 하면 주변 사람들이 불편해할 수도 있으니까요. 그러니 세일즈 목적을 드러내지 않고 열심히 사람을 만날 뿐입니다. 사람들이 나에게 호감을 갖는 동안 키맨이 영업할 수 있는 분위기를 만들어 줍니다. 소개 마케팅과 비슷하다고 할 수 있죠. 단지 모임 속에서 서로 알고 지냈을 뿐 상담 자리는 협력자가 만들어 줍니다. 모양새가 훨씬 부드러워집니다. 예를 들어 함께 식사라도 할 때 '형님'이 한마디 꺼냅니다.

"김 사장, 자기는 법인 앞으로 자금 모으는 거 있어?"

"아니요. 따로 뭐 하는 건 없는데, 그건 왜요?"

"여기 공 이사가 그쪽으로 컨설팅을 잘하는데 다음에 따로 한번 만나 봐. 나도 도움 받았는데, 자기한테도 득이 될 거야. 그리고 공 이사, 자기도 바쁘겠지만 시간 내서 김 사장 회사에 한번 가 봐."

이때 저는 자연스럽게 만날 약속을 잡을 수 있습니다.

"안 그래도 다음 주에 그 방면으로 갈 일이 있는데, 차주에 미리 연락드리고 찾아봬도 되겠습니까?"

"그래요. 오전 시간에는 주로 사무실에 있으니 전화하고 오면 됩니다."

짧지만 강력한 추천이 이루어졌습니다. 만날 약속도 자연스레 잡았고요. 물론, 이런 대화가 오가는 상황은 사전에 제가 부탁했기 때문입니다. 찾아가겠다는 말을 제 입으로 꺼내면 상대방은 긴장할 수 있지만, 제3자의 입을 통해서 그런 말이 나오면 경계심이 사라집니다. 시간 내서 찾아가 보라고 했으니 배려받는 기분이 들고, 키맨 본인도 했다고 하니 소개받은 사람도 긍정적인 마음으로 저를 만나지 않을까요?

모임 활동을 통해서 영업을 할 때는 내부의 키맨을 활용해야 합니다. 어떤 동호회가 도움이 될지 고민하지 마세요. 그건 중요하지 않습니다. 그냥 좋아하는 곳으로 가면 됩니다. 하고 싶은 취미 활동이 있다면 가서 즐기세요. 다만, 그곳에서 영업 결과를 얻고 싶다면 협력자가 있어야 합니다. 키맨을 만들어야 합니다. 우리에게 필요한 형님(?)은 어딜 가도 꼭 계시니 걱정 마세요.

사람은 서로 돕고 사는 존재입니다. 혼자 다 하려고 하지 마세요. 외롭고 빨리 지칩니다. 도움을 받으세요. 재무설계사의 성공은 혼자 이룰 수 없습니다. 모임 영업의 성공과 실패는 키맨이 좌우합니다.

TOP
세일즈맨의
성공전략 4

소개

문화가 개입되지 않는 사고는 없다.

- 리처드 A. 슈웨더

01

"형님 소개로 왔는데 무시할 수도 없고"

"형님 소개로 왔는데 무시할 수도 없고……."

첫 만남에서 했던 말 한마디가 특별히 인상에 남았던 고객 한 명이 있다. 지금은 친해져 종종 만나 식사도 하고 운동도 같이 하며 가깝게 지내는 분이다. 그동안 보험 계약도 많이 했고 주변 지인들도 여럿 소개해 주었다. 평범한 소개로 만나 오랜 세월이 흐르며 친분이 생겼다고 할까. 이 분을 처음 만났을 때가 생각난다.

병원을 방문하면 먼저 데스크에 있는 직원과 인사를 한다. "어디서 오셨어요?" 넥타이를 매고 정장을 입은 모습을 보면, 환자가 아님을 직감하고 사무적으로 묻는다. 병원 직원 중 일부는 따뜻하지 않은 시선으로 우리를 대한다. 환자가 많은 병원일수록 그렇다. 치료할 환자도 많은데 다른 일로 온 사람이 시간을 빼앗는 일이 달갑지 않다.

"원장님 뵐 수 있나요? 김○○ 원장님 소개로 왔다고 전해 주시겠어요."

"네? 어디시라고요?"

"○○에 있는 ○○치과 소개로 왔다고 해 주세요."

"명함 하나 주실래요."

처음 병원을 방문하면 주로 이런 대화가 오간다. 병원은 환자만 오는 곳이 아니다. 제약 회사와 의료기 회사 등 영업하는 사람들이 종종 방문한다. 직원이 미리 확인하는 것은 당연하다. 보험 회사 명함을 내밀면 만남을 거절하기도 한다. 사전에 그렇게 교육받았기 때문이다. 그날도 명함을 주니 훑어보고 이내 입을 연다.

"저희 원장님 보험 회사 분들은 안 만나시는데요." 짧게 거절을 한다.

"네, 그러세요. 잘 알겠습니다."

하고 돌아서기도 하지만, 다시 시도할 때가 많다. 흔한 거절 멘트이기 때문에 개의치 않고 한 번 더 요청한다.

"혹시 모르니 원장님에게 말씀해 주세요. 김○○ 원장님 소개로 왔다고요. 그때도 안 만나겠다고 하시면 돌아가겠습니다."

라고 간호사에게 활짝 웃으며 얘기를 한다. 어떨 때는 짧게 메모해 전달하기도 한다.

"원장님, ING생명 공민호라고 합니다. 김○○ 원장님 소개로 왔습니다. 좋은 분이라고 말씀해 주셔서 이렇게 찾아왔습니다. 시간을 많이 뺏지는 않겠습니다. 잠시만 뵙고 가겠습니다."

이렇게 메모까지 전달했는데 야멸차게 거절하는 의사도 있다. 이런 경우는 직원들도 난감한 표정이다. 대답은 크게 두 가지다.

"저, 죄송한데요. 원장님께서 보험이 이미 너무 많아 더 이상은 생각이 없다고 합니다. 추가할 마음이 생기면 연락드리겠다고 합니다."

직원도 민망해하지만 나 역시 얼굴이 살짝 화끈거린다. 메모까지 전달했는데, 만남을 거절하다니! 오랜 시간 영업했지만 이 순간은 표정 관리가 쉽지 않다. 사람을 아무리 많이 만나도 얼굴은 두꺼워지지 않는다. 완벽한 거절을 당했을 때는 어쩔 수 없다. 빨리 돌아서서 나와야 한다. 오늘 일진이 안 좋네! 스스로를 위로하면서. 정말 가입한 보험이 많을 수도 있고, 보험 회사에 친한 친구가 있을 수도 있다. 이유야 어쨌든 다른 사람까지 굳이 보태고 싶지 않은 것이다.

내 주변의 의사 고객들도 가끔 비슷한 상황을 얘기해 준다. A보험사에서 찾아왔는데, 일부러 만나지 않고 돌려보냈다는 말을 꺼낼 때가 있다. 예전에는 찾아오는 사람 성의를 봐서 만났는데, 지금은 그러지 않는다고 한다. 한두 번 만나다 보면 상대방도 기대 심리가 생기고, 결국에는 상처가 될 수 있으니 처음부터 만나지 않는 편이 낫다는 말이다.

직원이 직설적으로 거절하지 않는 경우는 다시 고민하게 된다.

"저, 죄송한데요. 원장님께서 지금은 바쁘셔서 다음에 다시 들러달라고 합니다."

이 말은 모호하다. 완곡하게 표현한 거절일 수도 있고, 정말 바빠서 그럴 수도 있다. 이런 경우는 돌아와서 소개자에게 다시 물어본다. 소개해 준 병원을 찾아갔는데, 바빠서 만나지 못했다고. 그러면 소개자는 최근 근황에 대해 말해 줄 때가 많다. 처음 소개해 줄 때도 대략 얘기는 해 주었지만 추가해서 정보를 준다. 그 병원 경기가 어떤지, 최근 변화가 있는지 등을 말해 준다. 자세한 얘기를 들으면서 다시 방문할지 말지에 대한 판단을 할 수 있다. 좀 편한 사이라면 전화해 달라고 부탁한다. 소개를 받았으면 일단 한 번은 만나야 하지 않을까. 얼굴이라도 봐야 한마디 말이라도 붙여 보고 계속 방문할지 여부를 가늠할 수 있기 때문이다.

그날 방문했던 병원에서는 가장 원하는 대답이 나왔다.

"원장님이 지금은 좀 바쁘다고 상담실에서 조금만 기다려 달라고 합니다. 이쪽으로 따라오시겠어요."

안쪽에 있는 상담실로 안내를 받고 자리에 앉으니 공손히 물어본다. "차는 무엇으로 드릴까요?" 냉랭하던 직원도 목소리가 바뀌어 있다. 원장이 손님으로 인정했으니 태도가 변한다. 상담실에 앉아서는 주변을 살펴본다. 책상 위에는 가족 사진, 여행 사진 등이 있는 경우가 많다. 자녀가 몇인지, 어디를 여행했는지, 취미로 무엇을 즐기는지 등을 알 수 있다. 상담실 바깥 풍경도 훑어본다. 시설 규모도 확인하고, 간호사가 몇 명인지 세어 본다. 대략적인 병원 매출 규모를 알 수 있기 때문이다.

그 후에는 책을 꺼내 읽는다. 외부 활동을 할 때는 책 한 권을 가방에 넣어두고 다닌다. 독서는 그 자체로 유익하고, 책 읽는 모습은 상대방에게도 좋은 이미지를 준다. 나쁠 게 없다. 병원에 가서 의사를 기다리다 보면 소파에 기대앉아 스마트폰으로 게임을 하는 이들이 있다. 아무렇게나 널브러져 TV를 보거나 졸고 있는 모습도 보기 좋지 않다. 병원에 진료를 받으러 간 환자라면 모를까 비즈니스를 하러 간 영업인이라면 더욱 그렇다. 병원에 비치된 신문이라도 보거나 잡지라도 보는 편이 낫다. 의사가 우리를 보는 시각이 달라진다. 의자에 삐딱하게 기대어 앉아 스마트폰으로 게임을 하는 모습을 상상해 보라. 다리까지 떨면서. 좋아 보이겠는가?

30분쯤 책을 보고 있었을까? 의사가 들어왔다. 자리에 일어서며 인사를 했다.

"안녕하십니까? 공민호라고 합니다."

"네, 안녕하세요. 기다리게 해서 미안합니다."

"○○에 있는 김○○ 원장님이 소개해서 찾아뵈었습니다."

"아, 그러시네요. 사실, 병원으로 찾아오는 보험 회사 사람은 안 만나는데. 김 선배님이 소개해서 시간 냈습니다. 형님 소개로 왔는데 무시할 수도 없고. 솔직히 그런 마음이네요. 형님과는 무슨 사이세요?"

"고등학교 후배 됩니다. 자주 만나 식사도 하고 모임도 같이 하는 사이입니다. 형님이 친한 대학 후배라고 말씀 많이 하셔서 한번 뵙고 싶었습니다."

"네, 그러시군요."

그렇게 대화를 시작했다. "형님 소개로 왔는데 무시할 수도 없고"라는 표현이 재미있지 않은가. 본래는 만날 생각이 없었는데, 친한 형님이 소개했으니 태도를 바꾸겠다는 뜻이다. 10년도 더 된 일이지만 그때 했던 말이 지금도 생생하다.

형님 소개로 왔는데 만나지 않는다면 형님 체면을 구기는 일이다. 일부러 찾아가 보라고 추천했는데 만남을 거절하면 소개해 준 사람의 위신이 어떻게 되겠는가. 후배 되는 입장에서 만나 주는 이유는 그것이다. 잠깐 만난다고 시간이 뭐 그리 빼앗기겠는가?

상대방 체면을 살려 주는 한국인의 정서에 관해 한성열 교수는 다음과 같이 설명하고 있다.

> "이러한 체면은 한국에서만 나타나는 것은 아니다. 체면은 동양 집단주의 문화권, 특히 유교 문화권의 특징이라고 할 수 있는데, 체면의 양상은 나라에 따라 각각 달리 나타난다. (……) 한국 사회에서는 사회적 관계의 전반에서 체면이 중요하게 작용한다. 사람들은 체면 때문에 하기 싫은 일을 억지로 해야 할 때도 있고 때로는 분수에 넘치는 무리한 소비를 하게 되기도 한다."
>
> (한성열·한민·이누미야 요시유키·심경섭, 《문화심리학》, 학지사, 2015, 407쪽)

'체면 때문에 하기 싫은 일을 억지로 해야 할 때도 있다'는 사실이 중요하다. 체면은 나를 위한 행동이기도 하지만 타인을 생각해서 하는 행위가 될 때도 있다는 뜻이다. 타인을 위하는 '치레적 체면'은 대인 관계를 중시하는 유교 문화권에서 보편적으로 나타나는 형태다.

체면이 한국 사회를 유지하는 중요한 요소라는 사실을 우리는 알아야 한다. 그날 만났던 의사는 선배의 위신을 세워 주기 위해 나에게 시간을 내 주었다. 형님 체면을 구기면 다음에 만날 때 불편할 수도 있기 때문이다.

그렇게 그분과의 만남이 시작되었다. 첫 만남이 약간은 어색하더라도 일단은 만나야 한다. 한 번 얼굴 보기가 어렵지 두 번 세 번 방문하면 차츰 익숙해진다. 병원 직원도 얼굴을 알아보며 손님으로 대접하고 반가워하기 시작한다. 가끔씩 만나 세상 얘기도 하고 여러 가지 일에 관해 대화한다. 세법이 바뀌면 그에 관한 정보를 드리기도 하고. 시간이 지나면서 재무상담도 자연스레 하게 되고 보험 계약도 한다. 이때쯤 되면 처음 소개했던 사람이 더 이상 둘 사이에 존재하지 않는다. 때가 되면 첫 인연을 만든 끈은 수면 아래로 가라앉기 마련이다. 처음 만나 친분이 쌓이기까지 촉매제가 되었을 뿐이다.

소개 마케팅이 한국에서 더 효율적인 영업 수단이 되는 이유는 여기에 있다. '무시할 수 없는 형님'덕분에 많은 만남이 가능하기 때문이다. 서양 사람들은 필요성과 독립적 판단으로 의사 결정을 하지만 한국인들은 '체면'의 영향을 받는다. 아는 형님 소개, 직장 선배 추천에서 우리는 자유롭지 못하다. 대놓고 무시하면 버릇없다는 비난이 돌아오기 때문이다.

"저 친구는 싸가지가 없어!"한국인이 참 듣기 싫어하는 말이다. 타인의 시선을 중시하는 한국인은 주변 평판에 예민하게 반응한다. 거미줄처럼 서로 얽혀 있는 현대 사회에서 상호 의존적 관계는 더욱 강화되고 있다. 소개로 사람을 만나는 일이 효과적일 수밖에 없는 이유다.

오늘도 나는 '형님 소개'로 누군가를 만나러 간다.

02

16년 만의 검거, 그를 어떻게 잡았을까?

2011년 6월 24일, 〈뉴욕타임스〉신문 1면에 한 인물 사진이 크게 게재되었다. 사진 밑으로는 짧은 설명이 나온다. “1950년대 보스턴에서 범죄 활동을 시작한 ‘제임스 벌저’, 캘리포니아 산타모니카에서 검거되다.” 제임스 화이트 벌저(James Whitey Bulger), 그 이름을 들어 본 적이 있는가?

우리에게 낯선 제임스 벌저는 미국에서 악명 높은 범죄자다. 보스턴을 무대로 활동했던 갱단 두목이다. 19명의 살해와 살인 교사, 마약 거래 혐의로 수배되었다. FBI(미국 연방 수사국)가 현상금 200만 달러를 걸었는데, 이는 오사마 빈 라덴(Osama Bin Laden) 다음으로 큰 금액이었다고 한다(오사마 빈 라덴은 9·11 테러 배후로 알려진 인물이다). 벌저가 얼마나 중대한 수배자였는지를 알 수 있다. 이런 거물을 마침내 잡다니!

그런데 뉴스를 접하며 궁금증이 하나 생겼다. 어떻게 잡았을까? 16년이나 추적했는데 잡지 못한 사람을 무슨 수로 체포했을까? 그를 추격하는 FBI 전담팀이 있었고 세계 각국 인터폴도 공조했다고 한다. 범죄자 한 명을 체포하기 위해 엄청난 인력과 시간이 투입된 셈이다. 그럼에도 불구하고 쉽게 잡을 수가 없었는데……. 이제 와서 어떻게?

도대체 어떤 방법으로 잡았을까?

답은 '발상의 전환'이었다. 새로운 FBI팀은 관점을 바꿈으로써 그를 잡을 수 있었다. 기존 전담팀은 '벌저'에게만 주목하고 있었다. 당사자에게 현상금을 걸고 그 인물을 쫓았다. 이상하지 않은 일이다. 벌저가 범죄자니까 그를 수배하는 일이 당연해 보인다. 그런데 새로운 팀은 다른 시각으로 접근했다. 16년을 수사했는데 결과가 없다면 어차피 그를 직접 찾기는 힘들지 않을까? 주변 사람을 먼저 찾는 쪽으로 생각이 바뀌었다.

과거의 주변 인물에 대해 조사를 시작하자 옛 연인 '캐서린 그레이그'가 눈에 띄었다. 벌저가 도망자 신세가 되었을 때 그레이그도 동시에 사라졌다는 사실에 주목했다. 둘이 같은 시기에 잠적한 일이 우연일까? 그녀를 만나 확인할 필요가 있었다. 새로운 단서, 캐서린 그레이그를 찾아야 한다.

FBI는 그레이그에게 단돈(?) 10만 달러라는 현상금을 걸었다. 그녀가 다녔던 치과, 뷰티살롱 등을 중심으로 지역 방송에 광고를 내보냈다. 과연 그레이그를 수배하는 일이 효과가 있었을까?

결과는 놀라웠다. 방송이 나간 지 2일 만에 시민 제보가 들어왔다. 산타모니카 한 아파트 주변을 FBI가 잠복했고, 3일 만에 제임스 벌저가 나타났다. 와우! 그는 별다른 저항 없이 체포되었다. 허무할 만큼 손쉬운 검거였다. 무려 16년이나 찾으려고 혈안이 되었던 심각한 범죄자를 그렇게 잡았다. 단 5일 만에!

'추적 대상' 변화가 성공한 이유였다. 사람은 혼자서 살 수 없는 존재라는 사실에 주목했다. 누군가는 옆에 있지 않을까? 아무리 숨어 지내도 친구나 연인이 함께하지 않을까?

도망자 신세라고 해도 고립무원으로 홀로 살아가기는 어렵다. 그 사실에 초점을 맞춤으로써 거물 갱스터를 잡을 수 있었다. 캐서린 그레이그 소개(?)로 제임스 벌저를 만난 셈이다.

사람은 누군가와 연결되어 있다. 혼자서는 존재할 수 없다. 가족과 친구가 있고 동료와 지인이 있다. 외딴섬처럼 살아가는 사람은 없다. 외로움은 기본적인 감정이기도 하거니와 사회 생활을 위해서는 타인의 도움을 받아야 하기 때문이다. 흉악한 범죄자도 그렇고 사회적으로 성공한 사람도 마찬가지이다. 사람은 모두 다른 사람과 더불어 산다.

새로운 사람을 만나는 길은 두 가지가 있다. 직접 다가서는 방법이 있고, 옆에 있는 사람을 통한 만남도 있다. 때로는 그 사람을 직접 만나기보다 다른 사람을 통해 만나는 방식이 더 효과적이다. 낯선 사람은 경계하지만 소개로 만나면 우호적이기 때문이다. 더 따뜻한 시선이랄까? 우리는 누군가를 처음 볼 때 옆 사람의 태도와 감정을 수용한다. 친구가 믿는 사람을 나도 일단 신뢰한다.

아무런 정보 없이 낯선 사람을 대할 때는 긴장하게 된다. 판단할 수 있는 근거가 없고 주변 평판을 참고할 수 없으니 만남이 편안하지 않다. 이런 관계에서는 한두 번 교류로 상대방을 파악하기가 어렵다. 신뢰하는 마음이 생기기까지 제법 긴 시간이 걸릴 수밖에 없는 이유다. 비즈니스로 사람을 만날 때는 주변 사람을 통해 접근하는 방법이 더 효과적일 수 있다. 생면부지로 만나 어울리기가 편할까, 추천으로 만나 대화하기가 쉬울까?

모든 세일즈 분야에 등장하는 마케팅 이론이 있다. '소개 마케팅'이다. 기존 고객으로부터 소개받아 가망고객을 확보하는 방법이다. 한번 생각해 보자. 롱런하기 위해 새로운 사람을 어떻게 만날 것인지. 무슨 방법으로 새 가망고객을 확보할 수 있는지? 새로운 모임에 나가 사람을 사귀는 데에는 시간적인 한계가 있다. 아무 병원이나 사무실을 찾아가 세일즈를 하는 일도 쉽지 않다. 그럼 남는 방법은? '소개 영업'이 정답이다. 소개를 통해 사람을 만날 때 신뢰를 빨리 얻을 수 있다.

전설적인 자동차 세일즈맨 조 지라드 역시 소개 마케팅의 신봉자였다. 그는 《누구에게나 최고의 하루가 있다》에서 '250의 법칙'을 설명하고 있다.

조 지라드는 친구 어머니의 장례식장에 갔다가 한 가지 사실을 알게 된다. 천주교 식으로 치러지는 장례식이라 미사 카드를 나눠 주는 장면을 보고 한 가지 궁금증이 생긴다. 장례식장을 사람들이 예약하고 오는 것도 아닌데 미리 인쇄할 카드 숫자를 어떻게 예측하는가 하는 점이었다. 장의사에게 물어보니 장례식장에 참석하는 인원은 경험적으로 250명이라는 얘기를 해 준다. 그 후 개신교 장례식장에 조문을 갔을 때 다시 확인해 보니 조문객 평균은 역시 250명이었다. 그렇다면 결혼식장은? 마찬가지였다. 신부, 신랑 측 각각 250명 정도가 평균 하객 숫자였다. 250명!

지라드는 '250의 법칙'을 통해 소개 마케팅의 중요성을 강조하고 있다. 가망고객을 확장하는 일은 소개 요청을 통해서 가능하다. 우리가 만나는 한 사람 뒤에는 250명이 있다. 무심코 지나친 그 사람 뒤에는 무수히 많은 사람들이 연결되어 있다. 그중에는 우리가 만나고 싶어 하는 거물도 숨어 있을 수 있다.

가망고객을 발굴하는 최고의 방법은 소개를 받는 일이다. 개척 활동과 단체 가입을 통한 모임 활동은 소개만큼 쉬운 방법이 아니다. 그러니 다른 방법을 고민하지 마라. 소개 요청을 통해 가망고객을 확장하라. 혹시 다른 길로 가고 싶을 때는 다시 이 질문을 떠올려 보라.

"제임스 화이트 벌저를 16년 만에 어떻게 잡았을까?"

"정답은……. (연인 캐서린 그레이그의) 소개!"

우리는 소개를 통해 원하는 사람과 닿을 수 있다.

"옆 사람과 같은 걸로 주세요"

최고의 실적을 보이는 세일즈맨들에게는 공통된 영업 비결이 있을까?

해마다 6월이면 북미 지역에서 "MDRT(백만달러 원탁회의) 연차총회"를 개최한다. 전 세계 보험 전문가들이 모여 5일 동안 진행하는 강연에는 유명한 연사들과 수십 년 경력의 재무설계사들이 주로 등장한다. 신선한 아이디어, 의사소통의 기술, 다양한 세일즈 노하우를 공개하지만 공통적으로 강조하는 마케팅 방법은 따로 있다. 바로 '소개 영업'이다. 세계 최고의 세일즈맨들에게도 별다른 영업 방법은 없다. 소개받아 고객을 만나는 일을 계속해서 실행할 뿐이다.

소개 영업은 꽤 확률이 높은 방법이다. 한번 생각을 해 보자. 이미 계약을 한 고객이라면 회사든 상품이든 아니면 세일즈맨에게든 만족을 느낀 사람이다. 마음에 들었으니 당연히 주변 사람들에게 긍정적인 평가를 한다. 그렇게 소개가 이뤄지고 계약을 하고, 계약한 사람은 다시 소개를 하고……. 그런 과정을 반복한다. 선순환의 흐름이랄까. '가망고객 추천받기'

는 무한히 지속할 수 있는 최고의 마케팅 수단이다.

소개 마케팅이 전 세계적으로 통용되는 확실한 영업 수단이라면 한국에서는 어떨까? 마찬가지로 유효할까? 결론을 먼저 얘기하자면, 소개 마케팅은 한국에서 더욱 효과적인 방법이다. 서구 사회와 다른 문화적 특성을 살펴보면 소개 영업이 왜 한국에서 더 강력한 수단인지를 알 수 있다. 몇 가지 단서가 힌트를 준다.

첫째. 호텔 식당에서 '오믈렛'을 주문하는 방식이다.

'생뚱맞게 오믈렛이라니!' 그런 생각이 들겠지만 이 간단한 음식에서 흥미로운 점을 발견했다. 미국 도시들을 여행하며 한국과 다른 문화적 차이들을 느낄 수 있었는데, 그중 하나가 호텔에서 아침 식사를 할 때 느낀 것이다. 호텔에서는 대부분 아침 식사를 뷔페로 제공한다. 미리 준비된 음식을 우리가 직접 가져다 먹는 구조다. 규모가 작은 호텔은 차려진 음식이 전부이지만, 좀 큰 호텔은 '즉석 요리'가 있다. 통상 오믈렛이나 쌀국수, 우동 등 미리 해 놓을 수 없는 음식들은 손님이 주문을 하면 만들어준다. 이런 즉석 요리 중 오믈렛을 주문할 때 한국과 미국 간의 차이점이 있다.

한국 호텔에서는 음식만으로 주문을 한다. "달걀 프라이 하나 주세요." 또는 "오믈렛 하나 주세요."라고 말하면 된다. 그럼 요리사는 "네. 잠시만 기다리세요."라며 오믈렛을 만들어 준다. 대부분 경험해 봤을 익숙한 장면이다.

반면 미국 호텔에서 주문할 때는 다르다. "오믈렛 하나 주세요."라고 말하면 요리사가 되묻는다. "어떤 재료를 넣을까요?" 그러면 양파, 감자, 베이컨, 햄, 파슬리 등 10개가 넘는 재료들 중에서 골라야 한다. 한국에서는 오믈렛 재료가 주방 안에 있지만, 미국에서는 손님이 고를 수 있게 오픈해서 진열해 놓는다. 주문받은 요리사는 선택한 재료들을 프라이팬에 담는다. 잠시 후 오믈렛이 완성될 때쯤 또 물어본다.

"치즈를 넣어 마무리할까요?" 간단한 요리 '오믈렛' 하나 주문하는 일도 단순하지 않다. 개인의 취향을 일일이 확인하기 때문이다. 이 장면에서 재미있는 점은 서양인들은 재료를 잘 고르지만 대부분 한국인들은 머뭇거린다는 사실이다. 이런 주문에 익숙하지 않은 한국인들은 그냥 "올(all)"이라고 말한다. 하나씩 선택하지 않고 있는 재료 다 넣어 만들어 달라는 뜻이다. 왜? 골라 본 적이 없으니까!

오믈렛이라는 음식을 한국에서는 그냥 받아먹었지, 재료를 선택해 본 적이 없다. 그래서 그냥 안전하게(?) 다 넣는 방식으로 주문한다. 서양인은 쉽게 고르지만 한국인은 이런 상황이 불편하다. 실제 미국 호텔에서 줄 서서 지켜보면 중국인이나 일본인도 비슷하다. 그들도 우리처럼 "올(all)"이라고 외친다. 목소리 크기만 다를 뿐이다.

다른 곳에서도 비슷한 경험을 했다. '아웃백'이란 프랜차이즈 레스토랑을 갔을 때다. 한국에서도 여러 번 가 본 식당이라 편안하게 생각하고 들어갔는데, 미국 애너하임 아웃백에서는 주문이 편하지 않았다. 메뉴판을 보고 음식을 선택했는데 주문받는 종업원이 계속 질문을 했다. 음식을 어떻게 요리할지, 그 속에 들어가는 양념은 무엇으로 할지 등을 계속해서 물어 왔다. 빠른 말로 집요하게 물어 대니 더욱 곤혹스러웠다. 밥 먹으러 왔는데 취조당하는 기분이랄까? 한국에서는 미소를 지으며 '알아서 해 주세요'라고 말하면 통할 때가 많은데…….

이런 문화적인 차이는 어디에서 비롯되었을까? 서양 사람들은 단순한 요리 하나에도 개인의 취향을 적극 반영한다. 한국인의 시각으로 보면 사소한 일에도 미국인들은 적극적으로 개인의 의견을 피력한다. 사사건건 자기 취향이 반영되어야 직성이 풀린다고 할까. 개성을 드러내는 일이 당연한 사회다.

반면 한국인들은 취향을 굳이 표현하지 않을 때가 많다. 사실 기호 차이도 크지 않다. '당신 입맛이랑 내 입맛이 크게 다르지 않다.', '까다롭게 굴지 않고 당신 입맛에 맞추겠다.'는 태도가 한국인들의 기본 마음이다. 동일한 입맛, 유사한 취향을 갖고 있기 때문이다.

둘째. '패스트 패션(Fast Fashion)'이다.

패스트 패션이란 새로운 옷을 빠르게 만들어 판매하는 방식이다. 유니클로, 자라(Zara), H&M, GAP 등이 세계적인 브랜드다. 패스트 패션 옷을 관찰해 보면 한국과 서양 사회의 차이점을 발견할 수 있다. 유니클로와 자라는 같은 패스트 패션이지만 다른 방식으로 옷을 만든다.

패스트 패션의 원조 브랜드는 '자라'다. 스페인에 본사가 있는 자라는 패스트 패션으로 사업을 크게 성장시켰다. 보통 의류회사가 1년에 2,000개에서 4,000개의 아이템을 생산한다면 자라는 연간 11,000개가 넘는 새로운 옷을 만든다. 얼마나 많은 차이인가?

반면 똑같은 패스트 패션 브랜드이지만 유니클로는 자라만큼 다양한 아이템을 생산하지 않는다. 전국 각지에 있는 유니클로 매장을 가 보면 안다. 유니클로는 동일한 옷을 대량으로 쌓아 놓고 판매한다. 같은 패스트 패션으로 분류되지만 자라만큼 다양한 옷을 굳이 만들지 않는다. 왜 이런 차이가 날까?

서구 사회에서는 길을 가다 같은 옷을 입고 있는 사람을 보는 일은 '끔찍한'경험이라고 한다. 서양 사람들은 개성을 드러내기를 좋아하기 때문에 옷으로도 자신을 표현한다. 그런데 같은 옷을 입은 사람과 우연히 마주친다면 어떨까. 유쾌한 장면이겠는가? 남들과 다른 옷을 입어야 더 행복한 사회라고 할까. 서양에 있는 의류회사가 새 옷을 끊임없이 만들어야 하는 이유다.

반면 한국을 포함한 동아시아인들은 다르다. 같은 옷을 입은 사람과 마주쳤을 때 꼭 불편한 감정만은 아니다. 친근감을 느끼지는 않더라도 서양인들처럼 '끔찍한'경험이라고 여기는 사람은 많지 않다. 오히려 유행하는 아이템이 있을 때는 쏠림 현상이 심하게 나타난다. 한때 고등학생들에게 교복 같았던 '노스페이스'점퍼는 그런 마음을 잘 나타낸다. 드라마에서 여주인공이 하고 나온 목걸이 역시 불티나게 팔려 나간다. 옆 사람이 하면 나도 하고 싶고, 여럿이 하면 기어이 사고야 만다. 물론 이런 심리는 과시하고자 하는

'체면 의식'때문이기도 하다.

한국인들은 튀는 행동보다는 전체와 어울리는 무난함을 선택한다. '모난 돌이 정 맞는다'고 했던가? 타인의 시선에서 자유로운 한국인은 드물다. 정답을 강요하는 사회, 쏠림 현상이 심한 사회라고 비판하는 시각도 있지만 어쩔 수가 없다. 그게 한국인이다. 한국 사회에서는 특별한 개성을 표현하기보다는 남들과 비슷한 내 모습을 편안하게 여기는 사람들이 많다.

얼마 전 같은 사무실에 있는 후배가 나를 찾아왔다. 자동차를 최근에 바꿨는데 담당이 '박○○'라고 한다. 반가웠다. 작년에 나에게도 판매했던 사람이었다.

"어떻게 알고 그 사람한테 샀어?"

"네, 다른 곳에서 소개를 받았는데, 우연히 선배님 얘기를 하더라고요. 선배님이 거래한 사람이라고 해서 단번에 신뢰가 갔습니다. 이리저리 알아보며 계속 고민했

는데, 쉽게 결정을 내릴 수 있었습니다."

"아, 그래도 충분히 알아보지 그랬어."

후배는 나와 똑같은 결정을 함으로써 심리적 편안함을 얻었다.

서양인들은 '홀로' 살아가지만, 한국인들은 '더불어' 살아간다. 그들은 늘 개성을 추구하지만 우리는 그렇게 살지 않는다. 남들과 유사한 소비를 하고 비슷한 수준에서 저축을 한다. 집을 살 때도 차를 살 때도 내 직업군의 평균이 어떤 선택을 하는지 먼저 궁금해한다. 세상과 비슷해야 내 마음이 편안하기 때문이다.

재무설계는 개인 취향에 맞춰 해야 하지만, 동일 직군의 사람들과 비슷한 수준에서 권하는 방식이 효과적일 때가 많다. 재무설계는 각자의 의견에 따라서 하지만 보험료를 결정할 때는 다른 사람이 가입한 금액이 중요한 잣대가 된다. 남들과 유사한 규모로 결정하기를 한국인들은 선호하기 때문이다.

한 가지 더, 한국인들은 가까운 사람의 선택에 쉽게 영향을 받는다. 신뢰하는 사람이 제품을 구매하면 우리는 그 결정을 중요한 정보로 여긴다. 내가 믿는 사람이 샀다는 이유가 강력한 구매 동기가 되기도 한다. 물론 과시하고자 하는 체면 의식이 작용하기도 한다.

왜 소개 마케팅이 우리에게 더 효과적인 영업 방법이 될까? 답은 나왔다.

'남들만큼' 그리고 '남들처럼' 한국인은 살고 싶어 하기 때문이다. 영업도 그에 맞춰야 한다. 쉬운 길로 가야 오래갈 수 있다.

한국에서는 소개 마케팅이 현명한 영업 방법이다.

04

한국인의 심리 들여다보기

어떻게 하면 소개 마케팅을 잘할 수 있을까? 소개 영업은 서양에서나 한국에서나 다 통용되는 방식인데, 한국에서는 특별히 무엇에 초점을 맞춰야 할까?

이 질문에 대한 해답을 찾기 위해서는 한국 사회의 특징을 몇 가지 살펴봐야 한다. 서양과는 다른 한국인의 성격을 파악하고 이를 활용할 때 소개 마케팅이 더 효과적이기 때문이다. 우리가 알고 있는 속담이 그 특성을 이해하는데 도움이 된다. 한국 사회에서 소개 영업을 잘하기 위해 기억할 속담을 세 가지로 정리했다.

첫째. '친구 따라 강남 간다'이다.

한국에 외국계 보험 회사들이 본격적으로 진출한 시기는 1990년대였다. 당시 세련된 정장과 노트북으로 무장한 프로 세일즈맨들이 전문직 종사자에게 호평을 받았던 시절이다. 고액 사망 보험금이 나오는 종신 보험을 의사들이 너도나도 가입할 때였다. 병원을 개원하면서 생긴 부채가 주된 원인이었을까? 자녀도 어리고 빚도 많은 상황에서 유사시를 대비한 사망 보험은 개원 초기의 의사들에게 크게 먹혔다.

5억, 10억씩 하는 고액 종신보험을 꽤 많은 사람들이 가입했다. 필요성을 느껴서 했겠지만 유행처럼 번졌다는 표현도 맞다. '옆집 의사도 하는데 나도 해야겠지!' 하는 마음이었을까? '가족을 위해서 그 정도는 해야지'라는 생각이 당시 전문직 사이에서 퍼진 분위기였다. 종신 보험은 개원한 의사들이 가입하는 당연한 보험이었다.

법인 사업자들에게는 한때 정관 변경이 유행했다. 정관이란 기업 자체 규칙이다. '임원 퇴직금'관련 내용을 정관에 규정함으로써 세금 측면에서 유리한 사항이 있었다. 물론 규정하지 않으면 효과는 없었다. 법인 사업자들에게는 장점이 커서 관련 규정을 보완하는 작업이 필요했다. 그런데 이 과정에서 그 내용을 꼼꼼하게 확인한 회사들이 얼마나 될까? 남들 다 하는 상황에서 나만 안 하면 손해 보는 느낌이 크지 않았을까? 모르긴 해도 분명 다른 회사를 막연하게 따라한 기업들도 많았으리라.

지금은 많이 사라졌지만 주식 시장에서 '묻지 마 투자'가 성행했던 일도 같은 맥락이다. 남들이 매입하는 주식이 있으면 그 시류에 편승해 따라 산다. 특별히 이유를 묻지 않는다. 뭔가 있겠지 하는 허황된 믿음만이 있다. 투자 전문가들이 언급하는 밸류에이션, 수익성, 재무 안정성, 성장성 등을 확인하지 않는다. 사실보다 소문에 더 민감하다. 다수가 한다는데 굳이 의심 어린 눈으로 보지 않는다. 투자한 사람들이 많으면 이유가 있으려니 하고 행동한다.

심리학에 '베르테르 효과(Werther Effect)'라는 용어가 있다. 유명인이나 선망했던 인물이 자살할 경우, 자신도 따라 자살하는 현상을 말한다. 자살 같은 극단적인 행동도 모방하는 자들이 많은 셈이다.

사람은 외부의 영향을 받으며 산다. 특정인 또는 주변 사람의 행동에서 자유롭지 못하다. 한국인은 더욱 그렇다. 남들처럼 해야 마음이 편하다. 재무설계사 입장에서는 중요하게 챙겨야 할 포인트다. 한국인은 타인의 선택에 영향을 받으며 살아가기 때문이다. 유행하는 흐름이 있으면 놓치지 말아야 한다. 트렌드가 있다면 고객에게 이를 적절하게 소개해야 한다. 세일즈 기회는 그렇게 유행을 따라오는 경우가 많기 때문이다.

둘째. '남의 제사에 감 놔라 배 놔라'이다.

서양 사람들은 사생활을 중시하기 때문에 누구를 소개하고 나서 그 다음 일에는 관심을 두지 않는다. 추천을 했으면 그만이지 이후는 당사자들이 알아서 할 일이다. 자신이 소개해 준 사람이 계약을 하는지, 어떤 상품을 얼마로 하는지 등을 물어보지 않는다. 질문 자체가 실례되는 행동이다. 서양 사람들은 개인사에 호기심을 갖지 않는다. 궁금증이 생겨도 굳이 묻지 않는다고 할까. 그런데 한국 사람들은 어떤가? 한국인들은 주변 사람의 삶에 종종 참견한다. 자기가 안다고 생각하거나 경험한 일에 관해서는 조언을 아끼지 않는다. "그건 내가 해봐서 아는데", "거기는 내가 가 봐서 잘 아는데"하면서 얘기를 꺼낸다. 불필요한 참견일 수 있지만 제 딴에는 친절한 행동이다. 간섭하는 느낌이 들어 불편하게 느끼는 사람도 있지만, 조언하는 사람 입장에서는 남을 위하는 마음으로 하는 일이다.

타인의 삶에 개입하는 문화는 남을 존중하지 않아서가 아니다. 한국과 같은 관계주의 문화, 공동체 사회의 특징이다. 한국인은 오랜 세월 그렇게 살아왔다. 우리의 민족성이다. '우리가 남이가'라는 생각은 옆 사람의 인생에 관여하게 만든다. 오죽하면 '옆집 젓가락 개수를 안다'는 표현이 있을까. 그만큼 이웃집 사정을 뻔히 안다는 뜻이리라. 남이라고 생각하지 않으니 그럴 수 있다. 간섭하고 참견하는 이유는 남이 아니기 때문이다. 이웃사촌인 것이다.

여기에 바로 소개 영업을 잘하기 위한 중요한 키워드가 있다. 바로 '참견'이다. 한국에서 소개 영업을 할 때는 소개자의 협력을 이끌어 내는 일이 무엇보다 중요하다.

소개자가 협력하게끔 만들기 위해서는 진행 상황을 알리는 일에 신경을 써야 한다. 소개를 받아 가망고객을 만나기로 약속하는 순간, 소개자에게 알려야 한다. 업무로 하는 보고가 아니다. 일처럼 느끼면 행동이 무거워진다. 그럴 필요는 없다. 가볍게 하면 된다. 짧은 전화 한 통, 몇 줄 문자로 충분하다. "소개해 줘서 고맙다. 만나기로 약속했다. 잘 만나겠다." 이 정도 내용이면 괜찮다.

SNS 서비스를 통해 커피 쿠폰이라도 하나 보내면 금상첨화다. SNS는 문자나 이모티콘을 보낼 때만 쓰는 용도가 아니다. 커피 한잔 선물할 때도 유용하다. 가볍게 감사 표시를 하고 만나기로 한 사실을 알리면 소개자 역시 긍정적으로 반응한다. "잘 만나라. 좋은 결과가 있으면 좋겠다." 우호적인 말을 하고 나면 소개자는 한층 더 따뜻한 관심을 갖기 시작한다. 자연스럽게 '협력자'가 된다.

단순히 소개로 역할이 끝나서는 곤란하다. 협력하는 분위기가 필요하다. 그 분위기는 내가 만들어야 한다. 소개자가 알아서 해 주기를 바라지 마라.

'감사하고 보고'한다면 소개자는 자발적으로 협력하는 존재가 된다. 침묵하면 소개자도 모른 체한다. 굳이 나서면 실례라고 생각할 수도 있기 때문이다. 성실하게 만나 상담하는 모습을 '전달'할 때 더 응원하고 협력한다.

소개자가 조언을 하게 만들어야 한다. 결정할 당사자가 고민에 빠졌을 때 주변 사람의 한마디는 효과가 크다. 혼자 노력만으로 고객 마음이 움직인다고 착각하지 마라. 재무설계사 백 마디 설명보다 친구가 하는 한마디 훈수가 더 영향력이 크다. 적어도 한국인은 그렇다. 그러니 소개자 도움을 끌어내라. 소개 영업 결과는 소개자 협력에 따라 달라진다.

셋째. '냉수 먹고 이 쑤시기'다.

실속 없이 있는 체하는 태도를 뜻한다. 한국 사람들의 위신과 체면 의식을 나타내는 표현이다. '잘난 척', '있는 척', '아는 척'은 한국인 특징이다. 우스갯소리로 '삼척동자'라고 한다.

한국인들은 남에게 과시하기 위해 속과는 다른 행동을 할 때가 있다. 겉치장을 좋아하고 허례허식도 강하다. 비싼 수입차와 명품 브랜드가 한국 시장에서 지속적으로 성장해 왔던 원인도 '자기과시의 기질'과 무관하지 않다.

소개 영업을 할 때 또 하나 중요하게 생각할 포인트가 바로 '체면 의식'이다. 소개받아 만났을 때는 이런 심리를 잘 이해해야 한다. 고객 마음속에는 소개해 준 사람 위신을 고려하는 마음이 있기 때문이다.

"소개해 준 사장님 얼굴 봐서", "형님 소개로 오셨는데"와 같은 표현을 우리는 종종 쓴다. 아는 사람 소개로 왔으니 함부로 하지 못하고 잘해 주겠다는 뜻이다. 한국 사람들은 내 체면과 함께 타인의 체통도 지켜야 한다.

소개 영업을 진행할 때는 소개자의 영향력을 이용해야 한다. 악용하면 안 되겠지만, 무시해서도 곤란하다. 고객과 상담하며 추천해 준 사람의 입김을 활용할 줄 알아야 한다. 은근하게 그 '관계'를 설득의 도구로 써야 한다.

속담을 ‘거리의 지혜’라고 했던가. 속담을 통해 소개 마케팅을 어떻게 할지 살펴봤다. 우리에게 맞는 방법은 따로 있다. 키워드는 유행과 동조 의식, 간섭과 협력, 체면 의식이다.

05

매력을 증폭시키는 4가지 요소

"아름다움이 최고의 소개장이다."

이 말에 동의할 수 있는가? 남들 앞에서 대답은 다르게 하더라도 아마 대부분 마음속으로는 고개를 끄덕이지 않았을까? 고대 그리스의 철학자 아리스토텔레스가 한 말이다.

"신은 인간의 마음을 보지만 사람은 그 외모를 본다."

이 말은 어떤가. 같은 느낌이다. 겉으로 드러나는 모습이 호감을 형성하는데 결정적인 역할을 한다. 외모가 주는 이미지로 그 사람을 판단한다. 오래 만나다 보면 성격, 인품 등이 더 중요하지만 일단은 보이는 모습에 우리는 영향을 받는다.

중국 당나라 때는 '신언서판(身言書判)'이라는 기준이 있었다. 관리를 뽑을 때 사용했던 네 가지 평가 지침이다. 신수, 말씨, 글씨, 판단력을 뜻한다. 《당서(唐書)》선거지(選擧志)에 설명이 나온다. 신(身)은 풍채가 늠름하게 생겨야 하고, 언(言)은 말을 정직하게 해야 하며, 서(書)는 글씨를 잘 써야 하고, 판(判)은 문리가 익숙해야 한다고 했다.

사람을 평가할 때 언변과 문장력, 판단력 등을 중시했지만 겉모습도 눈여겨봤다는 사실을 알 수 있다. '신(身)'으로 표현한 용모도 중요한 평가 기준이었다. 앞서 얘기했던 아리스토텔레스와 같은 시각이다. 시대가 다르고 문화권이 다르지만 사람에 대한 판단 근거는 비슷하다. 키 크고 잘생겨야 우대받는 세상! 외모는 보편적 기준인가 보다.

"볼매"라는 말도 있다. 볼수록 매력 있다는 뜻이다. 특별히 잘생기지도 않았고 첫인상도 밋밋한데 만날수록 매력을 느낄 수 있는 사람을 의미한다. 외모 지상주의 시대, 많은 이에게 희망을 주는 말이다(나 역시 키는 평균에 미달한다. 얼굴은 뭐……?). 아름다움이 아니어도 매력으로 승부하면 된다. 그러면 매력은 어디에서 오는 걸까? 볼수록 끌리는 느낌은 어떤 요소가 만들까?

첫째. '유머'가 있다.

타인을 웃게 하는 능력은 가치 있다. 함께 있는 이를 재미있게 하는 사람은 인기가 많다. 어디를 가든 환영받는다. 같이 있으면 즐겁다는 기대는 그 사람과 만나는 일을 더 반갑게 만든다. 《유머가 이긴다》에서 신상훈은 미국 유학 시절 자동차 딜러의 책상에서 봤던 표어를 잊을 수 없다고 했다.

"If you can make them laugh, you can make them buy!"

(웃게 할 수 있다면, 팔 수 있다!)

유머가 사람의 마음을 여는 열쇠임이 틀림없다. 미국 34대 대통령을 지낸 아이젠하워(Dwight David Eisenhower) 역시 유머를 강조했다.

"유머 감각은 리더십의 한 부분이다. 사람을 끌어모으고, 무언가를 성취해 내는 능력이다."

문제는 남을 웃게 만드는 일이 어렵다는 데 있다. 타고난 유머 감각이 있지 않는 한 후천적으로 길러야 할 재능이다. 쉽게 얻어지지 않는다. 유머 감각이 있는 사람은 타인의 심리를 잘 이해하고 다양한 상황에서 유연한 사고를 한다. 위트와 해학, 풍자는 사람의 마음과 상황 전체를 알아야 가능하다. 노력으로 얻기 힘든 재능이다.

웃길 수 없다면 내가 웃어 주는 방법도 있다. 유머 있는 사람이 되기 위해 노력하되 웃어 주는 연습도 필요하다. 유머보다 미소가 나을 수도 있다. 사람들은 자기 얘기를 재미있어 하고 웃어 주는 사람을 좋아하기 때문이다.

심리학에 '정서적 전염(emotional contagion)'이라는 개념이 있다. 슬픈 사람 옆에 있으면 우울한 감정이 생기고, 밝게 웃는 사람 옆에 있으면 덩달아 기분이 좋아진다는 뜻이다. 유치원에 가서 어린아이들을 보면 알 수 있다. 한 아이가 울면 따라 울고, 웃으면 모두 따라 웃는다. 감정은 전염된다. 찡그리고 있는 사람보다 웃는 사람이 인기다. 웃어 주는 사람이 되어야 할 이유다.

고사 성어에 '소문만복래(笑門萬福來)!'라는 말이 있다. 웃는 집 대문으로 온갖 복이 들어온다는 뜻이다. 과거 TV 방송 코미디 프로그램도 있었다.

'웃으면 복이 와요!'

많이 웃자. 매력 있는 사람이 된다. 타인을 웃게 만들고 나도 많이 웃으면 주변 사람들이 행복하다. 행복을 주는 사람! 유머는 멋진 재능이다.

둘째, '겸손'이다.

겸손을 매력으로 보는 데는 다른 견해도 있다. 서구 사회에서 지나친 겸손은 오히려 자기 비하와 같은 부정적 느낌으로 해석할 수도 있기 때문이다. 자기 생각을 강력하게 말하고 자신감을 드러내는 사람을 서양에서는 멋있게 묘사한다. 의욕을 적극적으로 보이고 꿈을 피력해야 환영받는 사회 분위기다. 자신과 관련해 말을 아끼는 한국 사회와는 차이가 있다. 이러한 문화적 간격은 어디에서 왔을까? 한국 사회에서는 왜 겸손이 미덕이 되는가?

> "네덜란드의 심리학자 기어트 홉스테드(Geert Hofstede)는 세계 53개국을 대상으로 이른바 '남성성/여성성(masculinity/femininity)'을 조사해 '남성적 문화'와 '여성적 문화'로 분류했다.(……)홉스테드는 여성적 문화에서는 소년·소녀 모두가 야심적이지 않고 겸손해지는 것을 배우며, 남성적 문화에서 좋게 보는 자기주장적 행동이나 남을 능가하려는 노력은 놀림거리가 되기 쉽다고 말했다. 우수함은 혼자 간직할 일이지 남에게 보일 일이 아니라는 것이다. 또 남성적 문화에서는 아이들이 강자를 부러워하는 것을 배우는 반면, 여성적 문화에서 아이들은 약자와 반(反) 영웅에 대해 동정하는 것을 배운다는 것이다."
> (강준만, 《세계문화사전》, 인물과사상사, 2005, 47~48쪽)

'우수함은 혼자 간직할 일이지 남에게 보일 일이 아니다'라는 표현이 핵심이다. 홉스테드에 따르면 일본, 독일, 영국, 미국, 이탈리아, 아르헨티나 등이 남성적 국가이다. 다시 읽어 보자. 공통점이 보이는가? 세계대전을 비롯한 전쟁을 일으켰던 국가들이다. 사회적 갈등을 힘으로 해결해 왔다. 남성적 문화권에서는 겸손이 미덕이 아니다. 싸워서 이겨야 하는 판국에 '스스로를 낮추며'다소곳이 있는 사람이 환영받을 리 없다. "나 싸움 잘해!"하며 나서는 사람이 있어야 사회를 지킬 수 있기 때문이다.

반면 여성적 문화를 가진 사회에서는 전쟁을 피해 왔다. 먼저 공격하는 일은 머릿속에 없다. 폭력을 동원하지 않고 타협과 협상으로 문제를 푼다. 힘센 사람을 우대하지 않는 이유다. 강자보다 약자를 보호하는 분위기다. 한국이 그렇다.

잘난 사람보다 겸손한 사람이 존중받는다. 어떤 모임을 봐도 잘난 사람은 구설수에 오른다. 실제 똑똑한 사람일수록 더 조심해야 한다. 자랑하고 싶은 일이 있어도 참을 줄 알아야 한다. 여성적 문화권에서는 잘난 사람을 떠받들지 않기 때문이다. 영웅이라고 칭송하지 않는다. 깎아내리지 못해 안달이다. 그러니 '잘났다'고 떠들지 말아야 한다. 남들 앞에서 공손한 태도, 낮추는 자세를 보이는 사람이 우대받는 사회다. 한국에서는 겸손이 매력이다.

셋째. '열정'은 매력의 요소가 된다.

자기 일을 사랑하는 사람은 남녀노소를 불문하고 호감을 준다. 어떤 직업인지에 따라 첫인상은 형성되지만 이후 매력은 그 사람이 보여 주는 태도와 열정이 결정한다.

좋은 직업과 나쁜 직업이 있지는 않다. 훌륭한 직업으로 만드는 사람과 그저 그런 사람들이 존재할 뿐이다. 널리 각광받는 직업이라고 해서 모두가 인정받지는 못한다. 평가는 일에 대한 자세와 열의에 달려 있기 때문이다. 어떤 일에 몰입하는 사람은 멋있다. 마음속으로부터 존중하는 마음이 생긴다. 자기 일에 신념을 가지고 빠져 있는 사람은 매력 있다.

영업을 시작하고 13개월째에 있었던 일이다. 약속 잡기가 힘든 고객을 밤 10시에 만났다. 상담을 하면 시간은 언제나 빠르게 간다. 이런저런 얘기를 하다 보니 시계는 자정을 넘었다. 벌써 이렇게 시간이 되었나? 계약서에 서명을 받고 자리에서 일어나는데 다리가 저렸다. 밖으로 나와 택시를 탔다. 몸은 피곤했지만 만족스러운 결과를 얻어 마음은 가벼웠다.

상담하러 고객 집으로 들어갈 때 날씨가 흐렸는데, 밖으로 나오니 비가 내리고 있었다. 새벽이라 도시의 불빛도 잦아들어 있었다. 어두워진 도시를 빠르게 달리던 차는 마산 어시장 쪽에서 신호에 걸렸다. 반대쪽 시내 건물들은 모두 불이 꺼져 침침했는데, 시장 방향으로는 대낮처럼 환했다. 시장에서 새벽을 맞이하는 사람들이다. 바쁘게 움직이는 상인들을 보며 택시기사가 내게 말을 붙인다.

"어휴, 힘들겠습니다. 비도 오는데, 새벽 장사하려고 저리 분주하네요."

"네. 비까지 오니 더 버거워 보입니다."

바깥쪽을 응시하고 있던 나는, 시선을 차 안으로 옮기며 대화를 이어 갔다. 택시기사는 50대 중반쯤 되었을까. 점잖은 느낌과 차분한 말투가 인상적이다.

"저녁까지는 괜찮더니, 지금은 빗방울이 제법 굵어졌네요."

가로등 불빛 아래로 아주 작은 투명 구슬들이 떨어지는 모습을 눈으로도 볼 수 있었다.

"그러게요. 이렇게 비가 내리는 날은 가게 문을 좀 천천히 열어도 좋을 텐데 말입니다."

"쉬운 일이야 없지만, 다들 고생을 하네요."

이 말에 나도 모르게 불쑥 엉뚱한 말을 꺼냈다.

"네. 사실, 저도 이렇게 늦은 시간에 들어가지만 내일 장사를 준비하고 자야 합니다."

"예? 아니, 무슨 장사를 하세요?"

택시 기사는 백미러를 통해 나를 살핀다. 갸우뚱하는 표정이다. 넥타이를 매고 서류가방을 손에 들고 있는 사람이 장사라니. 무슨 뚱딴지같은 소리인가?

"네. 저는 눈에 보이지 않지만 제법 가치 있는 것을 파는 사람입니다. 전 보험 세일즈맨입니다."

어디서 이런 용기가 났을까. 아니 이런 뻔뻔함이. 지금 생각해 보면 얼굴이 화끈거린다. 어떻게 그 말이 입에서 나왔을까?

이후 집으로 가는 동안 보험에 대한 이야기를 나눴다. 개인택시를 10년째 한 분이었다. 대화 중에는 따뜻한 눈빛을 느낄 수 있었다. 젊은 사람이 자기 일에 진지한 태도를 보이니 대견했나 보다. 택시를 내릴 때 명함을 달라고 하였고, 그 후 연락이 와서 상담도 했다.

당당함이 좋았다고 한다. 패기를 느꼈을까. 요즘은 할 수 없는 행동이지만, 그때나 지금이나 보험에 대한 내 마음은 달라지지 않았다. 자기 일에 떳떳할 때 사람들은 그를 존중한다. 자기 일을 사랑하는 사람이 아름답게 보인다.

마지막으로 강조할 매력 포인트는 '반감 줄이기'다.

좋은 모습을 통해 긍정을 강화하는 일도 필요하지만 나쁜 언행도 줄여야 한다. 부정적인 면은 더 잘 부각되기 때문이다.

타인이 내게 했을 때 싫은 일들은 나도 삼가야 한다. 예를 들어 습관적으로 약속시간에 늦고, 남의 말은 안 들으며 자기 말만 하려는 사람들이 있다. 만날수록 눈살이 찌푸려진다. 말만 하면 자기 취미 생활이나 자랑만 꺼내는 유형이다. 상대방이 관심을 보이든 말든 자기 얘기에 도취된다. 꺼려지는 사람이다. 사회적 지위와 관계 때문에 면전에서 들어 주기는 하겠지만 돌아서면 욕한다. 약속을 쉽게 하고 안 지키는 사람, 사소한 일이라도 거짓말을 하는 사람 역시 불편하다. 그런 반감들이 쌓일수록 매력 있는 사람과는 거리가 멀어진다.

매력적인 사람이 되려면 묵묵히 들어줄 때도 있고 양보하는 모습도 종종 보여야 한다. 타인의 관심사에 흥미도 가지고 얘기를 들을 수 있어야 한다. 가끔은 손해를 보기도 하고 타인을 배려할 때, 우리는 매력적인 사람이 된다.

죽기 1년 전, 오드리 헵번(Audrey Hepburn)이 아들에게 읽어 주었다고 해서 유명해진 글이 있다. 샘 레븐슨(Sam Levenson)이 쓴 시다. 매력이 무엇인지 느끼게 한다.

"매력적인 입술을 갖고 싶다면 친절한 말을 하십시오.
사랑스런 눈을 갖고 싶다면 다른 사람의 좋은 점을 발견하세요.
날씬한 몸매를 원하거든 굶주린 사람들과 음식을 나누세요."

사람들은 매력 있는 사람을 좋아한다. 그리고 좋아하면 믿는다. 한번 신뢰하면 다른 사항은 판단하지 않는다. 사람은 이성이 아닌 감정으로 결정하기 때문이다. 비즈니스에서 성공하고 싶다면 먼저 타인이 좋아하는 사람이 되어야 한다. '매력적인 사람'이 되는 일이 비즈니스의 출발점이다.

"아름다움이 최고의 소개장이다"라는 아리스토텔레스의 말을 한 단어만 바꾸자.

'매력'이 최고의 소개장이다.

06

열린 마음으로 사람을 만나라

2002년 노벨 경제학상은 대니얼 카너먼(Daniel Kahneman)이 수상했다. 그는 프린스턴 대학 심리학과 교수다. 경제학자가 아닌 '심리학자'가 엉뚱하게도 노벨 경제학상을 받았다. 300년 전통 경제학의 고정 관념을 뒤집은 '행동 경제학'의 창시자로서 그 공을 인정받았기 때문이다.

고전 경제학은 몇 가지 가정에서 출발하는데, 대표적인 가정 중 한 가지가 '인간의 합리성'이다. 합리적인 판단으로 의사 결정을 한다는 가정이다(대학 시절 경제학 과목을 수강할 때 과연 이 가정이 적절한지에 대한 의문이 들기는 했다). '합리적'이라는 비현실적 가정을 카너먼 교수가 바꾸었다. 현실 세계에서 사람들이 왜 비합리적인 행동을 하는지 분석했다고 할까. 고전 경제학으로 설명하지 못했던 경제 행위들을 해석하기 시작했다.

대니얼 카너먼으로부터 시작된 행동 경제학은 비합리적 행동 방식을 여러 주제로 나누어 설명한다. 자기 과신, 닻 내리기 효과, 소유 효과, 프레이밍, 손실 회피, 대표성 오류 등이 그 이론이다. 그중 '대표성 오류

(Representativeness Bias)'를 살펴보면, 어떤 현상을 판단할 때 그 현상보다 더 큰 집단이 지금 판단하고자 하는 현상에 속한다고(큰 집단을 대표한다고) 쉽게 생각해 버리는 경향을 말한다.

예를 들어 의사 서너 명을 보고 의사 집단 전체를 판단하는 경우다. 카너먼 교수는 대표성 예측 오류를 다음과 같은 예로 설명하고 있다.

> "이웃들은 스티브를 이렇게 말한다. '매우 수줍어하고 소심한 성격이에요. 착하고 성실하지만 주변이나 다른 일에 특별한 관심을 보이지는 않아요. 온순하고 착하며 예의 바르고 정리 정돈을 잘하며 깔끔하지요. 세밀한 부분까지 열정적으로 점검하고 꼼꼼하답니다.'
> 질문: 스티브는 도서관 사서나 농부, 둘 중 어떤 사람이 될 가능성이 높을까?
> (대니얼 카너먼, 이진원 옮김, 《생각에 관한 생각》, 김영사, 2016, 12~13쪽)

정답이 무엇일까? 여러분도 이 질문에 '사서'라고 답하지는 않았는가. 대부분은 스티브를 묘사한 부분 중 '정리정돈을 잘하며 깔끔하고, 세밀한 부분까지 점검하는 꼼꼼한 성격'에서 전형적인 사서 이미지를 느꼈으리라. 그런데 다시 생각을 해 보자. 꼼꼼한 성격이 '사서'에게서만 발견되는 특징인가. '농부'에게는 그런 꼼꼼한 성격이 없단 말인가. 그럴 리가!

이 문제에 대한 함정은 '스티브를 묘사한' 부분이다. 이 문제의 정답을 알기 위해서는 어떤 직업의 인구가 많은지에 대한 통계를 찾아야 한다. 참고로 미국 농부의 숫자는 사서보다 20배 이상 많다. 그럼 스티브는 도서관 사서가 될 확률보다 농부가 될 확률이 훨씬 높지 않을까? 이렇게 추론하는 방식이 논리적으로 타당하다. 그러나 실험 결과는 반대로 나온다. 사람들은 통계를 고려하지 못하고 유사성에 의존해서 잘못된 판단을 해 버리고 만다.

할리우드의 슈퍼스타 브래드 피트가 주연한 '머니 볼(Money ball)'이라는 영화가 있다. 2011년에 개봉한 이 영화는 메이저리그 오클랜드 애슬래틱스 단장이었던 '빌리 빈(Billy Beane)'을 소재로 만든 영화다. 140년 메이저리그 역사상 최초로 20연승이라는 최대 이변을 만든 빌리는 프로야구계의 이단아였다.

기존 스카우터들은 좋은 신체 조건과 외모를 가진 선수를 선호했지만, 빌리는 그들과 달랐다. 대신 드러난 성적에만 집착했다. 잦은 부상, 무절제한 사생활, 나이 등도 고려하지 않았다. 다른 팀에서 외면하는 이유를 빌리는 판단 기준에 넣지 않았다. 그는 오로지 통계 수치로만 선수들을 뽑았다.

영화에서 빌리 빈 단장은 출루율에 집착하는 모습을 보인다. 빌리는 타율이 높은 타자보다 출루율이 높은 타자가 득점할 확률이 높다고 판단했다. 기존 방식과는 다른 시각이었다. 탁월한 실적은 빌리의 판단을 증명했다. 그는 오직 과거의 경기 데이터에만 의존해 최적의 팀을 구축했고, 크게 성공할 수 있었다.

이 영화 역시 '대표성 오류'를 보여준다. 좋은 신체적 조건을 가진 유망주가 반드시 좋은 선수가 되지는 않는다는 사실을 우리는 주목해야 한다.

15년간 현장에서 재무 상담을 해오면서 가지게 된 의문 한 가지가 있다. 어떤 마케팅 개념은 이론으로서 존재할 뿐 실재하지 않는데도 의심 없이 반복해서 얘기되고 있다는 사실이다. 현장에서 일하는 사람의 관점에서는 유용하지 않은 내용들이 있다. '시장별 특성'을 분류한 이론이 대표적이다.

기존에 발간된 마케팅 서적은 어떤 책을 펼쳐 봐도 '시장별 세부 마케팅 전략'을 설명하고 있다. '고객 유형별 세일즈 방법'이라고 되어 있는 책도 있다. 예를 들어 사업가 시장이 어떤지, 의사의 특성은 무엇인지 등을 설명한다. 더러 공감 가는 내용도 있지만 대부분 맞지 않다. 추상적이고 관념적이다. 괜한 선입견만 갖게 만든다. 실제 상담에서는 도움이 안 된다.

기존 책에서 소개된 유형화의 사례를 살펴보자. 《세일즈 불변의 법칙 12》에 정리된 내용을 그대로 옮겼다.

▶ 의사 : 심사숙고형이며, 타인의 권유를 받아들이기 싫어함.

▶ 변호사 : 모든 문제에 전문가가 되려고 하는 경향이 강함. 행동으로 옮기는 데 시간이 걸리고 자아가 강하며 스스로 통제하기를 좋아함.

▶ 회계사 : 의심이 많고 보수적. 오직 상품의 경제성만 따짐.

▶ 사업가 : 열린 마음의 진취적인 사고가. 구매 결정도 빠르게 내림.

▶ 엔지니어 : 조직적이고 논리적인 계산에 따라 결정을 내림. 숫자에 관심이 많고, 동기를 유발하기가 매우 어려움.

어떤가? 직업별 설명에 동의할 수 있는가? 위와 같은 유형화는 우리가 흔히 착각하는 '대표성 오류'일 뿐이다. 직업별 설명이 타당해 보이지만, 현실에서는 다른 경우가 훨씬 많다.

실제 현장에서 상담을 해보면 감성적인 결정을 하는 엔지니어도 만나게 되고, 구매 결정이 느린 사업가도 만나게 된다. 의사들 전부가 '심사숙고형'이지도 않고, 변호사가 모든 문제에 전문가가 되려는 경향을 가지고 있지도 않았다. 내가 만난 변호사들은 본인의 재정 문제에 대해서는 문외한인 경우도 있었다.

그러니 직업별로 분류하고 규정하지 말자. 이론으로서만 참고하자. 솔직히 말하자면 무시해도 좋다. 우리가 만나는 사람은 모두가 다 특별한 개성을 가진 사람이기 때문이다. 어느 누구도 무리 속 한 명으로 평가받기를 원하지 않는다.

한 가지 더, 성격을 유형별로 나누어 설명하는 몇 가지 이론들이 있다. 혈액형으로 판단하는 법, DISC 성격 유형, MBTI 성격 유형 등이다. 사람의 성격을 구분하는 데에는 유용성이 있지만, 실제 영업 현장에서 선입견으로 사용하지는 마라. 편견을 가지고 사람을 만나면 그 기준으로만 사람을 해석하기 때문이다. 망치를 들고 있으면 세상 모든 문제가 못으로 보인다고 한다.

사무실 후배들이 종종 질문한다. 의사를 처음 만나러 가는데 어떤 특징이 있는지 묻는다. 제조업체 법인 대표를 만나러 간다며 조언을 구한다. 대답하기 참 곤란하다. 해 줄 말이 없다. 뭐라 말한들 의미가 있겠는가? 잘난 체 얘기했던 때도 있었지만 시간이 지나 보니 필요 없는 말이었다. 고객 유형화는 아무 이득이 없다. 이것 역시 분석하고 분류하기 좋아하는 서양인들이 만든 세일즈 이론일 뿐이다. 세일즈 현장에서는 별로 쓸모없는 지식이다. 그러니 제발 묻지 마라. 직접 가서 만나 보라!

재무설계사는 책에서가 아니라 현장에서 사람을 만난다. 전형적인 특성을 가진 고객만 만나지 않는다. 그런 사람은 세상에 없다. 그러니 고객을 유형화하지 마라. 분류는 필요하지 않다.

편견을 버려라. 그냥 그 사람을 만나라. 짐작하지 말고 궁금해 하고, 예측하지 말고 관찰하라. 귀를 기울여 말을 들을 때 마음이 열리고 진심으로 소통하게 된다.

사람을 만날 때는 사전 지식이 아니라 편견 없는 마음이 훨씬 더 필요하다.

지금 여기서 사지 않는 고객은 잊어라

"열 번 찍어 안 넘어가는 나무 없다." 누구나 아는 속담이다. 확고한 뜻을 가진 사람이라도 계속해서 권하면 마음이 바뀔 수 있다는 뜻이다. 한두 번 시도한 후 포기하지 말고 지속적으로 정성을 쏟으면 이루어진다는 얘기다. 긍정적인 의미다. 참을성이 약해진 시대에 '인내'라는 단어를 떠올리게도 한다. 현대인에게 필요한 덕목이다.

그런데 이 속담은 세일즈 업계에서는 반은 맞고 반은 틀리다. 어떤 일에서든 살아남기 위해서는 꾸준히 노력하는 자세가 필요하지만, 고객을 설득하는 일에서는 인내가 미덕이 아닐 수도 있기 때문이다. 한두 번 시도하고 결과가 나오지 않으면 빨리 돌아서는 편이 낫다.

계속해서 노력하면 성공할 수 있다는 잘못된 성공 신화가 우리를 사로잡고 있다. 틀린 세일즈 이론이 만든 허상이다. 끈질기게 노력한다고 해서 모든 일에 성공할 수는 없다. 시작하기 전에 잘 선택해야 하고, 효과적인 노력이 있어야 결실을 맺는다. 닥치는 대로 열심히 한다고 성공할 수는 없다. 적합한 일을 해야 성과를 얻는다.

세일즈는 적합한 사람을 만나 효과적으로 설득해야 결과가 나온다. 열심히 하되 무엇을 할지 알고, 열심히 만나되 누구를 만날지 판단하는 일이 핵심이다.

세일즈 초기에 무수히 많은 노력을 기울였지만, 결과가 신통치 않았던 한 세일즈맨이 있었다. 프랭크 베트거는 왕성한 활동을 했고 수많은 가망 고객들을 만났지만, 영업 실적을 충분히 올리지 못했다. 더 이상 일할 시간을 확보하지 못할 만큼 최선을 다했지만, 결과는 형편없었다. 일을 그만둘지 심각하게 고민하던 어느 날, 문제점을 발견했다.

> "나는 지난 12개월 동안의 기록을 꺼내어 숫자를 살펴보았네. 그러자 놀라운 사실을 알게 되었다네! 나는 바로 희고 검은 글자들을 통해, 내 실적 가운데 70퍼센트는 첫 만남에서 계약이 이루어졌다는 사실을 발견한 것이지! 23퍼센트의 경우는 계약이 두 번째 만남에서 이루어졌고! 세 번째, 네 번째, 다섯 번째 등 다른 모든 경우에 이루어진 계약은 단 7퍼센트에 불과했다네. 사실 이런 경우가 내 시간을 잡아먹고 나를 기진맥진하게 만들고 있었던 것인데 말이야. 달리 말하면 내 전체 판매 실적의 7퍼센트밖에 되지 않는 일에 내 업무 시간의 꼬박 절반을 갖다 바치고 있었던 셈이지.
> '해답은 무엇인가?' 해답은 명백했지. 나는 즉각적으로 두 번 이상 방문하는 일을 그만두고는 나머지 시간은 새로운 고객을 발굴하는데 투자했다네. 결과는 믿을 수 없을 정도였지. 단시간 내에 한 번의 방문으로 생기는 평균 현금 가치가 2.80달러에서 4.27달러로 증가했다네."
> (데일 카네기, 강성복 옮김, 《데일 카네기 자기관리론》, 리베르, 2007, 106~107쪽)

'두 번 이상의 방문을 중단함으로써 수입을 두 배로 늘렸다는 말'을 음미해 볼 필요가 있다. 쉽게 흘려듣지 마라. 장담컨대, 대부분 3번 이상의 상담에 시간을 많이 쏟아 봤으리라. 혹시나, 혹시나 하면서 말이다. 베트거가 한 고백은 과장된 말이 아니다. 나 역시 많은 노력을 쏟고 있었지만 어느 순간 한계에 부딪혔던 적이 있었다. 열심히 하고 있는데 실적은 나아지지 않는 때였다. 성장이 멈췄다고 느낀 그때, 베트거가 남긴 조언이 눈에 들어왔다.

예전에도 몇 번 읽었던 책인데 미처 보지 못했던 대목이다. 신기했다. 여러 번 읽으면서 밑줄 친 곳이 많은데, 이 내용에는 아무 표시가 없었다. 필요하면 보이는 걸까? 힘든 순간 이 문장이 내게 말을 걸어왔다.

'외면할 수 있는 용기'가 우리에게 필요하다. 세일즈 업계에서는 낯선 사람에게 접근하는 용기만 강조한다. 보다 큰 금액을 제안할 수 있는 배짱, 더 큰 목표에 대한 도전 의식도 갖추라고 말한다. 정작 꼭 필요한 '외면할 수 있는 용기'는 가르치지 않으면서. 아쉬운 점이다. 새로운 사람에게 연락하는 데도 용기가 필요하지만, 버리는 데는 더 큰 용기가 필요하다.

상담을 통해 계약을 한두 번 시도했다면 그 이후에는 더 이상 추진하지 말아야 한다. 재무 상담을 통해 보험 계약의 필요성에 대해 충분히 언급했다면 할 일은 다했다고 여겨야 한다. 보충하고 싶은 새로운 내용이 있거나 다른 관점에서 필요성을 얘기할 목적이 아니라면 추가적인 상담은 필요하지 않다. 시간 낭비일 뿐이다. 그 후에 만나러 가는 행동은 미련일 뿐이다. '열 번 찍어 안 넘어가는 나무 없다'는 속담은 적절하지 않다. 세일즈 업계에서는 통용되지 않는 속담이다. '될성부른 나무는 떡잎부터 알아본다'고 했던가. 이 속담이 맞다. 척 보면 알아야 한다. 지금 안 하면 앞으로도 안 한다(물론 예외는 아주 가끔 있다. 그 예외를 기대하지 말자).

최고의 자동차 세일즈맨 조 지라드 역시 '지금 여기'서 최선을 다하라고 조언한다. '다음'이라는 기회는 없다. 상담을 마친 잠재고객이 "다시 전화할게요."라고 얘기하면 그 고객을 잊어버리라고 말한다. 지금 성사가 안 된 고객은 깨끗이 잊으라고 주장한다. '전부 아니면 무(無)'라고 생각하라고 요구한다. 물론 사람들이 다시 전화하겠다고 말할 때는 진심이다. 다만, 예상치 못한 다른 일들이 생긴다. 자동차를 살 계획이 우선순위에서 밀린다. 살 사람이 안 살 사람으로 변하는 순간이다. 지라드는 이를 '효용체감의 법칙'이라고 소개한다.

> "(프레젠테이션이 끝나고) 다음 날이 되면 두 가지 일이 일어난다. 고객은 상품의 장점 몇 가지는 잊어버린다. 그리고 사고 싶다는 열정도 조금은 식었다. 날이 갈수록 당신의 상품을 소유해야겠다는 필요와 욕구는 점점 시들해진다. 머릿속에서 상품에 대한 기억이 사라져 가는 동시에, 그것을 사면 이익이 되리라는 생각도 점점 없어진다. 얼마 지나지 않아 고객은 다른 데다 돈을 쓰는 게 낫지 않을까라고 생각하게 된다. 바꾸어 말해서, 시간이 경과할수록 판매 가능성은 떨어지는 것이다. 고객의 마음이 식어 버렸기 때문이다."
> (조 지라드, 안진환 옮김, 《세일즈 불변의 법칙 12》, 비즈니스북스, 2006, 259쪽)

시간이 지나면 고객의 마음이 식어 버린다는 말에 전적으로 동의한다. 자동차와 같이 사람들이 자발적으로 갖고 싶어 하는 상품도 구매 욕구가 사라지는데, 하물며 보험이야 어떻겠는가. 자발적 니즈가 약한 상품은 시간이 지날수록 구매 동기가 더 빨리 약해진다. 자동차는 사면 타기라도 하지만, 보험으로는 뭘 하겠는가. 구매한다고 해서 눈에 보이는 변화는 하나도 없다.

계약 상담을 할 때는 지금 여기서 계약을 마무리 하겠다는 마음가짐이 필요하다. 지금 계약을 하지 않으면 이 고객을 두 번 다시 만나지 않겠다고 다짐해야 한다. 이번이 마지막이라고 생각할 때 절실하게 권할 수 있고 최선을 다한다. 다음에 다시 만날 가능성이 있다면 지금 이 순간에는 긴장감이 떨어질 수밖에 없다.

최종 상담을 진행했는데 계약이 이루어지지 않았다면, 사실 고객과 세일즈맨 모두 시간 낭비를 했다고 봐야 한다.

애초에 관심이 전혀 없었다면 고객과 세일즈맨이 만날 일은 없다. 필요성을 가지고 만났기에 세일즈맨은 적극적으로 권해야 한다. 계약하면 사소한 무엇이라도 고객의 삶에 변화가 생기지만, 계약을 안 하면 아무 일도 일어나지 않는다. 결과적으로는 의미 없는 만남이 되고 만다. 따라서 상담을 할 때는 계약을 끈질기게 권해야 한다. 그래도 안 하면 후회 없이 돌아서면 된다.

또 하나, 계약 상담에서는 계약서에 서명을 받는 일이 중요하다. 상담을 통해 분위기가 무르익었고 반응이 긍정적일 때는 고객에게 서명을 요구하라. 고객의 태도가 애매할 때는 계약서 작성을 시작하라. 세일즈맨이 먼저 확신에 찬 태도를 보이면 고객의 마음도 움직인다. 적당한 압력은 행동을 유발하는 법이니까.

웬만큼 상담이 마무리되었을 때는 계약서를 꺼내야 한다. 그러고는 서명을 요구하자. 며칠 더 생각해 보고 전화를 주겠다고 얘기하면 계약서를 작성해 놓고 고민하라고 설득한다. 보험 상품은 눈에 보이지 않아 돌아서면 생각나지 않기 때문이라고 말한다. 적당한 긴장감을 위해 계약서를 작성하자고 요청한다. 보험 상품은 30일(과거엔 15일) 이내에 취소가 가능하다고 덧붙이면서, 취소 시간이 길어 여유가 있으니 고려할 시간이 충분하다고 해야 한다.

재미있는 점은 '서명받기'가 심리학적으로 근거가 있는 행동이라는 사실이다. 심리학 이론 중에 '프레이밍 효과(framing effect)'가 있다. 프레임이란 세상을 보는 관점, 시각이다. 쉽게 말해 파란 렌즈의 안경을 끼고 세상을 보면 파란색으로, 핑크빛 렌즈를 끼고 보면 온통 핑크빛으로 보인다는 말이다. '후불제 마케팅'에서도 프레임 효과는 소비자의 결정에 영향을 미친다.

> "처음 후불제로 물건을 주문할 때는, 나중에 마음에 들지 않으면 반환하면 된다고 생각한다. 그러나 일단 주문한 물건이 손에 들어오면 고객의 프레임은 '꼭 구입할 만한 가치가 있느냐?'에서 '굳이 돌려보낼 결정적인 하자가 있느냐?'의 프레임으로 돌변한다."

(최인철, 《프레임》, 21세기북스, 2010, 181쪽)

계약서에 서명을 받는 행위도 같은 이치다. 서명을 하지 않은 상태에서 고민을 하면 '지금 이 보험 계약을 가입할 필요가 있는가?'라고 스스로에게 물어보지만, 일단 서명을 하고 나면 '이 계약을 지금 하지 않을 이유가 무엇인가?'로 질문이 바뀐다.

계약서에 서명을 함으로써 프레임이 변했다. '해야 하는' 이유 찾기에서 '안 할' 이유 찾기가 되었다. 관점이 바뀌었다고 할까. 질문이 바뀜으로써 계약 체결의 확률이 높아진다. 서명을 하는 순간 고객은 자기도 모르게 계약을 유지하는 쪽으로 마음이 기울어지기 때문이다.

최종 상담을 할 때는 계약을 마무리한다고 다짐하자. 어느 정도 긍정적인 판단을 내린 고객이라면 계약서 작성을 과감히 요구하자. 내가 주저하면 고객도 주저한다. 내가 확신에 찬 모습을 보여야 고객도 그 모습에 마음이 움직인다. 당당히 요구하고 고객이 결정할 수 있도록 분위기를 이끌자. 계약 체결에서 가장 중요한 말은 사실 이 한마디다.

"여기 서명하세요."

지금 여기서 결정하지 않는 고객은 잊자. 아쉽지만 그 잠재고객은 가망고객 리스트에서 삭제해야 한다. 옛 사람을 버리고 새 사람을 맞이해야 한다. 새로운 물이 계속 흘러온다는 사실을 알면 지금의 잠재고객에게 집착하지 않을 수 있다. 하나를 포기할 수 있어야 우리는 다른 하나를 얻을 수 있다.

모든 상담에서 계약을 성사시켜야 성공이 오는 것이 아니다. 우리를 거절한 고객을 우리 역시 외면할 때 반대쪽 길이 열린다. 그 길이 성공으로 가는 길이다. 오늘 여기서 사지 않는 고객은 잊어야 한다. 새로운 사람을 소개받을 수 있기에!

4장
현장에서 묻고 답하기

01. 소개 마케팅을 위해서는 계속해서
소개를 받는 일이 중요합니다.
소개를 잘 받는 특별한 비법이 있습니까?

02. 소개 영업을 진행할 때 소개자에게
감사하고 보고하는 과정을 강조했습니다.
'소개 영업 프로세스'에 관해 좀 더 구체적으로
설명해 주세요.

03. 소개받아서 상담했던 계약 중에서
특별히 기억에 남는 사례가 있나요?

04. 소개를 많이 해 주는 사람을
흔히 키맨(Key-Man) 이라고 부릅니다.
누가 키맨이 될 수 있을까요?

우리가 반복적으로 하는 행동이
바로 우리가 누구인지 말해 준다.
그러므로 중요한 것은 행위가 아니라 습관이다.
- 아리스토텔레스

소개 마케팅을 위해서는 계속해서 소개를 받는 일이 중요합니다. 소개를 잘 받는 특별한 비법이 있습니까?

"뭣이 중헌디?"란 표현, 들어보셨지요? 한때 유행했던 말인데요. '곡성'이라는 영화에 등장하는 대사입니다. '무엇이 중요하냐?'는 물음이죠.

소개 영업이 어려운 첫 번째 이유는 바로 이 질문, '무엇이 중요하냐?'하는 명제를 종종 잊어버리기 때문입니다. 무슨 말이냐고요? 요청을 안 해서 소개 영업이 어렵다는 뜻입니다.

소개 요청을 하지 않는 이유는 크게 두 가지입니다. 하나는 소개 요청을 중요한 일로 마음속에서 '인식'하지 못했기 때문이고요. 다른 하나는 소개 요청이 '습관화'되지 않아서입니다.

세일즈맨은 사람을 만나면 상담하고 계약하는 일에만 집중하는 경향이 있습니다. 사람을 만난 목적이 우선 '계약'이었으니 당연한 일이겠지요. 보험 세일즈뿐만 아니라 다른 세일즈 분야도 마찬가지입니다. 계약 중심으로 활동하게 되는 이유입니다. 어찌 보면 본능이라고 할 수도 있습니다. 계약을 해야 보수가 나오고 그래야 일용할 양식이 생기는 것이니까요.

그런데 한번 생각해 봐야 합니다. 지금 하는 계약은 당장 오늘 양식을 해결해 주지만 내일의 소득까지 해결해 주지는 못합니다. 내일 먹을거리도 오늘 같이 고민해야 합니다. 아쉽게도 대부분의 세일즈맨들이 미래를 생각하지 못하고 활동합니다.

스티븐 코비(Stephen Covey) 박사는 이를 지적합니다. 그는 《소중한 것을 먼저 하라》에서 '시간 관리 매트릭스'를 소개합니다. 사람들은 긴급한 일에 시간을 너무 빼앗긴 나머지 정작 중요한 일은 소홀히 한다고 설명합니다. 그러면서 성공은 긴급하지 않지만 중요한 일에 시간을 쓸 때 온다고 강조합니다. 이를테면 건강 관리, 좋은 인간관계, 자기 계발 등이 그런 일이겠지요.

'긴급하지 않지만 중요한' 일에 우리는 주목해야 합니다. 보험 세일즈맨에게는 무엇이 해당할까요?

바로 '소개 요청'입니다. 당장 계약을 추진하는 일이 긴급하지만 그에 못지않게 소개 요청도 중요합니다. 소개 요청이 세일즈맨을 롱런하게 만드는 힘입니다. 우리는 만나는 사람에 의해 직업적 성취도가 결정됩니다. 고객에 따라 실적 수준도 달라지고요. 상담을 하고 싶은 사람이 있다면 소개해 줄 수 있는 사람을 먼저 만나야 합니다. 적극적으로 소개 요청을 하세요. 이것이 가장 중요한 영업 활동입니다. 영업 프로세스는 소개를 받는 데서 시작합니다.

소개를 잘 받는 첫번째 비법은 '소개 요청이 중요하다'는 마음가짐입니다.

기술이 아니라 마음먹기가 중요합니다. 시시하게 들린다고요? 아닙니다. 이것이 가장 중요합니다. 15년 동안 업계에서 수많은 동료들을 보며 느꼈습니다. 소개를 받고 못 받고는 마음에 달려 있다는 사실을요.

소개 요청에서 특별한 기술은 없습니다. 누구를 언제 어디서 만나든 소개 요청을 반복해서 해야 합니다. 소개 요청이 영업에서 가장 중요한 활동이라는 인식이 필요합니다. 소개받기가 먼저입니다. 소개 요청을 하겠다는 마음을 놓으면 안 됩니다.

마음이 확고할 때 고객도 알게 됩니다. 태도가 진심일 때 고객도 진지하게 받아들입니다. 계약할 때만 절실해지지 마세요. 소개 요청도 진심을 담아 강력하게 해야 합니다.

'이 사람에게 소개가 중요하구나.', '새로운 사람을 계속 만나야 하는구나.'라는 생각이 들게 해야 합니다. 그러면 고객도 느끼겠죠. 새로운 사람을 알게 되는 일이 재무설계사에게 얼마나 중요한지를! 고객이 공감해야 합니다. 그래야 소개받을 확률이 높아집니다. 심각할 필요는 없지만 그렇다고 가볍게 여길 일이 아닙니다. 새로운 사람은 우리에게 소중합니다. 그 사실을 고객이 알게 해야 합니다.

두번째 비법은 이 결심을 지속적으로 실천할 수 있도록 '습관'으로 만드는 것입니다.

"소개를 요청하자. 1일 1명!" 수첩 앞과 휴대폰 바탕화면에 이렇게 써 뒀던 적이 있습니다. 고객을 만났을 때 잊지 않기 위해서 여러 곳에 해 두었죠. 눈에 띄면 계속 생각하니까요. 매일매일 스스로에게 해야 할 한마디 경구를 꼽자면 저는 주저 없이 이 말을 하겠습니다.

"누구를 만나든 소개를 요청하라."

이 말을 기억하세요. 습관이 되도록 반복하십시오. 반복하면 자연스러운 내 행동이 됩니다. 기존 고객이 아무리 많아도 계속해서 새로운 사람을 만나야 합니다. 새로운 사람을 만날 때 고객층도 향상됩니다. 고객이 많아 걱정이라면 후배랑 함께 고객 서비스를 하면 됩니다.

우리에게 새로운 가망고객은 영원히 마셔야 하는 물과 같습니다. 어제 물을 마셨다고 해서 오늘 물을 마시지 않는 사람은 없습니다. 매일 새 물을 마셔야 하듯 늘 새로운 사람을 만나야 합니다. 새 사람을 만나기 위해 끊임없이 소개 요청을 해야 하고요.

새로운 사람을 만나는 일이 중요한 이유가 한 가지 더 있습니다. 바로 직업적 긴장을 유지하기 위해서입니다. 어떤 일이든 오래 반복하면 매너리즘이 생길 수 있습니다. 전문가의 경우 고도로 숙련되었다는 것을 의미하기도 합니다. 한 가지 일을 무수히 반복했다는 뜻이죠. 이런 반복은 숙달되게 만들기도 하지만 타성에 젖게 만들기도 합니다. 흔히 말하는 매너리즘에 빠진다고 할까요.

매너리즘을 극복하기 위해서는 새로운 사람을 만나야 합니다. 오래 만났기 때문에 내 작은 실수는 눈감아 줄 사람이 아니라, 처음 만나서 냉정히 대하고 평가해 줄 사람이 필요합니다. 직업인으로서 긴장감과 도전 의식을 느끼려면 새 사람을 만나야 합니다. 소개 요청을 통해 끊임없이 새로운 고객을 만날 때 훈련할 수 있습니다.

마지막으로 소개를 잘 받기 위해서는 평소 고객들과의 소통이 전제되어야 합니다.

평상시 베푸는 마음이 있어야 소개를 요구할 때 고객이 응할 확률이 높아집니다.

"적선지가(積善之家) 필유여경(必有餘慶), 적불선지가(積不善之家) 필유여앙(必有餘殃)"이라는 말이 있습니다. 동양 고전 《주역》 '문언전'에 나오는 내용입니다.

"선한 일을 한 집안에는 반드시 경사가 생기고, 선한 일을 하지 않은 집안에는 반드시 재앙이 있다"라는 뜻입니다. 《주역》에 있는 짧은 경구가 어떠한 태도로 살지 힌트를 줍니다. 타인과의 관계가 좋을 때 소개를 잘 받을 수 있습니다.

결국 장기적인 성공은 고객 손에 달렸습니다. 고객에게 투자하세요. 사람이 답입니다.

질문 2.

소개 영업을 진행할 때 소개자에게
감사하고 보고하는 과정을 강조했습니다.
'소개 영업 프로세스'에 관해 좀 더 구체적으로 설명해 주세요.

감사와 보고! 소개받은 사람과 상담할 때 기억할 키워드입니다. 소개 영업 프로세스에서 가장 신경 써야 할 부분은 바로 '감사'함을 표현하고, 진행 상황을 '보고'하는 일입니다.

소개를 받아 상담하는 상황을 설명해 보겠습니다. 기존 고객으로부터 한 분을 소개받습니다. 바로 전화해서 만날 약속을 잡겠죠. 순조롭게 약속을 잡았다면 그 후 여러분은 무엇을 합니까? 일정표에 약속 사실을 기록하고 미팅 자료를 준비하나요, 아니면 다른 일을 하나요?

약속을 잡으면 소개자에게 이 사실을 알려야 합니다.

"소개해 준 분과 모레 만나기로 했습니다. 좋은 분 소개해 줘서 고맙습니다. 선생님 체면 구기지 않게 상담 잘하겠습니다." 이런 정도 말을 하면 됩니다. 전화를 받지 않으면 문자를 남기고요. 이런 활동을'보고'라고 부를 수 있는데요. 왜 이런 보고 활동이 필요할까요?

한번 상상을 해 보겠습니다. 소개를 해 줬다면 그 두 사람은 어떤 사이겠습니까? 아마 가까운 사이일 겁니다. 소개해 주는 사람도 서구 사회와 한국 사회는 다를 텐데요. 서양 사람들은 소개 요청을 받으면 누구에게 이 상품이 필요할지를 생각해보고, 한국 사람들은 자기랑 친한 사람을 떠올릴 겁니다. 서구 사회와 한국 사회는 소개를 해 주는 사람부터 차이가 납니다. 소개 마케팅 방법이 서양과 한국이 다를 수밖에 없는 이유입니다.

한국 사회에서 누군가 소개를 했다면, 요샛말로 '절친'입니다. 친한 사이니까 소개를 해 줬겠죠. 그런 사이라면 평상시에도 연락을 자주 주고받습니다. 저랑 약속을 한 후 그 사실을 두 사람은 공유합니다. 다른 일로 만나거나 통화하다 자연스레 얘기가 나올 겁니다. 제가 따로 알리지 않아도 그 사실을 알게 되겠죠.

그런데, 그 약속 사실을 소개한 지인에게 듣는 거랑, 제가 말하는 거랑은 어떤 차이가 있을까요? 왜 제가 먼저 얘기를 하려고 노력을 할까요?

답은 '존중'을 표현하고 '협력'을 끌어내기 위해서입니다. 친구에게 들었다면 '만나기로 한 일을 왜 나에게 얘기를 안 했지?'라고 의문이 들 수도 있습니다. 서운한 마음까지는 아니어도 가벼운 당황, 뭐 그런 정도 감정이겠죠. 자신이 소개했는데 두 사람이 만난다는 사실을 모르고 있었다면 기분이 좋지는 않을 겁니다. 반대로 제가 미리 얘기를 듣고 아는 상황에서 친구에게 다시 듣는다면 마음이 한층 더 편할 테고요. 사람은 누구나 다 소외받는 느낌을 싫어하니까요. 사소해 보이지만 소개자는 자신이 존중받았다는 생각이 들 겁니다.

만난다는 사실을 문자나 전화로 알릴 때 고객 대부분은 이런 얘기를 합니다.

"바쁘실 텐데, 저한테 굳이 말씀 안 하셔도 되요. 좋은 친구니까 잘 만나 보세요. 저한테 해 주신 대로 상담하면 아마 좋은 결과 있을 거예요. 잘되었으면 좋겠네요." 마지막 대목이 중요합니다. '잘되었으면 좋겠네요.' 사실 이 말이 듣고 싶었던 거죠. 사소해 보이지만 고객은 응원을 한 겁니다. 입 밖으로 나온 말에 사람은 누구나 반응하게 됩니다. 자기가 한 말에 책임지는 습성이 사람에게는 있기 때문이죠. 협력하는 마음이 시작되었다고 할까요.

이후 상황은 더 호의적으로 바뀝니다. 소개자와 친구는 아마 이런 대화를 주고받을 겁니다.

"공민호라는 사람에게서 전화가 왔어. 너하고 친한 사람이야?"

"응. 저번에 친한 언니 통해 만났는데, 사람 괜찮아. 너도 한번 만나 봐. 도움 될 거야."

"그래 알았어."

미리 연락을 받은 소개자는 우호적인 분위기로 나를 평가합니다. 이후에도 진행 상황에 대해 가벼운 문자로 피드백을 합니다. 그 과정에서 소개자는 한층 더 협력하는 사이가 되고요. 상담이 진행되어 최종 계약을 할 때도 소개자가 중요한 역할을 합니다. 계약하기 전에 소개자에게 물어보는 경우가 종종 있기 때문입니다.

"너는 어떤 상품 했어? 금액은 얼마로?"라고 소개해 준 친구에게 물어봅니다. 한국 사람들 마음에는 남들과 비슷한 수준에서 결정하는 심리가 있기 때문입니다. 친구와 유사한 수준을 원한다고 할까요. 심지어 고객들은 저에게 직접 물어보기도 합니다.

"그 친구는 얼마로 했어요?"

한국 사회에서 소개 영업을 할 때는 소개자를 이 과정에 '참여'시키는 일이 중요합니다. 소개자를 잊지 마세요. '소개'만으로 고객 역할이 끝나지 않습니다. 감사한 마음을 표현하고 활동을 보고하면 소개자도 여러분을 위해 움직입니다.

보고 활동을 하는 중요한 이유가 하나 더 있습니다. 바로 '체면과 위신' 때문입니다. 한국 사회에서 중요하게 작용하는 요소 중 하나가 바로 '체면'입니다. 소개자가 누군가를 소개할 때는 그 사람이 계약하기를 당연히 바랍니다. 안 할 사람을 소개하지는 않을 테니까요. 계약을 하면 자신이 영향력 있다는 느낌이 들어 기분도 좋아질 겁니다. 반대로 실컷 소개했는데 결과가 나오지 않으면 소개해 준 사람도 체면이 구겨지는 일이겠지요. 협력하는 이유는 마음속 체면 의식도 작용하기 때문입니다.

소개 영업 과정에서 핵심은 '감사와 보고'입니다. 이유는 두 가지, '동조 의식'과 '체면 의식' 때문입니다. 소개 마케팅 성공 비결은 소개자를 참여시켜서 '협력'하게 만드는 데 있습니다.

질문 3.

소개받아서 상담했던 계약 중에서 특별히 기억에 남는 사례가 있나요?

기억나는 사례가 있습니다. 몇 가지를 생각하게 했던 계약이어서 말씀을 드리겠습니다. 보험 세일즈맨은 기존 고객들을 여러 가지 이유로 만나게 됩니다. 그때마다 '소개 요청'은 필수라는 사실을 새삼 느끼게 했던 사례입니다.

기존 고객에게 계약 리뷰를 하려고 방문했습니다. 납입이 끝난 연금에 대해 설명하기 위한 목적이었죠. 연금 개시 연령에 따른 연금액 차이, 연금 수령 방법 등에 관해 구체적인 사항을 안내했습니다. 상품에 대한 설명을 마친 후 큰 기대 없이 소개 요청을 했습니다.

"원장님, 혹시 주변에 소개해 줄 분 없습니까? 혹시 최근에 개원한 후배는 없나요?"라고 물었죠. 직업적 습관이라고 할까요. 주된 화제를 마무리한 후에는 으레 질문을 합니다. 예전에도 만나면 종종 했던 소개 요청이었죠. 보통은 소개를 받지 못하는 날이 많았고요. 그런데 그 날은 잠시 머뭇거리다 말을 꺼내더군요.

"한 명 있기는 한데. 거기는 가 봐도 괜찮겠네요."

"네, 어디?"

"시내에 있는 OOO의원인데, 대학 후배예요."

"원장님이랑 친한 사이신가 봐요?"

"뭐, 같은 동네 있으니 종종 보죠. 작년에 오픈했는데 자리를 잡은 듯해요."

"식사도 종종 같이 하시나 봐요?"

"네. 우리끼리는 자주 보죠."

수첩을 꺼내 몇 가지를 메모했습니다. 병원 이름을 쓰고 추가로 질문을 했습니다. 결혼은 했는지, 아이는 어떻게 되는지 등을 물었습니다. 골프는 하는지, 다른 취미는 있는지 등도 물어 기록했습니다.

소개를 받을 때는 나이, 직업, 취미, 가족 관계, 소득 수준 등을 물어봅니다. 소개해 주는 사람이 친한 경우가 대부분이기 때문에 사소한 정보들도 알고 있는 경우가 많지요. 자세히 물어보면 많은 얘기를 들을 수 있습니다. 소개받은 사람을 만날 때는 한층 편안한 만남이 될 겁니다. 여러 정보를 알고 있으면 대화하기가 더 편하니까요.

"소개해 주셔서 감사합니다. 원장님 소개로 왔다고 인사하면 되겠습니까?"

"네. 제 이름 대고 만나면 됩니다."

"오후에 바로 찾아갈 수 있는데, 전화 한 통 해 주시겠어요? 불쑥 찾아가기 전에 미리 안내하면 좋을 듯해서요."

"네. 전화해 놓을게요. 오후에 바로 가실래요?"

"네. 오후 5시쯤 가겠습니다."

감사하다는 말을 하고 나왔습니다. 약속된 다른 일정을 마치고 소개받은 장소로 향했습니다. 출발하기 전 확인 문자를 보냈습니다.

"원장님, 후배랑 통화 한번 하셨어요?"잠시 후 답장이 왔습니다.

"후배가 전화 안 받네요. 걱정 마세요. 제 소개라면 잘해 줄 겁니다."

첫인상이 좋았습니다. 매너도 좋고 성격도 시원시원해서 편안한 만남이었습니다. 첫 만남에서는 제 말을 하기 보다는 많이 들으려고 노력했습니다. 병원 운영하는 얘기, 취미 생활, 가족 관계 등 많은 이야기를 끌어내면서요.

많이 들으면 두 가지 이점이 있습니다. 많이 들음으로써 고객 정보를 풍부하게 알게 됩니다. 또 하나는 많이 들어 줄수록 저에 대한 호감은 커진다는 사실이고요. 첫 만남에서는 말을 아낄수록 더 좋습니다.

질문하고 듣기를 한참 했습니다. 많은 이야기를 하고 나더니 가볍게 툭 하고 묻습니다.

"그 형은 보험 많이 넣고 있죠? 뭐 들고 있어요? 개원 초기에는 보통 무슨 상품 가입하나요?"

"네. 오늘은 첫 만남이라 원장님에 대한 얘기를 먼저 듣고 싶었습니다. 보험 얘기는 다음에 할게요."

"추천해 줄 만한 상품 있으면 소개해 주세요. 병원 오픈하고 대출만 갚고 있었는데, 이제 다른 저축도 조금씩 해야겠어요."

"네, 그럼 다음 주에 다시 찾아뵙겠습니다."

첫 만남은 그렇게 끝났습니다. 처음 만나서는 많은 얘기를 듣고 다음 약속을 잡았다면 만족입니다. 이런 만남이 유쾌합니다. 계약할 때도 성취감을 느끼지만 새로운 사람을 만나 인연이 될 때도 기분이 좋습니다. 기대하는 마음을 갖게 돼서 그런 것이겠죠. 희망은 사람을 행복하게 만듭니다.

그렇게 첫 만남이 끝난 후에는 무엇을 해야 할까요? 어떤 활동을 해야 오늘 만남이 계약으로 이어질 가능성이 커질까요? 소개받은 사람을 만나고 돌아서서 제일 먼저 할 일은 소개해 준 사람에게 전화하는 일입니다. 꼭 전화가 아니어도 됩니다. 가벼운 문자라도 상관없습니다.

"원장님, 소개해 준 후배 잘 만나고 갑니다. 좋은 분 소개해 주셔서 감사합니다. 차주에 만나서 상담하기로 했습니다." 문자를 보냈더니 잠시 후 답장이 옵니다.

"잘되면 좋겠네요. 적정 수준에서 권하면 아마 할 거예요."

사소해 보이지만 소개해 준 사람에게 만났다는 사실을 알리는 보고가 중요합니다.

그 후 여러 번 상담을 진행했습니다. 니즈 파악을 통해서 보장 설계와 장기 저축 플랜을 제시했습니다. 상담은 원만하게 진행되었지만 구체적인 상품과 금액을 결정하는 데는 신중했습니다. 쉽게 결정을 내리지 못하고 시간을 끌더군요.

그러다 먼저 만나자는 연락이 왔습니다. 이틀 후에 방문을 했죠. 다시 상담을 했을 때는 쉽게 보험 계약을 했습니다. 뿌듯한 순간이었죠. 세일즈맨은 상담 결과가 계약으로 이어질 때 스스로 도취되는 경우가 있습니다. 계약을 했을 때 느끼는 성취감이라고 할까요. 우쭐해지는 기분, 뭐 그런 감정입니다. 그날도 이런 기분에 휩싸였습니다. '역시 상담은 내가 잘한단 말이야!'라고 자평했죠.

계약을 하고 며칠 지나지 않아 소개해 준 분에게 감사 인사를 하러 갔습니다. 작은 선물과 함께 고마운 마음을 전달했죠. 그랬더니 '오 마이 갓!' 충격적인 말을 합니다.

"이 원장 OO으로 했지요?"

"네? 원장님, 어떻게 아셨어요? 후배 분이 얘기하던가요?"

"아뇨. 계속 고민하고 있어서 내가 금액을 정해 줬죠. 너 때는 OO부터 하면 된다고."

계약은 상담을 잘 해서 나온 결과가 아니었습니다. 재무 설계를 통해 나온 금액이 아니었습니다. 옆에서 툭 던진 선배 한 마디로 보험료가 결정되었다고 할까요. 제 노력으로 이루어지지 않았습니다. 착각이었죠. 저도 최선을 다했지만, 결정은 신뢰하는 선배 조언에 의지했습니다.

이 사례를 통해 무슨 생각이 드세요? 한국 사회에서 소개 계약을 할 때 중요한 일이 무엇인지 느껴지나요? 그것은 바로 소개해 준 사람입니다. 소개한 사람 역할에 따라 계약 결과는 달라집니다. 영향력이라고 할까요?

물론, 상담을 잘하는 일도 중요합니다. 당연하죠. 내용도 중요하니까요. 최선을 다해야 합니다. 하지만 문제를 푸는 열쇠는 소개한 사람의 영향력입니다. 긍정적인 '간섭'입니다. 오랜 시간을 들여 상담한 사람은 저지만, 결과는 선배가 만들었습니다.

"너 때는 종신 OO부터 하면 돼."

한국인은 다른 사람의 의사 결정을 참고합니다. 언론을 봐도 알 수 있습니다. 우리나라 일이지만 외신 반응을 중요하게 다룹니다. 국민성이겠지요. 내 일이지만 다른 사람 눈치를 보고 판단합니다.

저축 규모와 소비 수준 같이 지극히 개인적으로 결정할 사항도 옆 사람을 따라갑니다. 자신과 같은 직업, 비슷한 환경에 있는 사람과 맞추려고 하죠. 소개 영업을 하면서 늘 경험합니다. 최종 결정을 내리기 전에 대부분은 묻죠. 소개해 준 사람은 얼마나 했는지, 자기랑 유사한 처지에 있는 사람은 얼마나 하는지를 확인합니다. 남들처럼 하고, 남들만큼 해야 마음이 편합니다. 한국에서 영업은 소개자 영향력이 중요할 수밖에 없습니다.

소개해 준 사람에게 감사하며 해야 할 일이 또 하나 있습니다. 무엇일까요? 우선은 감사하다는 표현을 진심으로 해야 합니다. 최근 일이 잘 안 풀려 힘들었는데 이 한 건이 전환점이 되었다든지, 진급(?)하는데 도움이 되었다든지 하는 상황 설명이 필요합니다. 이 한 건 계약이 저에게 큰 의미가 있었다는 말을 할 때 고객도 마음이 뿌듯해집니다. 사람에게는 누구나 타인을 돕고 싶은 마음이 있으니까요. 성공에 도움이 되었다는데 싫어할 사람이 있겠습니까.

소개에 대한 답례로 선물을 하면 대부분은 사양합니다.

"나한테까지 선물할 필요는 없어요. 후배한테 잘해 줘요."

"아닙니다. 좋은 분과 인연을 맺게 해 줘서 정말 고맙습니다. 원장님이 소개해 주고 도와주니 계약이 쉽게 되었다고 생각합니다. 평소 후배들을 많이 챙기시나 봐요?"

"아니 뭐, 그냥 두루두루 잘 지내죠."

"원장님, 그래서 말인데요. 다른 후배나 친구 중에 또 추천해 줄 분 없을까요?"

"아, 그러면 후배가 한 명 더 있기는 한데. 성격이 까칠해서……. 여기는 내가 전화로 미리 물어보고 소개해 줄게요."

소개를 받아 계약이 되었을 때가 추가로 소개받을 기회입니다. 계약이 나오면 본인 체면도 서고 기분도 좋은 상태이니까요. 이럴 때 주저하지 말고 다시 요청하세요. 추가 소개를 받을 확률이 높습니다. 제 경험상 감사 인사를 하며 새로운 이름을 부탁하면 대부분 응합니다. 다시 누군가를 추천받는 일이 소개 영업 마지막 과정입니다. 그렇게 다시 새로운 사람을 만나러 갑니다.

이 사례를 통해 말씀드리고 싶은 내용은 세 가지입니다.

첫째. 소개 요청은 '늘' 해야 한다는 사실입니다.

기존 계약자를 만나면 소개를 부탁하세요. 머뭇거리지 마세요. 소개 요청했는데 못 받으면 어떻습니까? 고민하지 마세요. 거절이 당연한 일이라고 여기면 됩니다. 편하게 요청하세요. 소개 요청은 우리 일상이 되어야 합니다.

둘째. 소개 영업을 진행하며 소개자에게 '감사 인사'를 하고 진행 상황을 알리세요.

내가 먼저 알려야 합니다. 그래야 긍정적인 영향을 미치니까요. 협력하는 관계를 만들 때 계약은 한층 쉬워집니다.

셋째. 계약 체결 후 소개자를 찾아가 다시 소개를 부탁하세요.

감사하는 마음을 전하며 소개 요청을 다시 하면 대부분 새로운 이름을 또 얻을 수 있습니다. 친절은 베풀어 준 사람이 다시 베풀어 줍니다.

질문 4.

소개를 많이 해 주는 사람을 흔히 키맨(Key-Man) 이라고 부릅니다. 누가 키맨이 될 수 있을까요?

'키맨이 되기 위한 첫 번째 조건이 무엇일까요?'

우리에게 소개를 많이 해 주는 사람은 어떤 특징이 있을까요? 신입 교육 시간에 종종 이 질문을 드리는데요. 제가 원하는 답은 잘 나오지 않습니다.

'아는 사람이 많아야 한다.', '주변에 평판이 좋아야 한다.', '자기 분야에서 성공한 사람이어야 한다.' 등이 많이 나오는 대답입니다. 틀린 말은 아닙니다. 소개를 많이 해 주는 분들 특성에 해당되죠. 그런데 키맨 자격으로 방금 말한 내용들만 있으면 충분할까요?

가장 필요한 조건은 '보험 상품에 대한 니즈'가 있는 사람이어야 한다는 사실입니다. 이 말에 바로 고개를 끄덕였다면 업계 경력이 좀 있는 분입니다. 신입 교육에서는 엉뚱한 대답을 들었다는 표정들이 많거든요.

니즈가 있다는 말은 보험 상품이 우리 인생에 필요하다고 스스로 생각한다는 뜻입니다. 보험은 필요성을 스스로 느껴 가입하는 사람도 있지만, 친분 관계에 따라 결정하는 이도 많습니다. 관계에 끌려 보험 가입을 하는 사람들 마음에는 자발적 가입의지가 약하겠지요. '필요하다', '좋다'는 마음이 아니라 '나쁘지는 않다'는 소극적 생각입니다. 이런 분은 누군가를 소개해 줄 확률이 떨어집니다.

실제 경험했던 두 가지 사례를 비교해 드리겠습니다.

이 일을 하면서 알게 된 자영업자가 있습니다. 처음에는 고객과 재무설계사 관계에서 출발했지만 나중에는 친해져 호형호제하는 사이가 되었죠. 자주 만나 어울리는 가까운 사이가 되었습니다.

처음 만났을 때보다 사업도 계속 번창해서 가입한 금액도 점차 늘었습니다. 5년이 지나고 나니 월 보험료가 여덟 자리가 되었더군요. 그러던 어느 날 같이 점심을 하며 소개 요청을 했습니다. 과거에도 종종 소개 요청을 했지만 이름을 얻은 적은 없었죠. 그날은 여느 때와는 다르게 진지하게 소개를 부탁했습니다.

> "형님, 저는 정말 세일즈 업계에서 롱런하고 싶습니다. 한 가지 일을 오래 하는 사람이 되고 싶거든요. 그러기 위해서는 새로운 사람을 계속 만나야 합니다. 형님 소개로 좋은 분을 만나고 싶습니다. 이번에 꼭 한 분만 소개해 주세요."
>
> 진심이 통했을까요? 그날은 평소와 다른 반응이었습니다.
>
> "알았어. 내가 한 명 해 줄게. 대신 한 달만 시간 줘. 한 건은 내가 연결해 줄게."

결과를 만들기 위해서는 때로 진지한 행동이 필요합니다. 진심으로 얘기하면 상대방도 지나가는 말로 듣지 않습니다. 제 말에 대한 반응이 달라진다고 할까요. 입으로 말하면 가볍게 듣지만, 마음으로 얘기하면 귀담아 듣는 법이니까요.

소개 약속을 받고서는 다른 활동으로 시간을 보냈습니다. 생활하는 중에 연락이 왜 안 오나 궁금했지만 서로 약속한 시간이 있으니 기다렸습니다. 중간에 연락하면 부담스러울 수도 있으니 약속한 날까지는 모른 척 했습니다. 마지막 날이 되어서야 전화가 왔습니다.

> "민호야, 잘 지냈지?"
>
> "네, 형님. 건강하셨죠?"

"소개해 줄 사람 못 구했어."

"아......."

"그냥 내가 하나 해 줄게. 처 앞으로 연금 하나 들고 와."

"아닙니다. 안 그러셔도 됩니다. 전 다만 소개를 받고 싶었습니다."

"아냐. 한 건은 어떻게든 연결해 준다고 약속했으니 나라도 계약할게."

"그러시면 제가 죄송하잖아요."

"괜찮아. 마음 바뀌기 전에 얼른 서류 가져 와."

이야기는 이렇게 끝났습니다. 결국 이분은 제게 소개해 주는 일에 실패했습니다. 후일담으로 들었는데 많은 친구들에게 부탁을 했더군요.

"친구야, 연금보험 하나만 가입해 줘."

"왜? 뜬금없이 보험이야."

"정말 친한 동생이 보험 회사에 있는데, 좀 도와주려고."

"나 이미 들어가는 거 많아. 다음에 도와줄게."

"그러지 말고 하나 해 달라니까."

"싫어."

소개 요청을 받고 주변 분들에게 많은 시도를 했습니다. 밥도 사 주고 술도 사 주며 요구했습니다. 전후 사정을 나중에 듣고 보니, 정말 많은 사람에게 시도를 했더군요. 그 정도 노력이면 결과를 얻을 법도 한데…, 성공하지 못했습니다. 왜 그랬을까요?

주변 사람들에게 얘기를 꺼내는 방식이 단편적이었기 때문입니다. '연금 필요성'을 언급한다든지, '당신에게 도움이 될 사람이니 만나 봐라'는 식이 아니었습니다. 그냥 '친한 동생이 보험 회사에 있으니 하나 가입해 줘.'라는 방식이었습니다. '기승전결'이 있는 이야기가 아니라 '결'만 있는 얘기인 셈이죠. 쉽게 설득이 될까요?

고객은 도와줄 마음이 있었지만 지인들에게 저를 효과적으로 추천하지는 못했습니다. 그분에게는 보험을 가입하는 동기가 필요성보다는 친분에 있기 때문이죠. 그러니 제 얘기를 꺼낼 때 앞뒤 없이 '친분'만 강조했던 겁니다.

다른 사례를 말씀드리겠습니다. 친하게 지내는 의사 고객이 있는데, 외삼촌이 사업가라는 사실을 알게 되었습니다. 당연히 만남을 부탁드렸지요. 법인 사업자에게만 적용할 수 있는 플랜을 소개하면서요.

제가 있는 사무실에서 150km가 넘는 거리에 있기 때문에 바로 찾아가기는 어려웠습니다. 의사 고객 말씀으로는, 우선 본인이 설명을 들어 보시고 내용이 괜찮으면 소개하겠다고 했습니다. 생각해 보니 저도 그 편이 낫겠다 싶었습니다. 관심이 있으면 만나러 가고, 아니면 굳이 찾아가기에는 부담스러운 거리니까요.

당사자에게 직접 설명한다는 생각으로 제안서를 준비했습니다. 이해가 빠른 분이라 법인 플랜 장점을 한눈에 간파했습니다.

"이 내용이면 소개해도 괜찮겠네. 급여보다 퇴직소득 세금이 적다는 사실이 핵심이네?"

"네. 정관 규정을 통해 퇴직금 배수도 정하기 나름이고요."

"그래. 그럼 어디서 만나지, 중간쯤에서 만나 골프를 할까? 식사하며 20~30분 시간이면 설명할 수 있겠지?"

"예. 운동을 같이 하고 말씀드리면 더 좋겠네요."

한 달여 시간이 흐른 후 함께 만났습니다. 사업가 부부와 의사고객, 저 넷이서 라운딩을 했죠. 식사를 같이 한 후 준비한 제안서를 펼쳤습니다. 중간 중간 제 고객이 설명을 거들어 주어서 편안한 진행이었습니다. 프레젠테이션은 잘 마쳤고 분위기는 좋았습니다. 곧 연락을 주겠다는 말씀을 하셨죠. 돌아오는 발걸음이 가벼웠습니다. 내심 큰 계약을 기대하게 되었습니다. 빠른 시간 안에 연락을 하겠다고 말씀하셨지만, 전화가 금방 오지 않았습니다. 소개해 준 분에게 근황을 물어보니 사업이 바빠졌다고 합니다. 개인적인 재정 플랜은 고민하지 못할 상황이라고 얘기해 주셨죠. 대신 챙겨 볼 테니 조금만 기다리라는 말씀도 보태면서요.

한 달 두 달 시간이 흐르더니 이내 해가 바뀌었습니다. 가끔 엽서로 안부도 묻고 책 선물도 보냈지만, 오랜 시간 만나지 못하니 기대감도 점차 사라졌습니다. 아쉽지만 그렇게 기억 속에서 잊혀져 가겠구나 싶었죠.

그러던 중 연말에 불쑥 전화가 왔습니다. 처음 만난 후 1년 6개월 만입니다. 여름에 만나 골프를 같이 했는데, 해가 바뀌고 겨울이 되어 있었죠. 예상하지 못해서 더 반가운 마음이었습니다.

"안녕하십니까. 공민호입니다."

"잘 지냈지요?"

"네. 대표님, 건강하셨습니까? 안부는 가끔 전해 들었습니다."

"나야 잘 지냈죠. 연락을 빨리 못 드려 미안합니다."

"아닙니다. 사업이 계속 바쁘셨다고 들었습니다."

"예전에 제안했던 내용을 다시 검토했는데, OO만원 금액을 불입하는 안으로 고려하고 있습니다. 언제 시간 나면 사무실로 한번 와 줄 수 있나요?"

"네. 모레 오전 10시는 시간이 어떠십니까?"

"괜찮아요. 그럼 그때 보는 걸로 합시다."

잊고 있었는데 느닷없이 연락이 와서 계약을 했습니다. 꽤 큰 금액으로. 처음 만나 상담을 한 후 두 번째 만남까지 1년 6개월 시간이 지났습니다.

15년 동안 보험 세일즈 업계에 있으면서 경험한, 가장 예상치 못한 계약이었죠.

여러분은 이 계약 사례에서 무엇을 느끼십니까?

'1년 6개월 만에 연락하다니, 특이한 일이네.', '잊지 않고 찾다니, 고마운 분이시네.', '큰 금액을 쉽게 계약하다니, 운이 좋았네.' 이런 생각만 드시나요?

혹시 '상담 후 꽤 시간이 흘렀는데, 고객이 어떻게 니즈를 유지하고 있었을까?'라는 의문이 들지 않으시나요. 많은 세월이 지났는데, 연금 필요성을 아직도 생각하다니요. 첫 만남에서 제가 기가 막히게 설명해서 잊을 수가 없었을까요? 설마 그럴 리가요. 아무리 머리가 좋은 사람도 기억은 시간을 따라 사라집니다. 하물며 보험 상품이야 오죽할까요. 그렇다면 도대체 그분에게 무슨 일이 있었을까요?

비밀은 '소개자'에게 있습니다. 옆에서 한 조언이 이 계약을 성사시켰습니다. 가끔, 그러나 지속적인 참견이 이유였습니다. 그 사장님과 만날 때 소개자가 한마디씩 했던 겁니다.

"삼촌, 노후 준비는 별도로 해 두셔야 합니다."

"법인으로 하면 절세에도 도움 되고 혜택이 있는데, 왜 결정을 미루십니까?"

"조금이라도 하시는 편이 낫지 않을까요?"

신뢰하는 조카가 옆에서 계속 말을 하니 마음이 열렸습니다. 제가 했던 말은 이미 사라졌을 수 있습니다. 아뇨, 기억 못 할 겁니다. 한 번 들은 얘기가 얼마나 오래 남아 있을까요. 중요한 정보는 소개자의 말입니다. 옆에 있는 사람이 영향력을 행사합니다. 소개자 협력으로 계약이 이루어졌습니다.

여기서 하나 더 생각해 볼 내용이 있습니다. 소개자는 왜 지속적으로 삼촌에게 보험 필요성을 얘기했을까요? 계속해서 계약을 권했던 이유는 무엇이었을까요? 저를 위해서 얘기를 했을까요? 물론, 저를 위한 마음도 있었겠지만 스스로가 필요성을 느꼈기 때문입니다.

제가 부탁한다면 한두 번은 말할 수 있겠죠. 하지만 그 이상은 힘들지 않을까요? '맞다'라고 생각하니 스스로 행동합니다. 그 의사고객은 삼촌을 위하는 마음으로 권했습니다. 중요한 점은 얘기를 듣는 상대방도 그 마음을 알아챘다는 데 있습니다. 진심으로 하는 말에는 힘이 있으니까요. 작은 목소리로 말해도 듣는 사람 가슴에는 울림을 줄 수 있습니다.

두 계약 사례를 통해 '보험 니즈'가 얼마나 중요한지를 깨달았습니다. 친척을 소개해 준 의사와 친구를 소개해 주기 위해 노력했던 분, 두 분 다 저를 도와주고 싶은 마음은 같았습니다. 다만, 한 분은 보험에 대한 필요성을 스스로 느꼈고 다른 한 분은 니즈가 약했습니다. 계약하기 위해서는 소개자 니즈 여부가 중요한 변수가 됨을 깨달을 수 있었죠.

처음 했던 질문을 다시 떠올리겠습니다. 소개를 많이 해 주는 '키맨'이 가져야 할 첫 번째 조건이 무엇일까요? 답은 명확합니다. 보험 필요성을 크게 느끼는 사람입니다.

보험 선호자를 만나면 적극적으로 다가서세요. 보험이 필요하다고 생각하는 분과 친해지세요. 그분이 효과적인 소개를 해 줍니다. 키맨은 보험 선호자 중에 있습니다. 우리가 할 일은 키맨과 잘 지내는 일이고요. 이것이 소개 영업을 잘하기 위한 가장 큰 비밀입니다.

EPILOGUE

지금 바로 할 수 있는 일을 실천하자

"질문 있습니다."

2016년 6월 캐나다 밴쿠버에서 개최된 'MDRT 연차총회'에서였다. '아시아 소비자들을 위한 마케팅 전략'이라는 주제로 진행한 강연에서 젊은 여성이 질문을 해 왔다.

"결국 서양인들에 비해 동양인들은 '관계'가 중요하다는 점을 강조하셨는데요. 만나는 사람이 많아지면 관계를 꾸준히 관리하기가 어려워 보입니다. 마음이 가진 '스페이스'는 얼마나 많은 사람을 담을 수 있다고 생각하세요?

마음이 가진 '스페이스(space)'라……. 한글과 영어를 섞어 쓰는, 영어권 나라에서 살고 있는 한국인 말투였다. 앞선 질문자들이 모두 한국에서 오신 분들이라 당연히 그들과 같은 분이라 생각했는데 아닌가 보다. 외모는 순수 한국인(?)이었지만, 한국말이 약간 어색하고 영어 발음은 네이티브처럼 들렸다.

"제 생각은 이렇습니다. 관계 관리를 위해서는 활동 시스템이 필요하다고 생각합니다. 그리고 지속적으로 상호 소통을 할 수 있는 사람의 숫자는 '던바의 법칙'을 참고할 수 있습니다. 던바의 법칙이란 한 사람이 상호 소통할 수 있는 타인의 숫자가 150명이 한계라는 주장인데……."

그 질문에 대한 답변을 마지막으로 강연을 마쳤다. 정해진 시간이 되면 자동으로 마이크가 꺼지는 강의실이라 충분히 말할 여유는 없었다. 많은 강연이 진행되다 보니 시간 관리가 엄격하다. 다음 강연자가 준비할 수 있도록 자리를 비워야 했다. 질문을 했던 그녀는 뭔가 더 궁금한 눈빛이었는데, 대화를 이어 갈 수는 없었다.

오후 시간이 되어서는 나도 청중 입장이 되어 강의실을 찾아다녔다. 점심식사 후 첫 강연을 듣고 두 번째 강의를 들으려고 이동하던 중, 마지막 질문자와 우연히 마주쳤다.

그녀는 3살 때 미국으로 이민 간 한국인이었다. 미국에서 학교를 졸업하고 로스앤젤레스에 있는 생명 보험사에 근무한다고 자신을 소개했다. 그래서 영어 발음이 현지인 느낌이었구나 싶었다. 어떤 사람인지 알고 나니 오히려 한국말을 참 잘한다는 생각이 들었다.

한국에서 같이 갔던 동료들과 함께 많은 대화를 나누었다. 그녀는 우리에게 많은 질문을 했고, 우리 역시 그녀에게 물어본 내용이 많았다. 미국의 보험 시장과 영업 환경도 궁금했고 최근 트렌드와 이슈는 무엇인지도 질문했다. 현장에서 일하는 영업인들끼리 나누는 대화는 늘 유익하다. 서로에게 신선한 아이디어를 주고 응용해서 뭔가를 추진하게 만들어 준다. 이런저런 다양한 얘기를 주고받았는데, 대화 말미에 그녀는 내게 고맙다는 말을 해 주었다.

미국인과 미팅한 후 한국인을 만나 상담하는 경험이 많았던 그녀는, 한국과 서양 간의 문화 차이를 종종 느끼곤 했다고 한다. 뭐라 꼭 집어서 말할 수는 없지만 서양인과 한국인은 분명 다른 특성이 있는데……. 막연한 차이를 느끼던 중, 내 강의를 통해 문화 차이를 조금은 이해하게 되었다고 말해 주었다. 서양 사회와 한국 사회에서 영업 전략이 달라야 한다는 지적에 공감해 주었다. 감사 인사를 하는 그녀에게 나 역시 고마웠다.

격려와 칭찬은 좋은 자극이 된다. 강연을 준비하면서 이 내용을 책으로 엮어보고 싶다는 생각을 막연히 했는데, 구체적인 생각으로 발전시키는 계기가 되었다. '그럼 한번 써 볼까?'미국과 한국 사회에서 동시에 재무설계사 일을 하고 있는 사람이 해 준 긍정적 평가는 나를 행동하게 만들었다.

"클라라 박, 고마워요!"

서양과 한국 문화는 다르다. 다른 문화는 다른 사고방식을 낳았다. 사람을 바라보는 관점과 상호 관계에 대해서도 시각 차이가 크게 존재한다.

영업 현장에서 일하는 사람 입장에서, 서양 사람이 만든 세일즈 전략을 그대로 적용하기에는 한계를 느낀다. 그대로 수용할 내용도 있지만 우리랑 맞지 않는 이론도 분명 많기 때문이다. 우리의 사고방식과 문화를 먼저 이해하고 영업 전략을 만들어야 한다.

한국인의 특성을 이해하고 전략을 수립했다면 다음 해야 할 일은 실천이다. 공감한 내용이 있다면 적극적으로 실천하자. 행동으로 옮겨야 할 일 중에서 어렵거나 복잡한 내용은 없다. 생활 속에서 가볍게 행할 수 있는 일들이다.

무엇보다 재무설계사로서 지식 쌓기보다는 주변 사람들과 친분 쌓기를 우선할 것을 권한다. 어떻게 말해서 설득할지를 고민하기보다 고객의 얘기를 어떻게 잘 들어 주고 그들 마음을 얻을지 고민하자. 낯선 사람들을 만나 열심히 영업하기보다는 나랑 같은 집단에 속한 사람을 만나 우호적인 분위기에서 상담을 시도하자. 소개 영업을 할 때는 소개자의 협력을 이끌어 내는 일도 잊지 말고.

어렵지 않은 이 일들을 실천함으로써 한국에서 영업으로 성공할 수 있을 것이라 확신한다.

책을 만드는 과정에서 많은 분들에게 도움을 받았다. 원고를 꼼꼼하게 검토해 주신 김민관, 김훈섭, 하지훈 선배님께 먼저 감사의 말씀을 드린다. 인생 선배로서 아울러 고객 관점에서 많은 조언을 해 준 덕분에 책 내용이 풍부해질 수 있었다. 아울러 사례를 실을 수 있게 허락해 주신 분들 덕분에 실제 영업 현장을 소개할 수 있었다. 다시 한번 감사 인사를 드리고 싶다.

영업 현장에 있거나 교육을 담당하는 분, 세일즈 영역과 무관한 분들로부터도 많은 조언을 얻었다. 고민정, 고영덕, 김미숙, 김민규, 김성재, 김숙좌, 김인교, 김지수, 김태윤, 박성만, 배재훈, 서성규, 서왕용, 유주영, 이상연, 정상연, 정성훈, 주용호, 최준호, 한동욱 님에게도 감사 말씀을 드린다. 바쁜 시간에도 불구하고 자기 일처럼 시간을 들여 원고를 검토해 주셨다. 이분들의 도움과 격려로 책을 완성할 수 있었다. 신선한 아이디어도 주셨고, 다양한 시각도 제시해 주셨다. 정말 감사하다.

나와 인연을 맺어 준 모든 고객 분들에게도 감사의 말씀을 드리고 싶다. 우연히 세일즈 업계에 발을 들여 지금까지 재무설계사로 존재할 수 있었던 공은 순전히 고객에게 있다. 그분들 덕분이다. 그리고 강연장에서 나와 눈이 마주치는 순간, 고개를 끄덕이며 공감하는 눈빛을 보내 준 모든 분들에게도 감사하다는 말씀을 전한다. 정확한 장소와 시간은 기억하지 못해도, 한 분 한 분이 보여 준 표정이 이 책을 쓰게 만들었다. 진심으로 감사드린다.

그리고 책상에 앉아 노트북을 켤 때마다 "아빠 뭐 해?"하며 궁금해하는 두 아들에겐 미안한 마음이다. '아이들에게 최고의 사랑은 시간'이라고 늘 주장하면서 정작 나는 실천하고 있는지 돌아보게 된다. 그리고 글이 잘 써지지 않는다고 자주 투덜거리는 나를 한결같은 마음으로 응원해 준 아내에게도 고맙다. 가장 가까이 있는 사람이 지지해 줄 때 끈기를 가질 수 있음을 새삼 경험했다. 가족이 내가 살아가는 데 있어 가장 큰 즐거움이다.

지금까지의 독서가 즐거웠기를 바란다. 내가 누군가의 한두 마디에 고무되어 책 쓰기에 도전했듯, 이 글에서 자극받은 내용이 있다면 실천해 보기를 기대한다. 단 하나의 아이디어, 단 하나의 생각, 단 하나의 문장이라도 여러분 마음에 울림을 주었다면 그것이 출발점이다.

마지막으로 세일즈에 대한 철학을 소개하면서 글을 맺으려고 한다. 세일즈라는 업의 본질을 느낄 수 있게 해 준, 톨스토이가 남긴 글이다. 우리는 판매함으로써 누군가를 이롭게 하고 세상을 더 나은 곳으로 만든다.

"나 자신의 삶은 물론 다른 사람의 삶을 삶답게 만들기 위해 끊임없이 정성을 다하고 마음을 다하는 것처럼 아름다운 일은 없습니다."

모든 분들이 더 나은 삶을 만들어 가기를 기원한다.

참고문헌

* ANDREW MCAFEE · VINCENT DESSAIN · ANDERS SJOMAN, <Zara: It for Fast Fashion(HARVARD BUSINESS SCHOOL)>, 2007.
* F. 스콧 피츠제럴드, 김욱동 옮김, ≪위대한 개츠비≫, 민음사, 2012.
* 가이 E. 베이커, 윤정숙 옮김, ≪와이 피플 바이≫, 순정아이북스, 2008.
* 강준만, ≪세계문화사전≫, 인물과사상사, 2005.
* 강진석, ≪중국의 문화코드≫, 살림지식총서, 2004.
* 김대식, ≪사람을 남기는 관계의 비밀≫, 북클라우드, 2015.
* 김세원, <김세원 병영칼럼>, 국방일보, 2014.05.19.
* 김재휘, ≪설득 심리 이론≫, 커뮤니케이션북스, 2013.
* 김형희, ≪한국인의 거짓말≫, 추수밭, 2017.
* 나은영, ≪행복 소통의 심리≫, 커뮤니케이션북스, 2013.
* 다니엘 샤피로·로저 피셔, 이진원 옮김, ≪원하는 것이 있다면 감정을 흔들어라≫, 한국경제신문, 2013.
* 다니엘 핑크, 김명철 옮김, ≪파는 것이 인간이다≫, 청림출판, 2016.
* 대니얼 카너먼, 이진원 옮김, ≪생각에 관한 생각≫, 김영사, 2016.
* 댄 사이드먼, 김정은 옮김, ≪잘 파는 세일즈맨의 비밀 언어≫, 세종서적, 2014.
* 데일 카네기, 강성복 옮김, ≪데일 카네기 자기관리론≫, 리베르, 2007.
* 데일 카네기, 베스트트랜스 옮김, ≪인간관계론≫, 더클래식, 2015.
* 리처드 니스벳, 최인철 옮김, ≪생각의 지도≫, 김영사, 2009.
* 마이클 레빈, 김민주·이영숙 옮김, ≪깨진 유리창 법칙≫, 흐름출판, 2010.
* 말콤 글래드웰, 노정태 옮김, ≪아웃라이어≫, 김영사, 2009.
* 메이디 파카자데이, 김양수 옮김, ≪메이디의 50년 세일즈 인생 이야기≫, 마젤란, 2006.
* 박경리, ≪버리고 갈 것만 남아서 참 홀가분하다≫, 마로니에북스, 2008.
* 박정태, ≪대가에게 배우는 투자의 지혜≫, 김&정, 2007.
* 벤저민 프랭클린, 정혜정 옮김, ≪덕의 기술≫, 21세기북스, 2009.
* 브라이언 트레이시·론 아덴, 윤태익 연출, 김혜경 옮김, ≪끌리는 사람의 백만불짜리 매력≫, 한국경제신문, 2011.
* 브라이언 트레이시, 서사봉 옮김, ≪백만불짜리 습관≫, 용오름, 2009.

참고문헌

* 브루스 그린왈드 외, 이순주 옮김, ≪가치투자≫, 국일증권 경제연구소, 2007.
* 새뮤얼 스마일스, 김유신 옮김, ≪자조론≫, 21세기북스, 2007.
* 샘 혼, 이상원 옮김, ≪적을 만들지 않는 대화법≫, 갈매나무, 2015.
* 서은국, ≪행복의 기원≫, 21세기북스, 2016.
* 신상훈, ≪유머가 이긴다≫, 쌤앤파커스, 2015.
* 스튜어트 다이아몬드, 김태훈 옮김, ≪어떻게 원하는 것을 얻는가≫, 8.0, 2012.
* 스티븐 코비, 김경섭 옮김, ≪소중한 것을 먼저 하라≫, 김영사, 2012.
* 안도현, ≪그런 일≫, 삼인, 2016.
* 엔도 슈사쿠, 천채정 옮김, ≪전략적 편지쓰기≫, 쌤앤파커스, 2007.
* 아리아나 허핑턴, 정준희 옮김, ≪수면혁명≫, 민음사, 2016.
* 애덤 그랜트, 윤태준 옮김, ≪기브앤테이크≫, 생각연구소, 2013.
* 오미영·정인숙, ≪커뮤니케이션 핵심이론≫, 커뮤니케이션북스, 2014.
* 오종남, ≪은퇴 후 30년을 준비하라≫, 삼성경제연구소, 2009.
* 윤은기, ≪골프마인드 경영마인드≫, 한스미디어, 2007.
* 이나모리 가즈오, 김형철 옮김, ≪카르마경영≫, 서돌, 2009.
* 이민규, ≪끌리는 사람은 1%가 다르다≫, 더난출판, 2006.
* 이영권, ≪편지로 시작하는 아침≫, 아름다운 사회, 2003.
* 이종호·김용호·김문태·옥정원, ≪마케팅 액츄얼리≫, 청람, 2013.
* 이현우, ≪사람의 마음을 움직이는 설득심리≫, 더난출판, 2002.
* 이현우, ≪한국인에게 가장 잘 통하는 설득전략24≫, 더난출판, 2012.
* 이현주, ≪관계의 99%는 소통이다≫, 원앤원북스, 2016.
* 장동인·이남훈, ≪공피고아≫, 쌤앤파커스, 2015.
* 전진문, ≪경주 최 부잣집 300년 부의 비밀≫, 민음인, 2010.
* 정성훈, ≪사람을 움직이는 100가지 심리법칙≫, 케이앤제이, 2011.
* 젝 킨더·게리 킨더, 정찬교 옮김, ≪미래를 파는 사람들의 절대 성공법칙≫, 엘도라도, 2010.
* 조우성, ≪이제는 이기는 인생을 살고 싶다≫, 리더스북, 2016.
* 조제프 앙투안 투생 디누아르, 성귀수 옮김, ≪침묵의 기술≫, 북이십일, 2016.
* 조 지라드, 김명철 옮김, ≪누구에게나 최고의 하루가 있다≫, 다산북스, 2012.

참고문헌

* 조 지라드, 안진환 옮김, ≪세일즈 불변의 법칙12≫, 비즈니스북스, 2006.
* 조지 오웰, 이한중 옮김, ≪나는 왜 쓰는가≫, 한겨레출판, 2015.
* 존 스튜어트 밀, 서병훈 옮김, ≪자유론≫, 책세상, 2016.
* 주소현, ≪재무설계를 위한 행동재무학≫, FPBooks, 2009.
* 지그 지글러, 장인선 옮김, ≪클로징≫, 산수야, 2011.
* 토니 고든, ≪보험왕 토니 고든의 세일즈 노트≫, 삶과꿈, 2005.
* 프랭크 베트거, 최염순 옮김, ≪실패에서 성공으로≫, 씨앗을 뿌리는 사람, 2009.
* 피터 드러커, 권영설·전미옥 옮김, ≪피터 드러커의 위대한 혁신≫, 한국경제신문, 2009.
* 차태진, ≪챔피언의 법칙≫, 지식노마드, 2008.
* 최상진, ≪한국인의 심리학≫, 학지사, 2012.
* 최상진·김기범, ≪문화심리학≫, 지식산업사, 2011.
* 최인철, ≪프레임≫, 21세기북스, 2010.
* 한상복, ≪배려≫, 위즈덤하우스, 2006.
* 한성열·한민·이누미야 요시유키·심경섭, ≪문화심리학≫, 학지사, 2015.
* 한용운, 성각 스님 옮김, ≪채근담≫, 부글북스, 2010.
* 허태균, ≪어쩌다 한국인≫, 중앙북스, 2016.
* 황상민, ≪한국인의 심리코드≫, 추수밭, 2015.
* 황현진, ≪설득의 정석≫, 비즈니스북스, 2015.

TOP 세일즈맨의 노트를 훔치다

부록

한국인을 위한
세일즈 성공전략
공 민 호 Royal Lion
CFP® (국제공인재무설계사) / MBA(경영학 석사) / MDRT 14회 & COT 4회

한국인
어떠다 한국인
생각의 지도
한국인의 심리코드
문화 심리학
문화심리학
한국인의 심리학
한국인과 잘 통하는 설득전략 24
한국인의 서것발

CONTENTS

Topic 1 니즈에서 출발하는 서양 VS 관계에서 시작하는 한국

Topic 2 말하기로 대화하는 서양 VS 듣기로 소통하는 한국

Topic 3 남에게 관대한 서양 VS 우리만 편애하는 한국

Topic 4 소개만 해주고 잊는 서양 VS 끝까지 협력하고 간섭하는 한국

Topic 1 니즈에서 출발하는 서양 VS 관계에서 시작하는 한국

왜 맥도날드는 실패하고 HP는 성공했을까?

꽌시(관계) 마케팅 인간관계를 바탕으로 한 중국 비즈니스 마케팅

〈북경에 진출한 중국맥도날드 1호점의 실패〉

〈중국에 진출한 HP의 승승장구〉

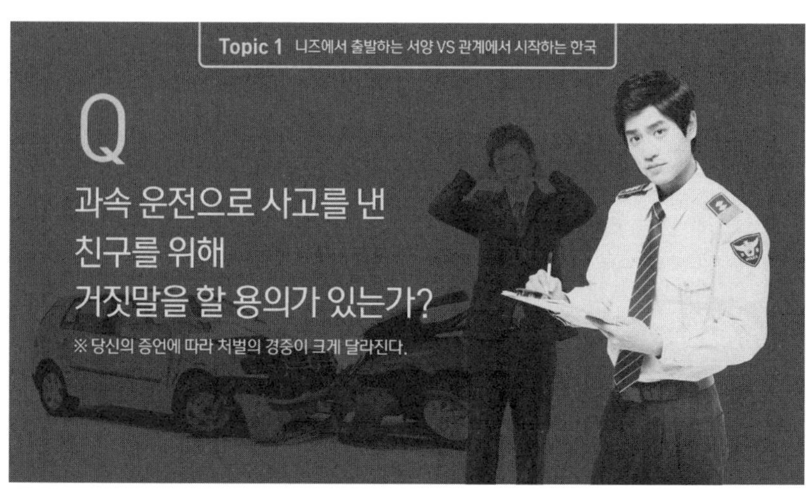

Topic 1 니즈에서 출발하는 서양 VS 관계에서 시작하는 한국

A 친구를 위해 기꺼이 거짓말을 하겠다.

조사대상 38개국 중 **1위**

국가	비율
캐나다	4%
미국, 영국, 독일	10%
프랑스, 일본, 싱가포르	40%
중국, 인도네시아, 러시아	60%
한국	74%

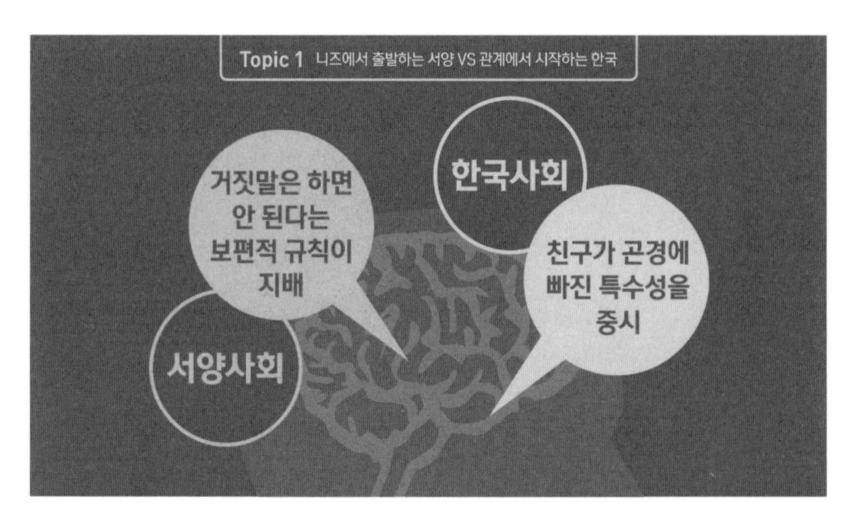
Topic 1 니즈에서 출발하는 서양 VS 관계에서 시작하는 한국
한국사회
거짓말은 하면 안 된다는 보편적 규칙이 지배
친구가 곤경에 빠진 특수성을 중시
서양사회

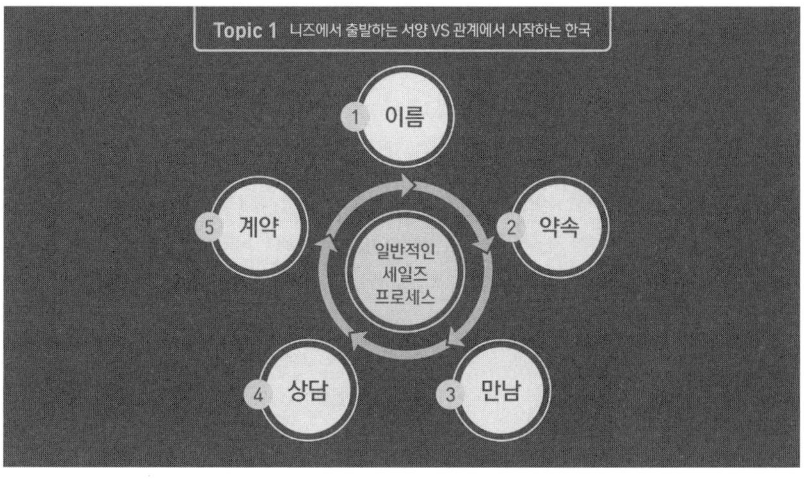
Topic 1 니즈에서 출발하는 서양 VS 관계에서 시작하는 한국
1 이름
2 약속
3 만남
4 상담
5 계약
일반적인 세일즈 프로세스

Topic 1 니즈에서 출발하는 서양 VS 관계에서 시작하는 한국

한국사회의 세일즈 프로세스에는
'관계'형성이 있어야 한다.

MR 친분 쌓기 = 관계형성 및 관계관리

→ Make **Relationship**

→ Maintain **Relationship**

Topic 1 결론

한국에서는 친분 쌓기를 통한 친밀하고
우호적인 관계 형성이 재무 상담보다 우선시 되어야 한다.
특별한 이유 없이 만나 친분을 쌓는 것이
그 무엇보다 강력한 설득의 도구가 된다.

영업이란 결국 사람을 만나는 일이다.

HOW?

15 a week ········ 토니 고든

9 to 5 ········ 메이디 파카자데이

5 a day ········ 프랭크 베트거

호감을 얻기 위한
실천 Tip 2

〈좋은 만남을 위한 다섯가지 키워드〉

① 약속 시간 지키기
② 첫 인사는 밝은 미소로
③ 대화가 시작하면 일단 들어주기
④ 공감할수록 상대의 마음을 더 얻는다
⑤ 사소한 배려가 기억에는 오래 머문다

호감을 얻기 위한
실천 Tip 3

편지쓰기의 5가지 장점

① 편지는 상대방을 설득하는 기적의 도구가 된다.
② 편지쓰기는 창의력과 문장력을 키워준다.
③ 편지는 당신의 주위 사람들과 돈독한 관계를 만들어준다.
④ 편지는 당신을 영원히 기억하게 만들어 준다.
⑤ 편지는 감수성을 풍부하게 만들고 낭만을 되살려 준다.

※출처 : 엔도 슈사쿠, 《전략적 편지쓰기》

호감을 얻기 위한
실천 Tip 4

Q

가장 성공하는 사람은 누구일까?

① Giver (더 많이 주는 사람) ✔

② Taker (더 많이 받는 사람)

③ Matcher (균형을 맞추는 사람)

※출처 : 애덤 그랜트, 《기브앤테이크》

〈호감을 얻기 위한 네가지 키워드〉

① 발 〉 좋은 관계는 가벼운 발에서 시작한다

② 귀 〉 호감을 얻는 가장 쉬운 방법은 경청이다

③ 손 〉 관계 유지를 위해서는 손품을 팔아라

④ 마음 〉 주는 사람이 성공한다

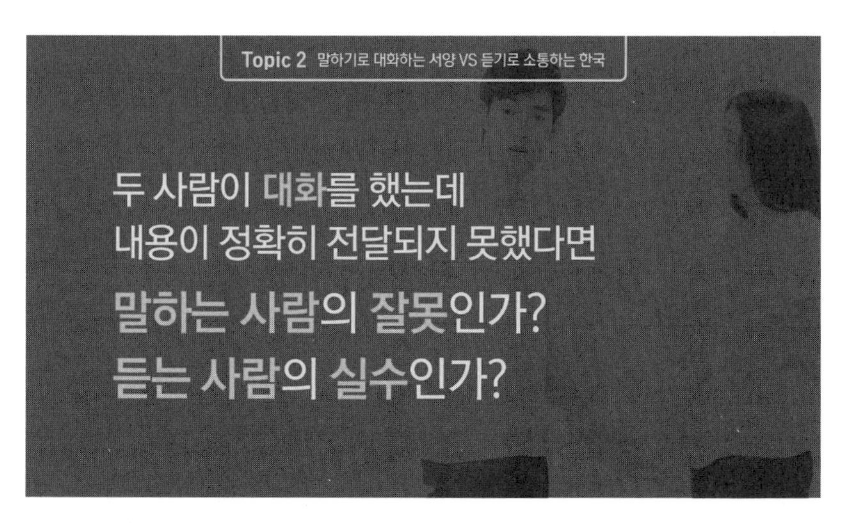
Topic 2 말하기로 대화하는 서양 VS 듣기로 소통하는 한국
두 사람이 대화를 했는데
내용이 정확히 전달되지 못했다면
말하는 사람의 잘못인가?
듣는 사람의 실수인가?

Topic 2 말하기로 대화하는 서양 VS 듣기로 소통하는 한국
T.M.A.E.R.O.W.K
T.E.A.M.W.O.R.K
TEAMWORK

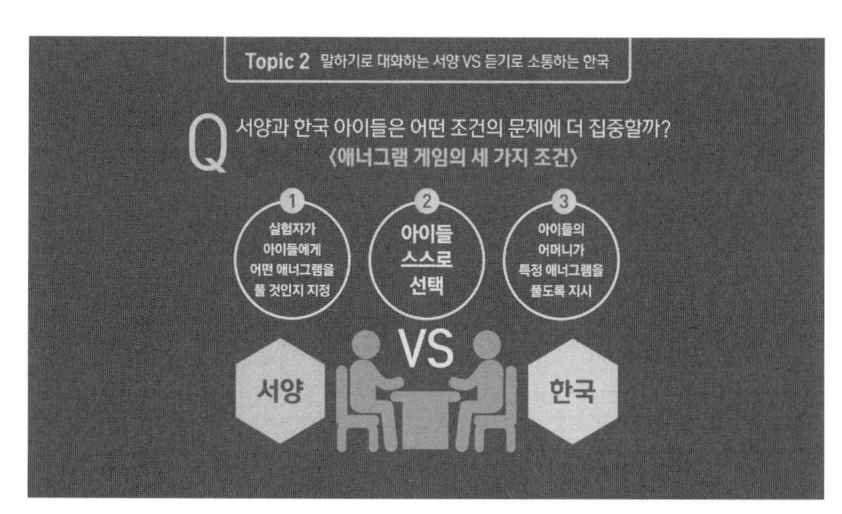
Topic 2 말하기로 대화하는 서양 VS 듣기로 소통하는 한국
Q 서양과 한국 아이들은 어떤 조건의 문제에 더 집중할까?
〈애너그램 게임의 세 가지 조건〉
1 실험자가 아이들에게 어떤 애너그램을 풀 것인지 지정
2 아이들 스스로 선택
3 아이들의 어머니가 특정 애너그램을 풀도록 지시
VS
서양
한국

Topic 2 말하기로 대화하는 서양 VS 듣기로 소통하는 한국
본심 VS 배려
서양
동양

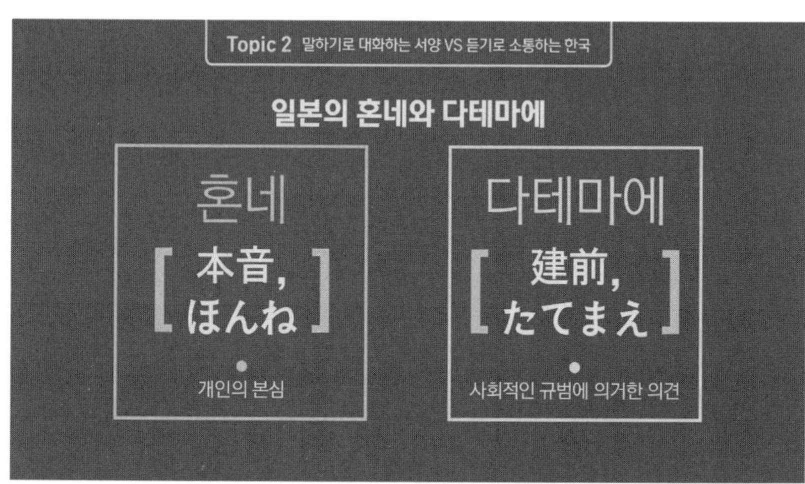

Topic 2 말하기로 대화하는 서양 VS 듣기로 소통하는 한국
일본의 혼네와 다테마에
혼네
[本音, ほんね]
개인의 본심
다테마에
[建前, たてまえ]
사회적인 규범에 의거한 의견

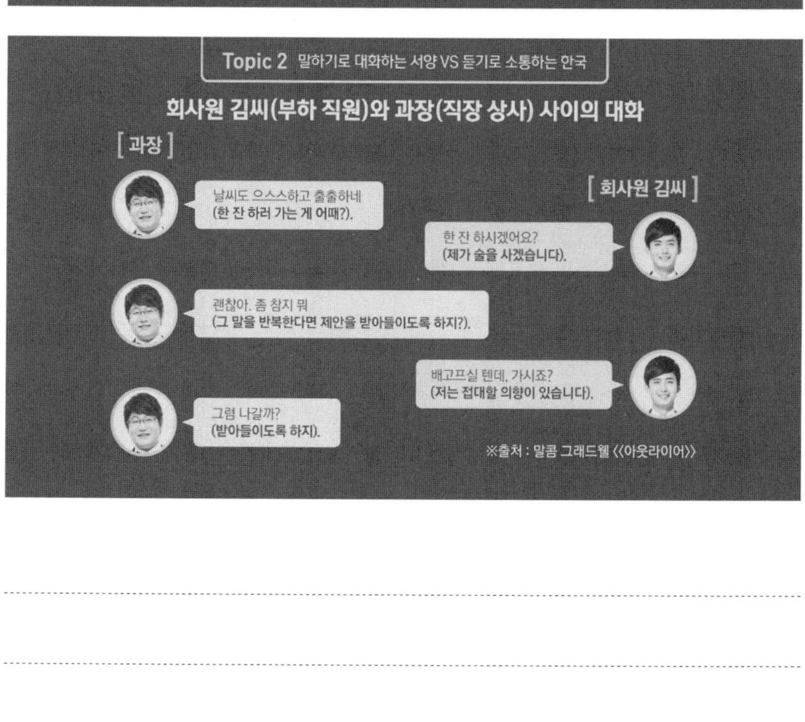

Topic 2 말하기로 대화하는 서양 VS 듣기로 소통하는 한국
회사원 김씨(부하 직원)와 과장(직장 상사) 사이의 대화
[과장]
날씨도 으스스하고 출출하네
(한 잔 하러 가는 게 어때?).
[회사원 김씨]
한 잔 하시겠어요?
(제가 술을 사겠습니다).
괜찮아. 좀 참지 뭐
(그 말을 반복한다면 제안을 받아들이도록 하지?).
배고프실 텐데, 가시죠?
(저는 접대할 의향이 있습니다).
그럼 나갈까?
(받아들이도록 하지).
※출처 : 말콤 그래드웰 《아웃라이어》

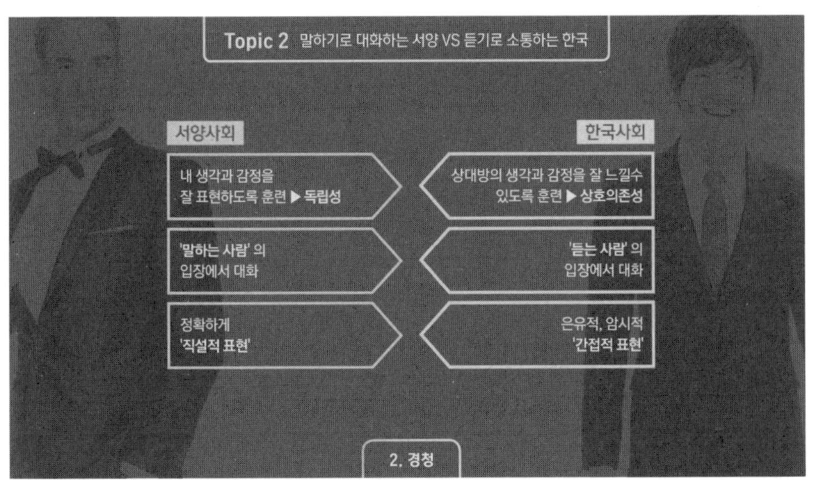
Topic 2 말하기로 대화하는 서양 VS 듣기로 소통하는 한국
서양사회
한국사회
내 생각과 감정을
잘 표현하도록 훈련 ▶ 독립성
상대방의 생각과 감정을 잘 느낄수
있도록 훈련 ▶ 상호의존성
'말하는 사람' 의
입장에서 대화
'듣는 사람' 의
입장에서 대화
정확하게
'직설적 표현'
은유적, 암시적
'간접적 표현'
2. 경청

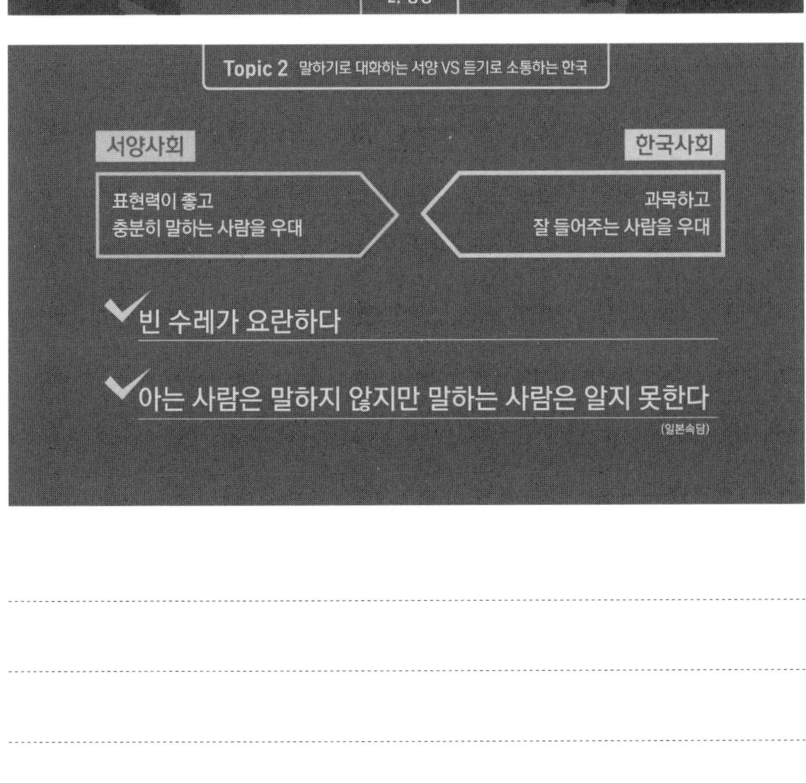
Topic 2 말하기로 대화하는 서양 VS 듣기로 소통하는 한국
서양사회
한국사회
표현력이 좋고
충분히 말하는 사람을 우대
과묵하고
잘 들어주는 사람을 우대
빈 수레가 요란하다
아는 사람은 말하지 않지만 말하는 사람은 알지 못한다
(일본속담)

Topic 2 말하기로 대화하는 서양 VS 듣기로 소통하는 한국

"

잘 말하는 것보다
잘 듣는 것이 훨씬 더 중요하다.
동양 사회에서 상담에 필요한 것은
혀가 아니라 귀다!

Topic 2 말하기로 대화하는 서양 VS 듣기로 소통하는 한국

傾聽

[**경청** : 귀를 기울여 들음]

Topic 2 결론

논리적인 말의 힘이 아니라
경청과 겸손의 태도로
한국인은 설득된다.

경청을 위한 10가지
실천 Tip

1. 인식 전환 논객이 아닌 사회자가 되어라.
2. 상대방 관심사 묻기 사람은 누구나 다 자기중심적이다.
3. 긍정적인 호기심 흥미없는 분야의 이야기는 지겹다.
4. 고개를 끄덕이며 미소 짓기 구체적 말은 잊어도 표정은 기억한다.
5. 상대방 쪽으로 살짝 기울여 듣기 존중하는 태도를 보여라.

경청을 위한 10가지
실천 Tip

6. 대화에 집중하라 상대방을 응시하며 대화하라. 휴대폰은 무음!

7. 충분한 잠 24시간 자지 않으면 혈중 알콜 농도는 0.1%. 법적으로 취한 상태!

8. 편안한 심리 걱정에 사로잡혀 있으면 상대방 말이 들리지 않는다.

9. 풍부한 상식 신문과 뉴스를 멀리하지 마라.

10. 감사 표시 사소한 정보와 친절에도 감사하라.

〈피해야 할 4가지 언어습관〉

① 이해하셨습니까?(X) ▶ 제가 설명을 잘 했나요?(O);(겸손한 자세)

② 하지만(X) ▶ 그리고(O);(반대 → 조화)

③ ~것 같아요(X) ▶ 입니다(O);(자신감없는 어투 → 확신에 찬 태도)

④ 문제점(X) ▶ 개선점, 해결책(O);(부정 → 긍정)

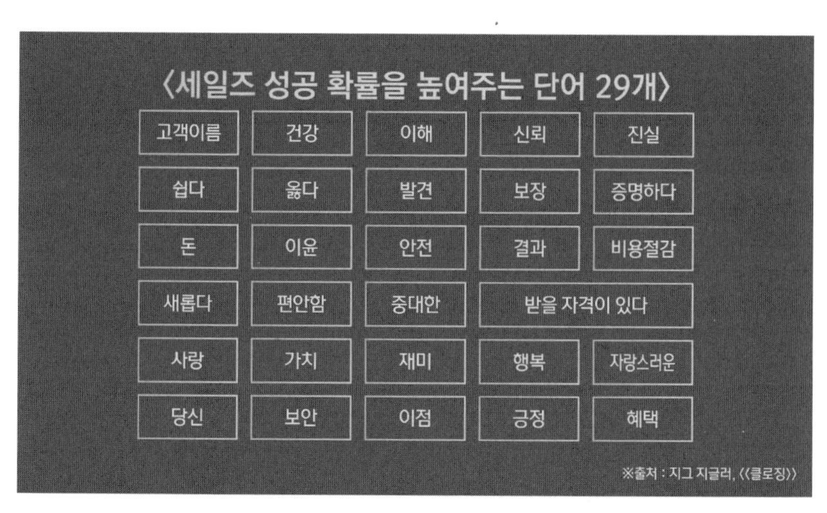

Topic 3 남에게 관대한 서양 VS 우리만 편애하는 한국

Who are you?

아름답고 꼼꼼한 디자인을 하는 디자이너

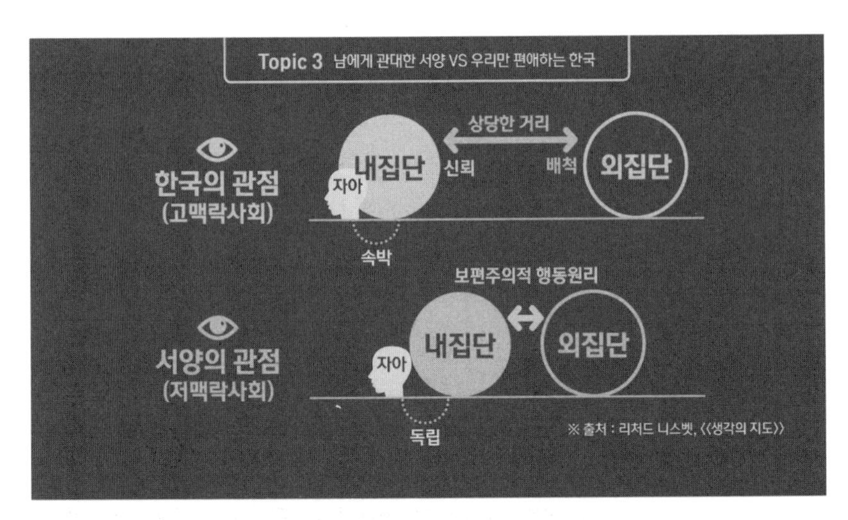
Topic 3 남에게 관대한 서양 VS 우리만 편애하는 한국
한국의 관점
(고맥락사회)
상당한 거리
내집단
자아
신뢰
배척
외집단
속박
보편주의적 행동원리
서양의 관점
(저맥락사회)
자아
내집단
외집단
독립
※ 출처 : 리처드 니스벳, 《생각의 지도》

Topic 3 남에게 관대한 서양 VS 우리만 편애하는 한국
일본의 [우치]와 [소토]
소토
우치

Topic 3 남에게 관대한 서양 VS 우리만 편애하는 한국

한국 사람들의 세가지 질문

어디 '김'씨세요? (혈연)

고향은 어디세요? (지연)

학교는 어디 나오셨어요? (학연)

우리가 남이가? 처음 만난 사람이라도 연고를 확인해 내집단의 동질성을 찾으려고 함.

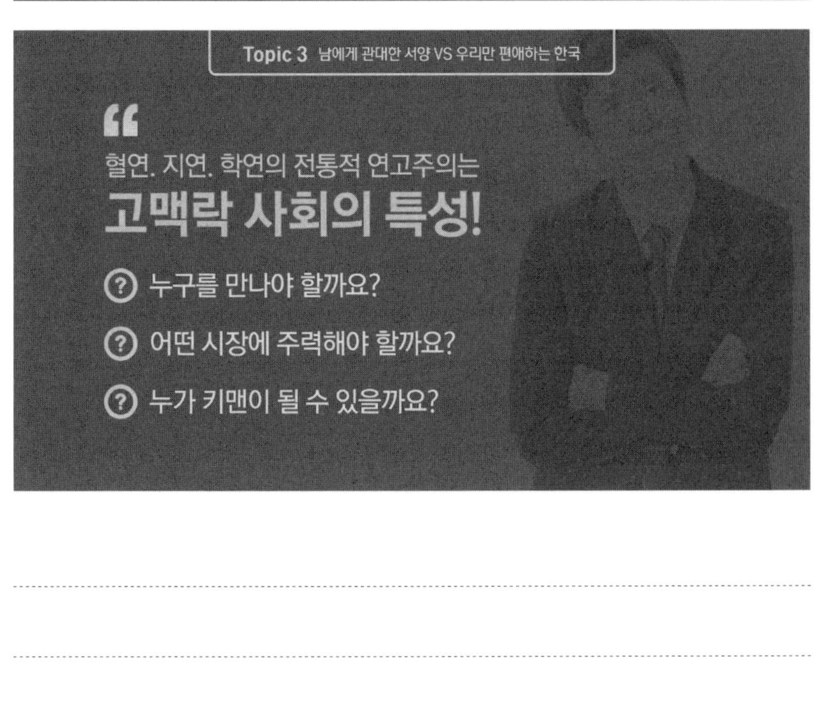

Topic 3 남에게 관대한 서양 VS 우리만 편애하는 한국

14/20

최상위고객 20명 중 14명이 [내집단]

Topic 3 결론

동양사회에서 **가망고객 발굴**은

[내집단]에 **집중**되어야 한다.

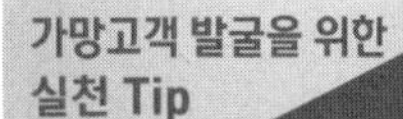

1.

동문회, 향우회, 종친회 등을 먼저 살펴봐라.
당신이 살아온 길, 그 곳에 답이 있다.

2.

만날 사람이 없다면 단체, 모임에 가입하라.
탑 세일즈맨이 모임이 많은 것은 이유가 있다.
새로운 사람들과 '우리'가 되어라.

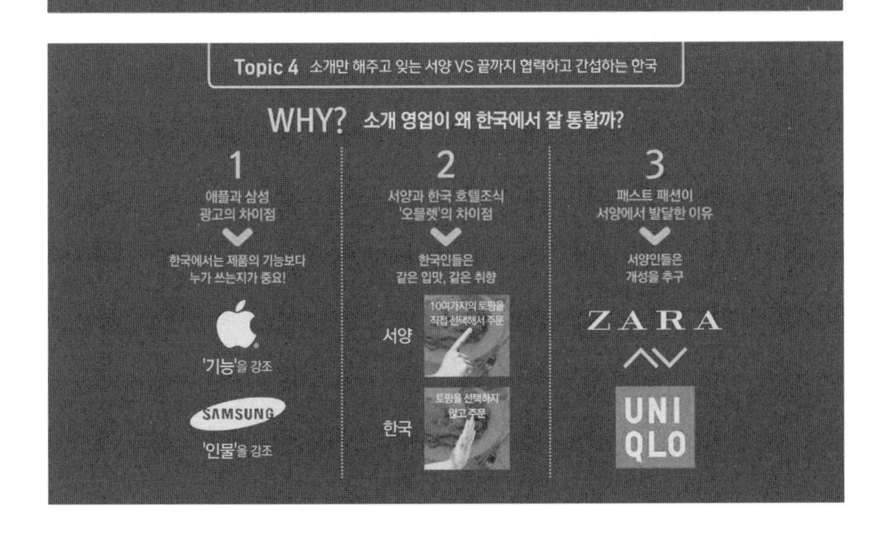

Topic 4 소개만 해주고 잊는 서양 VS 끝까지 협력하고 간섭하는 한국

HOW? 소개 영업을 어떻게 할 것인가?

1. 동조의식 ; 친구따라 강남 간다

▶ 남들처럼 & 남들만큼 살고 싶은 한국인

2. 간섭문화 ; 남의 제사에 감 놔라 배 놔라 한다

▶ 타인의 삶에 관여하고 간섭하는 '우리'라는 공동체 문화

3. 체면의식 ; 소개자의 위신도 고려하는 한국인의 체면문화

▶ 형님 소개로 왔으니 우호적으로 대하는 태도

Topic 4 소개만 해주고 잊는 서양 VS 끝까지 협력하고 간섭하는 한국

"

소개를 통한 영업이 진행될 때는 소개자의 관심과 협력이 중요

소개에 감사하고, 활동을 보고하라!

타인의 삶에 관여하는 사회

고맥락&고관여 사회의

[체면의식] 과 [쏠림현상]

Topic 4 결론

한국인에게 가장 중요한 소개마케팅의 비밀

감사와 보고를 통한

소개자의 **관심과 협력, 간섭**

소개영업을 위한
실천 Tip

소개자에게

중계하고, 중계하고 중계하라

실천 Tip 요약

1.관계 발, 귀, 손, 마음	2.경청 경청으로 설득하라
3.우리 [내집단]에서 가망고객을 발굴하라	4.소개영업 소개자의 관심과 협력으로 영업하라

나 자신의 삶은 물론 다른 사람의
삶을 삶답게 만들기 위해 끊임없이
정성을 다하고 마음을 다하는 것처럼
아름다운 일은 없습니다.

톨스토이

앞서 가는 비밀은
시작하는 것이다.

시작하는 비결은 복잡하고 어려운 일들을
관리하기 쉬운 작은 조각들로 나눈 다음,
가장 첫 번째 조각에 덤벼드는 것이다.
– 마크 트웨인

감사합니다
Thank you for your attention

TOP 세일즈맨의 노트를 훔치다

초판 1쇄 발행 2017년 7월 7일
개정판 1쇄 발행 2017년 9월 27일
개정판 3쇄 발행 2019년 8월 17일

지은이 공민호

펴낸이 최나미
디자인 디자인오투
편집 한문주

펴낸곳 한월북스
출판등록 2017년 7월 13일 제 2017 - 000007호
전화 070-7643-0012 팩스 0504-324-7100
주소 서울특별시 강남구 광평로 56길 10, 광안빌딩 4F (수서동)
e-mail hanwallbooks@naver.com

ISBN 9791196194505 13320

이 도서의 국립중앙도서관 출판시도서목록(CIP)은
서지정보유통지원시스템 홈페이지(http://seoji.nl.go.kr)와
국가자료공동목록시스템(http://www.nl.go.kr/kolisnet)에서 이용하실 수 있습니다.
(CIP제어번호 : CIP2017024550)